傳家冬

氣氛生活

水杉下的下午茶

秋

歲時節慶

中元
中秋
命、相

素食
黃金好個秋
大閘蟹
醃製風乾
小點

中國戲劇服飾
慶典設計
秋之禮
秋天的花藝

生活札記

秋天菜園
醬料
螃蟹宴
中藥
實用表格

齊家心語

給長輩的信～讀我母親、父親、公公
結痂的傷痕
我們的戲劇
占卜與風水

以食為天

點
老虎的人
式早餐

品

齊家心語

給女兒的信～翅膀硬了
成語教育
談教育
君子之交與處世原則

生活札記

夏天菜園
辛香與粉
水宴
草藥
家人溝通

生活札記

冬天菜園
鍋碗瓢盆
火鍋宴
藥浴、運動
教材

齊家心語

給先生的信～恩愛夫妻
民族人物
我們的禮節
叮嚀與祝福

中國人的生活智慧

蔡其南老師畫作〈臨風〉

氣氛生活

溫泉池畔的小酌

歲時節慶

冬至

過年

生肖、宜忌

以食為天

雞鴨魚肉

佛跳牆與家族樹

酒

火鍋

糖果

匠心手藝

中國的**線條圖案**

樂器

傢俱

書法

卡片設計

冬之禮

冬天的**花**藝

讓幸福走進每一個家

張杏如

姚仁喜是認識多年的朋友，一天，他打來電話，說是太太要出一套書，想把樣書帶過來讓我看看。很快的，我們約了見面。只見已經是三個大孩子的媽，女兒就快大學畢業的任祥，簡簡單單的，卻仍然是個水汪汪的美人兒。拿出她的《傳家》，她一邊翻著那蘋果綠的「春」，一邊說著，講話像說書，一下子就讓你淹沒在她那孩子般的熱情裡，感染著她的喜悅和對家的愛。她愛她的父母、愛她的先生、愛她的孩子們。而我，第一次知道有人這麼認真的過日子，從春走到夏，從秋說到冬，日子過得豐富，四季分明。

我出生在一個八個兄弟姊妹的大家庭，成長在一個天生地養的年代。家裡的院子裡長著果樹、有個菜園，還養著雞。我整天跟著哥哥姊姊們、街坊的孩子們成群結隊在大馬路上玩，但只要大人一吆喝著吃飯，大家就一哄而散，各自回家。炊煙裊裊，家家都有香噴噴的飯等著。下了課，回到家，總能聞香找到在廚房裡的媽媽，爐火正旺，就等著一家人回家。除了過年過節，難得吃到什麼大魚大肉的，但就算長大出國了，最想念的還是媽媽那幾個簡單的家常菜，那一家人圍在桌子上的熱鬧和滿足。那是一個充滿感覺的年代，孩子們的嘻笑喧鬧、廚房裡的飯香菜香，大自然的綠樹紅花、蟲鳴鳥叫，真真實實，生氣蓬勃。但這一切都在匆忙的腳步裡，不知不覺的在歲月中流失了。聽任祥用好聽的聲音說著說著，那些回憶，一下子就都回來了。

任祥從小長在台灣，又是台灣人的媳婦，但因著家學淵源，對中華文化的體會和底蘊都特別深厚，加上她的巧手慧心，她的日子裡，既有博大精緻的文化和智慧，也有小市民的生活和情趣。書裡書外透著的則是她對家和家人的濃情蜜意，春、夏、秋、冬，隨著一年的節氣，任祥分享給我們可以好好過日子的生活祕笈。在《傳家》裡，我們看見一個家庭的教養，看見大中華的文化傳統，也看見台灣的風土和在地的生活。在《傳家》裡，一口蜜餞、一塊花布、一個菜圃、一個祝福，都引領著我們重新看見生活中點滴的美好，有滋有味，有思有感，知道幸福不在天邊，而在尋常每一天的日子裡。

我對任祥和她的書都是一見鍾情，她因為印刷裝幀的事找到我，是老天爺送給我的一個大禮，讓我有緣認識一位奇女子，也得以和這份美好相遇。任祥出這套書，心裡還有一個大願，她不對外發行，只讓有緣人發心，三千六百套的書，為法鼓大學募到了七千二百萬元，也實現了她對聖嚴法師的承諾。壽川和我家中兩代皆蒙聖嚴法師和果東方丈法雨，加上任祥尊翁任顯群先生和我公公何傳（信誼）先生本是舊識，相知相惜，得續前緣，更覺不可思議。

而今贊助法鼓大學的專案結束了，任祥慨允信誼基金會出版《傳家》普及版，共同祝願幸福能走進每一個家庭。信誼基金會三十多年來，致力關懷兒童與兒童教育，一路走來，始終堅信「生活即教育」，有幸結此善緣，特記此因由謝謝任祥，也謝謝孕育她的家庭。

張杏如

西元二〇一二年十一月

冬序～我與阿祥走過冬天

海拔五百公尺的陽明山，冬天的氣溫比山下略低個幾度，濕度卻高得讓人有點難受，好像隨手一擰，衣服就會擰出好多水來。但也因為濕氣瀰漫，陽明山冬天的清晨、夜晚都籠罩在霧裡，路燈濛濛亮，山腳下的台北燈光都模糊了，遠遠近近的樹影，彷彿在迷幻的仙境裡，真箇是「山在虛無飄渺間」。

從小在陽明山永公路長大的阿祥說，陽明山的冬天雖然濕冷，他記得的永遠是過年前後的熱鬧景象。早年的永公路一帶，幾乎都是他們劉家的族親，一個家族可能分散在七、八戶中，或近或遠都是親戚，過年期間的聚會特別熱鬧。大家平日的農作各自不同，年前的幾天親戚們就開始互相換菜，你家給我們高麗菜、冬筍，我家給你們肥大的白蘿蔔、芥菜，廚房、晒穀場到處堆滿各色蔬菜；家家戶戶的爐灶也幾乎沒熄過火。

阿祥小時候最喜歡的是母姊們做甜粿、菜頭粿、芋粿、發粿時，幾家合起來以石磨磨米，或者是看誰家的灶比較大，索性集中在那裡蒸，灶火熊熊，蒸出一籠籠晶晶瑩瑩或甜或鹹的粿，濃濃的年味漾滿了空氣中。小孩最愛的食物之一是香腸，每家自已灌，也都各有風味。而且劉氏宗親懂得團結力量大，備料前會先價比三家，再委託一位集中預訂豬肉和腸衣，價錢會比較便宜。

阿祥記憶深刻的還有除夕、春節交界時拜天公，天公最大，所以祭拜的方桌得高高架在長板凳上，男人忙著搬桌椅，女人著手端牲禮，拜完就放鞭炮迎接舊曆新年來到。大年初一的習俗，早餐一定得吃素食，他說母親不擅長素食料理，所以不管什麼菜，只要沒沾到油腥就叫素菜，一概以汆燙料理，其中一種是正中央蓋著紅色大印的黃色豆乾，也是過水燙過沾醬油吃。年初二，算是新年的高潮，姑姑們回娘家，有時還會帶朋友同來，家裡就像辦桌吃流水席，大菜一道接一道，從中午吃到晚上。「那真是好讓人回味啊！」阿祥說。

除了過年的熱鬧氣氛，冬天的溫泉也是讓人無限緬懷的。泡在煙霧瀰漫的溫泉裡，全身熱呼呼的，起來如果喝點酒，和朋友聊聊天，則是連心頭都熱起來了！所以，冬天的「氣氛生活」就以溫泉、朋友與酒為題，在陽明山麗緻飯店的溫泉池拉開了序幕。

「歲時節慶」則介紹冬天主要的節日冬至和過年。在曆法上，冬至是一年之中白天最短黑夜最長的一天，習俗上過了冬至就算長了一歲，家人要圍在一起吃湯圓與祭祖。所以我繪製了一般家庭的供桌，介紹家中神主牌位陳設的方式，還畫了一幅古時候老祖宗的畫像。冬至以後，緊接而來的是迎接尾牙與過年。年夜飯是中國人最看重的團圓飯，但不同的地方有不一樣的吃食文化。象徵「年年高陞」的年糕，是在台灣中部一個老阿嬤的老廚房內拍攝的，是一種很溫馨回憶。〈佛跳牆與家族樹〉，則是用一鍋內容豐盛的湯來形容我們這個家族。

過年期間的娛樂繁多；這裡介紹了麻將藝術，象棋、圍棋。農民曆則介紹十二生肖的由來，還有封底那張解釋食物禁忌的圖表。我從小喜歡看那張圖，看看什麼食物和哪種食物同吃會相剋中毒；其中竟有一種中毒必須吃「雞屎白」解毒，也不知是否真的有效，當時只覺得很好笑。

在「以食為天」篇，配合中國人收成的冬藏習俗，家家戶戶有一種滿溢的感覺，所以這裡介紹了雞鴨魚肉等等豐富的年節食物。加上我所擅長的江浙菜譜，洋溢著飽滿富足的氣氛。文化食物中，有各式火鍋的介紹，紅白黃綠青等顏色的鍋底，浮動著誘人上癮的魅力。酒的由來與我們的酒文化，則從與酒有關的詩詞，酒的製程以及現在買得到的酒系，都做了詳細的說明。零食則介紹過年期間，家家戶戶會有的糖罐子。

「匠心手藝」篇，主題是中國人的線條藝術，從文字到印章、書法、建築、圖騰、中式傢俱與我們的樂器，盡可能的呈現我們所擁有的藝術遺產，質與量的底蘊都那麼渾厚。我也利用女紅的縫繡編織，陳列各種細緻的工法，顯示它們與時尚、裝飾結合利用的種種可能。冬天的花藝篇，介紹中國的花藝與花道。我設計的季節禮品與卡片作品，也都有著迎接新年的喜悅與祝福之意。

在「齊家心語」篇，民族人物以維基百科式的現代分類系統，列出我們歷史中已成典範的民族人物。禮節篇比照尺牘精神編了一張家族表，列出對應親戚該用的詞句，也一併結合了常用辭彙或口頭上的問候語。中國人的生命禮儀，我則以剪紙的圖繪與剪紙做出來，敘述一個人從出生到死亡會出現的種種民俗禮儀。做出來後愕然發現，人生要面對的、逃不過的大事就是這麼些；生命的每一天都在快速的消失，我們可都要好好珍惜！

〈恩愛夫妻〉是要分享我們中國人對恩愛那個「恩」字所持有的特殊相處之道。〈天下父母雙人舞〉道盡了為人父母的複雜心情。〈叮嚀與祝福〉是針對兒女們將來的婚姻而寫的。〈爸爸的答案〉則是仁喜給孩子們的一份難得的好禮。

在「生活札記」裡，「我的冬天菜園」以〈探索奇妙的生態密碼〉來探討人類種植與糧食的大議題，也介紹最常用來醃製的十字花科菜系。「中國女人的廚房」則介紹廚房中的各種用具，鍋碗瓢盆爐與印模等的精緻與特色；為此還特別到金門拍攝閩南富貴人家所留下來的經典廚房用品，看得出大戶人家的廚房面貌。

「冬天的養身」，除了羅列一般家庭必須常備的藥物及其療效，也介紹藥浴，溫泉，以及各種養身的運動。「宴席」篇拍攝了一場別開生面的火鍋宴席，熱鬧中還帶著美感。熱鬧的度過濕冷的冬天，春天也就不遠了。

「家計」篇我向母校復興中小學要了十二學年各科的課本，整合了一張中西教材的對照表。我總覺得，中國父母關注孩子的課業太多，應該拉長一點鏡頭，看看十二年的教育中，學科究竟學的是什麼，洋洋灑灑列出來以後，可以看得出孩子們有多麼的辛苦！學校光要把這些東西塞給孩子，所費工程就已非常浩大，怎麼可能還有時間教導生活上的事物呢？填鴨式的教育，對孩子是不公平的。所以我希望學校與家庭能夠分工，各司其職，讓孩子們除了學識教育之外，也要有家庭的教育，教導他們怎麼玩，怎麼學習生活的技巧，做人的準則，思維的邏輯，以及如何面對破敗而無孔不入的新聞媒體。

人人皆可傳家是我一再強調的，「傳家」兩字，要傳的是中國人的生活智慧。我所整理的這一切，只是拋磚引玉，希望讀者結合自身的經驗，讓每一家的《傳家》更趨完滿。

姚任祥

西元二〇一二年十二月

氣生活

温泉池畔的小酌

感謝陽明山中國麗緻飯店提供攝影場地

草山湯泉

姚任祥

瀟瑟薄暮朔風凜
雲雨吉野密山頭
孟冬初日逢知己
湯泉吐豔境酣濛

歲時節慶

冬至

冬至一般出現在陽曆的十二月二十一日或二十二日，是冬天最寒冷的一天，吃湯圓和進補是冬至主要的習俗。

冬至是農曆二十四個節氣之一，又稱「冬節」，一般出現在陽曆的十二月二十一日或二十二日，是北半球進入冬季的第一天，也是白天最短、黑夜最長的一天。過了冬至，白天就會開始變長了。

根據《尚書》記載，中國老祖先至少在二千五百年前的春秋時代，就已經計算出冬至之日，並稱之為「日短」，即白天最短的一天。漢武帝頒布「太初曆」——即現在的農曆——之前，周朝的曆法甚至是以冬至的那一個月為「正月」。

冬至也是計算農曆二十四個節氣的起點。

因此，冬至在古代是非常重要的節日。《後漢書・禮儀志》記載：「冬至前後，加子安身靜體，百官絕事，不聽政，擇吉辰而後省事。」由此可知，漢朝時已把冬至定為國定假日。《晉書》也記載，魏晉時代每逢冬至都會大加慶賀，「其儀亞於正旦」；亦即當時歡慶冬至的規模僅次於過年。因此，民間早已流傳「冬至大如年」的說法。

冬至的主要習俗有：

吃湯圓：古代冬至的應節食品，北方為餛飩、水餃，南方則盛行吃湯圓，因為圓代表「團圓」之意。台灣多為南方移民，因此冬至也吃湯圓，一般是磨糯米，搓成紅、白兩色的小湯圓；另外再做內包甜餡的紅、白大湯圓各六顆，主要是用來祭祖，稱為「圓仔母」。祭祖後，早期台灣習俗還把湯圓黏貼在門、窗、桌、櫃、牲舍等處，祈求神明保佑。不過時至今日，冬至吃的湯圓其實已形形色色，與元宵節差不多；在春天的元宵節單元，對湯圓有詳盡的介紹。

補冬：因為天氣轉寒，中國自古就有冬至進補的習俗，據說這個習俗是從漢高祖劉邦在冬至吃狗肉開始形成的。台灣以前也有吃狗肉進補的陋習，但一九九八年已立法禁止。現在冬至多以中藥燉羊肉、雞肉為主；桂圓糯米飯（粥）也是常見的應景食補。

祭祖：冬至祭祖是自古農業社會就有的習俗，清朝康熙二十四年出版的《台灣府志》提到冬至有如下記載：「是日，長幼祭祖、賀節，略如元旦。」冬至當天，台灣人祭祖與過年祭祖一樣慎重，祭祖後還會在祖祠大開宴席，團聚而食，稱為「食祖」。

冬至祭祖一般是在當天中午展開，如果有祖祠，則是從清晨開始。祭拜祖先需要準備供桌，供品要準備三牲（雞、鴨、魚）或五牲（加豬、羊）、米飯、水酒、十二菜碗（齋菜、乾料）、水果與湯圓等。供桌上除了點香燭、上香，還要準備金銀紙於祭拜後焚燒。

現在我們到朋友家，如果看到供桌，通常都設在面向天的方位。神明的神像或繪圖擺在供桌的右邊，左邊則擺祖先牌位。供桌的神明一般在台灣會看到供奉的是（有不一樣手印的）釋迦牟尼佛或是觀世音菩薩，有時也會看到各式樣材質念珠的擺放。

神明、祖先前放有香爐（通常祖先與神明各有專屬香爐），兩旁為燭火台，一側或兩側則擺放供鮮花的花瓶。供品依序由內而外為酒水杯（三個杯子為一組）、三牲、淨果、甜品、素菜。佛教提倡不殺生，則常見到供桌上放著七個杯子，此乃為印度的習俗，代表清水、洗腳水、花、香、燈、香水與食物。

台灣最講究的供桌是閩南式的三層組：最上層的長案桌擺放神像、香爐、燭台、燈具；中層的貼案桌擺花瓶、供果；下層的八仙桌放置香几淨爐、龍燭、酒水杯。

中國人一向很尊敬祖宗，大戶人家都還有一個房間專門供奉列祖列宗的畫像。在中國古典小說裡，常會看到大家族之間發生了甚麼重大事情，都要到「祖宗祀堂」去審問、發誓，辨明是非曲直。美國狄斯耐公司製作的卡通電影《花木蘭》，是中國家喻戶曉的故事，也把我們的「祖宗祀堂」畫得生動活潑，讓全世界看過電影的孩子都知道，中國人的祖宗一直都扮演著「執行」家庭重大決策的角色呢！

我請插畫家葉子明畫這幅祖宗圖時，他回憶他的祖母過世前交代家人，以後家中不可以懸掛她的遺照，擔心「孩子們看了會怕！」也許她小時候曾被祖宗遺照嚇到過。在前頁的老祖宗畫像裡，以前的中國男人還挺享受一夫多妻制呢！

過年

過年是中國人最重要的節慶，從農曆十二月二十四的「送神」開始，到年初五「開市」，有各式各樣的**春節**習俗。

中國人最重要的節慶就是過年，也就是歡樂的春節。在過去農業社會，時至農曆十二月末，經過春耕、夏耘、秋收、冬藏後，人們在這段假期歡聚團圓、拜訪親友，並除舊佈新，迎接新的一年到來。

過年的習俗可以回溯至殷商時代歲末年頭祭祖的「臘祭」。中國人稱農曆十二月為「臘月」也是因此而來。「臘」其實是「獵」的意思，老祖先在歲末才有空閒時間把獵取的野獸拿來祭天祭祖，然後鹽漬風乾留著吃，也就是「臘肉」的由來。後來演變為歲末舉行祭典，並慶賀與慰勉過去一年的辛勞。

「年」有個古老的神話，相傳「年」是一隻會吃人的怪獸，體大如牛，張著血盆大口，每逢冬藏後，牠就出來獵食，人們莫不驚恐。但後來逐漸發現，年獸最怕三樣東西，一是紅色，二是火光，三是聲響。於是在年獸要出現之前，家家戶戶在門前掛著紅色的桃木板，並燃起一堆火，而且除夕當夜通宵不睡覺，不斷敲敲打打發出各種聲響，希望牠因此不敢侵擾。等到天明後，人們才出來互報平安，互道恭喜，並設宴熱烈慶祝。

「年」還有一個名字叫做「夕」，年獸出來滋擾的夜晚，後來就被稱為「除夕」。防年獸的三個法寶，隨著時代演進，紅色桃木被春聯取代，火堆改為掛大紅燈籠，鞭炮則取代了敲敲打打，成為現在過年的固定習俗。

過年要從農曆十二月二十四的「送神日」開始算起。送神日就是祭祀灶神的日子，灶神是天庭派駐在家戶的廚房，職司監察功過善惡的官吏；二十四日當天就是灶神要返回天庭述職的日子。因此，為了「上天傳好話」，人們會在當天清早祭祀送神，並焚燒象徵交通工具的「雲馬紙」，還要敬備甜湯圓，讓灶神可以坐車回天庭，而且嘴巴吃得甜甜的，為他們向天帝美言幾句。台灣就有把甜湯圓黏在灶嘴的習俗。

灶神返回天庭後，天帝會另派天神下凡巡視。因此，農曆十二月二十五日當天，人們要注意言行，不能打罵，或是說不吉利的話，也不能曬內衣，免得被天神記上一筆。

送神之後，就算年關開了，首先要「清塵」，也就是年終大掃除，這個習俗遠自宋朝《東京夢華錄》就有記載。特別是神明雕像、祖先牌位等祭祀用品，平常是不能動的，只有送神後可以拿下來清洗、擦拭。台灣有句諺語說：「大拼厝，才會富」，也就是說，過年前一定要把全家打掃得乾乾淨淨迎接新年，才會財源滾滾。

清塵後，就要辦年貨、大採買，製作象徵吉利的各種年糕，像是象徵好彩頭的「菜頭粿」（蘿蔔糕）以及發財的「發粿」等，然後準備除夕當晚全家「圍爐」的年菜。

過年的高潮要從年三十的除夕展開，在台灣，當天下午二時至四時要先進行「辭年」的祭祀儀式，先祭天再祭祖。接著，全家團圓開開心心共享豐盛的年夜飯，然後一起守歲；到了午夜十二時，就燃放鞭炮歡慶新年的到來。

大年初一要先進行「開正」的祭祀儀式。「開正」的意思就是在新的一年開啟時刻，全家張燈結綵，並在神桌供奉各種年節食品，祭祀上天與祖先；開正的時間則隨著每年干支的時間而有不同。

在台灣，年初一的習俗非常多，但必要活動就是「行春」，一般就是到附近寺廟上香祈福，也有求吉利的方向再「出行」的趣味習俗。然後就是到親友家拜年，互道恭喜發財，絕對不能講不吉利的話，或是做觸人楣頭的事情，不然會倒楣一整年。也因此，年初一還有很多禁忌，例如不倒垃圾、不打罵小孩、不碰刀、不拿掃把等等。

大年初二就是媳婦回娘家的日子，這個習俗的源起也與「年獸」的傳說有關，嫁出去的女兒可以在這一天返家探視父母是否平安。在以前傳統農業社會，女人出嫁後就不能隨便回娘家，只有年初二這一天，女兒可以帶著夫婿跟小孩一同回家做客，而且一定要帶禮物，俗稱「伴手」。

年初三是俗稱「老鼠娶親日」，相傳這一天的晚上是老鼠出動結婚的大喜日子，所以年初三不進行祭祀祈福活動，而且入夜要提早熄燈就寢，隔天要晚起，以免干擾老鼠的好事。老祖先以前因為無法撲滅老鼠，於是衍生出這樣以和為貴的習俗，確實饒富趣味。

年初四是「接神日」，因為有「送神早，接神晚」的說法，所以一般是在午後敬備牲禮祭祀，迎回舊年二十四日赴天庭的灶神及其他諸神。迎神後，當年生肖犯沖的人，就可以去寺廟「安太歲」以趨吉避凶。年節到了這一天也步入尾聲。

年初五俗稱「出年關」、「隔開」，年節在這一天畫下句點，幾乎所有的年節民俗活動都到這一天終止。初五也是各行各業「開市」的大日子，因為財神爺就在這一天下降凡間；直到現在，公司行號全體員工都會在這一天擇吉時、財位，供奉牲禮、糕品、鮮花水果，一同祭拜迎財神，以求財源滾滾。

過年的重要習俗有：

守歲：除夕當晚，全家都要通霄守歲，用意是取「不睏，來年才不窮困」。守歲也被稱為「守長壽夜」，做子女的如果守歲越晚，越能替父母延年添壽。

發紅包：也就是發「壓歲錢」，通常在年夜飯吃完後，長輩在紅包袋裡放錢，分發給未成年的晚輩，有討吉利、鎮邪壓魅的意思。

放鞭炮：「年」是一隻會吃人的怪獸，牠還有個名字叫「夕」，所以「除夕」的晚上要守歲，不斷的敲敲打打，發出各種聲響好把「夕」趕走；後來就演變成放鞭炮的習俗。因此鞭炮也是過年必備的物品。

除夕的晚上，接近深夜十二點，到處開始放鞭炮，很多人家放的還是一長串的，嗶嗶啵啵響好久，最後一聲大大的「碰」，終於把「夕」趕走了！

小時候我們最喜歡把沖天炮架在酒瓶上燃放，那爆響的聲音讓人覺得又刺激又害怕，到今天都還印象深刻。現在的鞭炮則是越玩越新穎，除夕的夜空，儼然成了一場煙火秀。

舞龍舞獅：這是中國最有名的傳統舞蹈，至今仍是華人地區每逢重要節慶必備的民俗文化活動，以祈求國泰民安、風調雨順，並有趨吉避凶的意義。由於舞龍舞獅都需要有鑼鼓陣伴奏，揮舞起來更生猛有力，因此幾乎都是節慶最高潮的節目。

舞龍：「龍」是中國獨創出來，象徵祥瑞的虛擬動物。舞龍最早可以回溯到漢代，是為了祈求甘雨降臨而衍生的儀式；到了唐宋，舞龍已經是逢年過節常見的節目。

舞龍因為發展已久，隨地域衍生許多形式。台灣多屬於「南龍」，以竹木架構而成，龍身較長、較重，講究氣勢；通常最短也有十公尺長，最長超過百公尺都有；每一條龍的節與節之間，相距應至少三公尺，才易於揮動，但龍節都是單數，再與龍珠算在一起，才是象徵吉祥的雙數。台灣以超過三十一節就稱為巨龍。

舞龍由一人另外手持「龍珠」引導，稱作「龍搶珠」，具有祈福和賜財的意義；持龍身者，則由舞龍頭的人帶領；不論龍身有多少節，每人動作必須協調一致，才能舞出龍的形意。

舞獅：中國並沒有獅子，但從漢代以後就有引入的記載；獅子因為是百獸之王，又受到佛教認為獅子有「鎮災避邪」的影響，因此古代就流行造石獅於宅府門前鎮守。

《舊唐書．音樂志》記載：「太平樂，後周武帝時造，亦謂之『五方獅子舞』。綴毛為獅，人居其中，像其俛仰馴狎之容。二人持繩秉拂，為習弄之狀。五獅子各立其方位，百四十人歌太平樂。舞以足持繩者，服飾作崑崙像。」顯見早在南北朝就有舞獅的儀式。

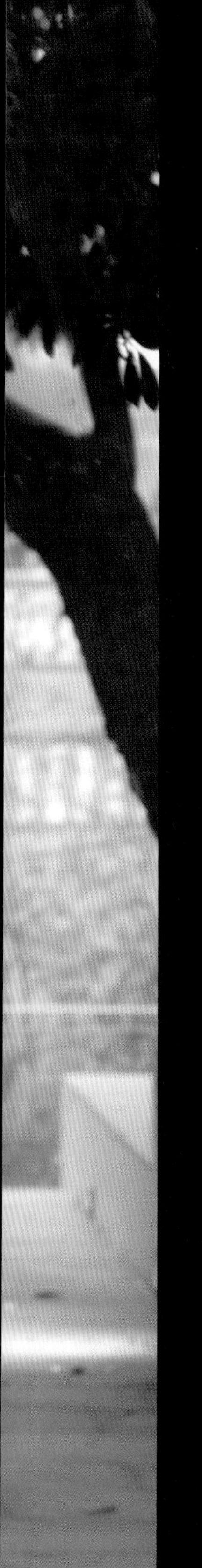

中國舞獅因為地域分為「北獅」、「南獅」。北獅又稱為「瑞獅」，但因為瑞字唸起來有「睡」音，因此以廣東為主發展的南獅，改稱為「醒獅」，所以現在很多舞獅團體名為「醒獅團」。北獅重馬步、形意，南獅更講究技巧、特效，已有武術的水平。台灣的舞獅多屬於「南獅」，依獅頭形狀分為「開口獅」、「閉口獅」。

舞獅大多為兩人合作，一人舞獅頭，一人舞獅尾，有非常多的制式橋段；其中最有名的是「採青」，通常把青菜掛在高處，然後由舞獅者躍過層層障礙（大多是梅花樁），然後再「食青」、「吐青」，有慶賀生意興隆之意，最後再由主持人賜給紅包以示感謝。這也是年初五開市，最常見的慶賀活動之一。

貼春聯、年畫、剪紙：過年張貼春聯、年畫的習俗，源自於掛在門上趨祟避邪的「桃符」，最早始於漢代，因為桃符為紅色，所以春聯一律都以紅色為底，再結合優雅的書法與吉祥的詩詞，成為家戶過年不可或缺的應景裝飾，其中又以貼在門口兩側的「對聯」最受重視。

年畫則有驅邪避凶的神像畫，以及各種討吉祥的如意、聚寶盆或是民間故事版畫等等，種類繁多，多張貼於門板中間。

剪紙源自於南北朝的「宜春帖」，也就是在紙中間鏤刻「宜春」二字，周邊再搭配圖案的剪紙藝術；因為是過年懸掛於門窗賀歲之用，所以又稱為「春書」。剪紙最常見的形式是「窗花」，過年張貼的剪紙，大多是象徵喜氣的紅色，內容包羅萬象，一般的主題是吉祥如意、年年有餘等賀歲詞，或當年生肖以及各種民間神話故事。

這本冬天的專輯中，我在很多地方貼上剪紙作為攝影的背景，「中國人的生命禮節」篇也選擇以剪紙的方式呈現，每一張都出自大師的手藝，圖騰也都有祝福或深遠的含義。譬如其中一幅有桃花和燕子，其諧音是「討厭」；如果外國朋友收到，也許無法理解我們的文化裡藏有無盡的有趣陷阱吧。

對聯的藝術

爆竹連聲除舊歲

桃符萬象更新年

小時候走在巷弄裡，我還看不懂家家戶戶門上對聯的深意，只覺得紅紙被雨水淋濕或被太陽照淡了，有一種斑剝蒼涼的感覺。隨著年齡增長，才漸漸懂得我們擁有的這個獨特文體的精妙。

對聯的基本形式，是把具有深意的字句，搭配平仄語法組合成雙，不僅有雅致、應景、教育、娛樂、應用的功能，還能抒懷或述志，體現善良、訓誡、諷刺、炫耀等精巧的心思。

過年期間，家家戶戶都會為自家大門貼上春聯，並在門框上方加一橫楣，增加趣味或加重語氣。其中最常見的春聯，右聯寫著「門迎春夏秋冬福」，左聯寫者「戶納東西南北財」；上方橫楣為「千門瑞慶新」，把門戶、季節、方位與所有的吉祥、安樂、祝福全涵蓋在內。

張治先生所著《對聯之研究與學習》一書中提及，「不管是藝術上之抒情寫景，應用上之吉、凶、慶、弔，總要存於中，形於外，出之於心、言之有物，這樣才充實而有意義。」所以我們讀對聯時，在短短的字句中，能體悟它利用字義、字形、字音、對比來豐富詞句的風采，呈現結構與氣韻的鋪陳，也能享受其意境與樂趣，並引發遐思與深思。所謂的「吟詩作對」，凡認識中國字的人，都擁有這項特殊的權利，可以自我發揮。

過年的春聯，大多富於除舊佈新與喜慶納吉之意，一般的對聯或輓聯，則更能顯露人情世事的練達與微妙。蔣介石的文膽陳布雷去世時，于右任的輓聯是：「文章天下事；風雨故人心。」短短十個字，充分流露他對逝者的真情。一個窮書生太太去世了，他為亡妻寫的輓聯是：「七八載夫妻，少米無鹽空嫁我；三兩個兒女，大啼小叫亂呼娘。」簡易的文字，讓人一看就有酸楚與敬重之心。

還有些對聯則富於嘲諷意味，如「三間東倒西歪屋；一個千錘百鍊人。」自嘲又帶有傲骨。另如一個土地廟的對聯為「噫，天下事，天下事；咳，世間人，世間人。」讓我們好像看到掌管土地的廟神看著無知的世人猛搖頭！還有一位余先生，他的妻子被高官奪走了，除夕那天就寫了一付自我解嘲的對聯貼在自家門口：「佛云，不可説，不可説；子曰，如之何，如之何」！雖然請來了佛陀與孔子來解決家務事，文字間的深意卻讓人對他莫可奈何。

以前家家戶戶需要有對聯，很多文字都跟自己所從事的職業有關。最妙的是一位屠夫的家門口沒有對聯，據説明太祖經過就為他寫了一對「雙手劈開生死路；一刀割斷是非根」，真是精準絕妙，讓人拍案叫絕！

對聯的撰寫，文字是字字珠璣，書法則隨人而異；楷書工整大氣，草書龍飛鳳舞，都能形成特殊情趣，讓人賞心悅目，雅俗共賞。過年期間在門上貼春聯，也有與人同勉，同樂，祝福的深遠之意。

佛跳牆與家族樹

兒女大了，所有的活動都得配合他們的時間表。女兒姚姚放假回台灣，年前就得回學校，我們姚、任兩個家族，三代二十人加上姚姚的美國同學柏康共二十一人，提前於尾牙這天在我家吃了一頓熱熱鬧鬧的團圓飯。催生這頓聚餐的，就是姚姚。

我們兩家結親二十多年，常有各種親族聚會，全員到齊吃團圓飯可是破題兒第一遭。大概也只有姚家這個長孫女請得動三代人挪出時間同聚一堂。為了應景，我準備了四十二個紅包，裡面裝著巧克力金幣及一句對聯；上聯的紅包放在茶盤裡，下聯的紅包分別放在餐桌的二十一個位子上，每人入座前先拿茶盤裡的紅包，再去餐桌找下聯，找到即是自己的位子。這找位子的過程很有趣，立即把聚餐的氣氛炒熱了。柏康不會中文，他的對聯最簡單：「一二三四五六七，七六五四三二一」。其他的對聯則都是具有深意的吉祥話：「鼠去牛來辭舊歲，龍飛鳳舞慶新春」；「喜看大地鶯歌燕舞，笑迎農家馬壯牛歡」；「尋常無異味，鮮潔即家珍」；「紫米川鹽樣樣不少，甜香酸辣味味俱全」……

這麼多人聚餐，我們並沒有叫餐廳外燴；除了我公公的日式紅豆麻糬買現成，其他端上桌的餐點都是各人在自家廚房精心做好的。任家帶來宜興砂鍋，上海式梅乾菜扣肉，砂鍋魚頭，獅子頭，紅豆鬆糕，烏魚子，紅燒蹄膀；姚家帶來客家式梅乾菜扣肉，素什錦，清炒時蔬，冷盤，潤餅，車輪，台式鹹年糕，滷肉飯。仁喜燒他的招牌西班牙海鮮飯，我做南京糯米糰子與佛跳牆。我家三個孩子做了南瓜濃湯，台灣甜年糕，炒粄條及紅蘿蔔蛋糕。柏康則做義大利千層麵。加上各房帶來的日本清酒，葡萄酒，陳紹，梅子酒，吃的喝的近三十樣。我公公說著日本國語，我母親說著吳儂軟語，孩子們說他們的英文國語，我們中間這一代則一口標準國語。東方與西方，外省和本省，三代人「混」得好盡興！

聚餐之前，我特別把剛在電腦裡完成的家族樹列印了一張貼在餐廳牆上，樹上共有兩家八代三百二十一個人名，趁機讓孩子們了解親族的生命源起與各人的成長密碼，並增補遺漏之處。這可愛的家族樹，在電腦裡可放入個人簡介，照片，通訊資料，還可加上各人想跟家人說的話，生活近況，工作成果或作品，讓家族成員不管在何處都能上網點進去分享。仁祿將把這棵家族樹放到他的部落格，讓所有親人隨時增補，相信它會不斷長大，枝葉越來越茂密。

以前過年，我們家和姚、任兩家的長輩總是分開吃團圓飯的。我公公姚望林先生祖籍福建漳州，出生於桃園，今年八十三歲，是來台第六代。一九二六年他出生時是日本國民，八歲入公學校接受日本初等教育六年，再讀高等科兩年，然後考入台北商工專修學校，畢業後考入台灣銀行總行營業部工作。他青年時代經歷了太平洋戰爭，並曾被日本政府徵兵，好不容易抗戰勝利回歸為「中國籍」，卻又於民國三十六年親歷二二八事件的打擊。但他從不激進，辛苦的賺錢養家，以微薄的薪水成就四個孩子的高等教育，讓他們在極度自信自在的環境成長，追尋各自的夢想。

仁喜的母親不幸於他大四時病逝，我們稱她是「天上的阿嬤」。在我心目中，她與我公公都是最偉大的平凡人，才能把每個孩子教養得各具特色又各有成就：仁祿從事創意設計，仁喜做建築設計，仁恭專長於燈光設計；唯一的女兒明芬則成了虔誠的基督徒。

公公與仁喜的繼母住在汐止，每次我到他家，電視大多停留在NHK，我也因此獲得到一些最新的日本資訊。他的日文比中文好，喜歡寫俳句，前幾年八十大壽，兒女們特別幫他出版《我的和歌日記》。最近除了幫慈濟功德會做義工翻譯日文，有空仍然以寫俳句自娛。

我家的背景和仁喜家是非常不同的。我父親任顯群是江蘇宜興人，母親顧正秋是南京人，他們分別於一九四九年之前來到台灣，我父親並且是帶著小白旗到中山堂去調解二二八事件的成員之一；後來做過省財政廳長，任內發行愛國獎券並創設沿用至今的統一發票制度，不幸已於一九七五年往生。我母親出版過《休戀逝水——顧正秋回憶錄》等傳記，年長的一輩對他們的故事都略知二三。

我母親的外婆住在上海，因為父親早逝，她與兩個姊姊從小就跟著母親從南京移居上海，經歷過日本人進攻上海的驚恐，走在路上也常被日本兵刁難，後來又聽說南京大屠殺的慘劇……。只要說起日本人，我母親與阿姨無不咬牙切齒說：「沒有人性！」前幾年傳出日本想竄改侵華歷史，報章雜誌大加批判，母親又在我與仁喜面前大大數落了一番日本人。事後我打電話給她：「媽媽大人，您說的都對，但別忘了，我的公公可是半個日本人喲！」她才突然想起，連說：「對不起，對不起，我忘了！」

我平時很少看電視，每次去母親家一定會看到幾位固定的電視名嘴侃侃而談，好像他們是她家的常客。那時我就會想起公公家的NHK畫面。

我母親與我公公年齡相仿，不同的成長背景養成了不同的生活文化，一九八五年我與仁喜結婚時，對於雙方習俗與禮數的不同煞費周章。我倆最後協議：你處理你那邊，我打理我這邊。

我公公曾告訴我姚家從福建移民到台灣的故事，充滿了轉折和啟示。尤其是族譜的家訓「善為傳家之寶，深信因果報應，力行布施忍辱。」更讓我了解他那平凡的家庭，為什麼能教養出有禮貌又有創意的兒女。我母親常對人誇獎仁喜這個台灣女婿善良又孝順，也常告誡我這「花頭多」的媳婦不要嚇壞了人家。這麼多年來，我與仁喜秉持著「他不嫌我油膩，我不嫌他清淡」的生活哲學，彼此尊重和包容。在團圓飯的餐桌上，客家梅乾菜扣肉微酸，上海梅乾菜扣肉微甜，各有特色。同樣是米做的台灣年糕與紅豆鬆糕，都有著過年吉祥的味道。南京小糰子與日本麻糬並列一盤，也一樣的受歡迎。我同時觀察到，下一代因為沒有文化包袱，幾乎是全盤通吃，他們的收穫最多！

這頓團圓飯我決定做佛跳牆，也有著相互包容的象徵意涵。好吃的佛跳牆的原則是需要讓每一種食材保留自己的個性，但又可以汲取別的食材的精華，製作的食材也因人而異。我是以魚翅，鮑魚，婆參，魚肚等海產為主軸，配以雞，羊肘，豬蹄尖兒，虎皮鴿蛋，冬筍，火腿，香菇，豬肚，干貝等等。這些食材都需預先分別處理，或發或泡，或蒸或煮或炸，過程極為繁瑣，總之是要去其腥濁油膩之氣。然後放入陶甕加上雞湯，密封後放入更大的鍋中以小火悶蒸六個多小時，讓味道相互融合。整個製作過程前後三天，呈現出來的是既厚重又清淡，美味難以筆墨形容。

整個餐會說說笑笑，孩子們還表演節目助興。最後，每個人單獨的指著家族樹上那片自己的葉片照相留念。我因為忙於上菜，等親人走後才坐在這棵樹前好好的喝一碗佛跳牆。那時突然覺得，我們的家族很像一鍋佛跳牆，成員各有獨特的才華，當聚在一起時，卻是這般的濃郁芳香，而又清淡有味。

佛跳牆的做法

佛跳牆誰都會做，我花三天做出來的，長的樣子跟幾十分鐘做出來的可能是一樣的，可真的喝下去那湯時，才會知道功夫在哪裡。

講究的佛跳牆，材料應以海產為主軸：刺參、鮑魚、魚肚、干貝，接下來才是雞、羊肘、豬蹄尖兒、鴿蛋、冬筍、火腿、冬菇、豬肚、骨頭湯等，外加蔥、薑等。佛跳牆的原理基本上是要把不同的材料分別進行處理後，最後再用相生相剋的火候伺候著。

歷來都是用陶製的酒罈作為容器，這一點請務必遵守。

發刺參，先用清水浸泡刺參一小時，清洗乾淨，之後用小火燒煮，記住一定要小火，保持水溫在六十到八十度，每半小時換一次水。這樣的動作要十二個小時以上，千萬不要讓刺參碰到油，否則會化掉的。我記得小時候看到家裡的人也會用「水流答滴」的辦法讓水龍頭滴一夜，也就是一滴水進去一滴水出來，如此來發參。鮑魚的發製時間則是清水發三天之後，再在滾水中沸煮約五小時。大火煮時要墊竹底。熬它的汁為高湯中加入薑與紹酒水蒸。魚肚是要用油發的，首先在油中浸透後，將油浸的魚肚和油一起倒入鍋中，小火慢慢加熱。魚肚則靠油的溫度慢慢發起，油發後的魚肚浸在溫水中半小時，變得鬆軟起來，之後即可使用了。

冬菇要選高檔花紋對的，發好後備用。冬筍越多越好，拍開來，過油變成金黃色。這兩樣都是清香鮮嫩口感與氣味的來源。

鴿蛋要小心剝，保持完整的表面，與金華火腿先一起蒸，之後油炸後就叫做虎皮鴿蛋了。我喜歡把它放到一整碗的最上面。

羊肘是羊體膻味最弱、油腥最少的部位，卻是跟海味最搭配的材料，汆燙後備用。

干貝放到溫水中泡發，之後放入已發好的鮑魚的碗中，加入熬好的湯與金華火腿再蒸。鮑魚蒸的時間要比干貝約長三四倍。

豬腳豬肚與雞汆燙過水後，連同羊肘，與除了刺參與鴿蛋以外的東西下陶鍋中，加入骨頭清湯，密封後，放入更大的鍋中隔水加熱。鍋底要墊上毛巾；水需要很多，中途要加水也須是熱水；如果能用炭火來悶煮是更理想的。小火悶煮六個小時是跑不掉的。刺參放下去約兩個小時，再放入虎皮鴿蛋在上面。

佛跳牆的料都是分別處理，再經過長時間的悶煮，讓味道相互融合，最後呈現出來的人間美味是筆墨難以形容的。

年糕

過年吃年糕，有著年年高陞的吉祥寓意。每次說起年糕，我只有三個字形容：了不起！我曾想，我希望世世生為中國人，可能就是為了貪吃我們的年糕哩！

在中國，不論是哪一省份，都有過年前做年糕的習俗。台灣年糕、寧波年糕、蘿蔔糕、發糕、鬆糕……；同樣是以米為主料，卻在中國各省衍生出不同的型態與口味，也都經歷各種繁複的程序。以台灣年糕為例，年前磨米，裝袋壓乾水分，然後放入鐵鍋，加糖後不斷的以木棍翻炒，直到米糊轉為褐色且呈膏狀才倒入蒸籠；鐵鍋上留存的一層薄薄的沾黏，用鍋鏟刮下來吃，有著紅糖的焦香與糯米的綿香，是孩子們心目中的人間美味。鄉下人以大灶燒柴慢慢蒸年糕，一大籠通常需三四小時才會熟透。

台灣的發糕，則有來年興旺的寓意，據說台灣媳婦做發糕如果發不出來（上頭沒有開口），是會被公婆責怪的。以前的年代沒有發粉，米的粉又無法像麵粉一樣發酵，只有利用高難度的經驗與手工技術才能保溫發酵，做發糕確實是不容易的事。所以發糕出爐前，一家人都緊張的圍在爐邊盯著，蒸籠蓋子打開來，若糕的上頭有開口，就高興的說：「發啦！發啦！」若沒有開口，就失望的說：「啊，沒發呢！」站在一邊的媳婦可就要臉色難看了。

年糕的吃法也很多樣，如台灣年糕有冷切、夾酸菜、乾煎，還有沾蛋液或麵糊油炸……。加一點點油乾煎台灣年糕最難，容易沾鍋也容易黏在一起。有一年跟好友靳蓉在美國碰面，想吃點什麼，翻冰箱居然有從中國城買回來的台灣紅糖年糕，我拜託兩個兒子幫我煎，跟靳蓉說：等一下說不定上來一個披薩吧！然後我倆繼續聊天，聊了好久呀，幾乎快忘掉年糕了，兒子居然端出一盤一片片外表完好且焦脆的紅糖年糕！靳蓉大為驚訝，說男孩子哪有這麼有耐性的呀？直說以後要幫他倆做媒哩。事後我也挺懷疑的問兒子：你們怎麼煎得那麼好？他們說，很簡單，丟進一片年糕他倆就開始玩划拳，輸的就去翻一下；反推這個道理，煎年糕只要隔一會替它翻個面，大多會成功的。

年糕的製做法，我已經在春天談米食的糕粿篇有詳盡的介紹。這張鄉下老廚房蒸年糕的畫面，相信會喚起很多人的美好回憶。為了尋找這種老廚房，我在阿里山區繞了很久，見到有煙囪的人家就去敲門拜訪，希望能看到保存完好的老廚房，並拜託他們過年前借給我拍照。幾次探訪都無所獲，有次去洗溫泉時，向一群婆婆媽媽請益，才知道有一位經常碰面的媽媽，老家在梅山，雖已無人居住，但仍保有一個老廚房，於是向她借來拍照。為此還勞煩附近的老婆婆配合做出傳統的台灣年糕。拍攝前，我先去尋找大蒸籠、道具與剪紙，並在攝影前大清掃與佈置，終於呈現這張結合了老廚房蒸年糕與過年氣氛的畫面。看似簡單的一張照片，前後費的功夫好像拍電影一樣的曲折呢。

中國博奕

麻將

麻將是四人博弈遊戲，與象棋、圍棋並列中國三大博奕國粹，近一百多年也逐漸風行全世界。特別是逢年過節，「方城之戰」已經成為親朋好友之間，最為盛行的博奕遊戲。

但象棋、圍棋比較講求技藝，麻將的輸贏則運氣成分較高；一般專家認為，打麻將的運氣占六成以上，技術則不超過四成，賭博的性質較濃。

正因為麻將總與賭博畫上等號，所以在中國兩岸，原本一直不被政府鼓勵，只有香港可以合法打麻將。不過中國大陸在改革開放後已把麻將列為合法的運動項目，並制定「國標麻將規則」，淡化其賭博性質。然而在台灣，即使是自己家打「衛生麻將」，要是被人檢舉，仍會遭到警察的勸止甚至取締；近年有人舉辦公開的麻將大賽，也都受到檢警的高度監視。不過麻將傳到日本後，不但成為合法休閒運動，還廣為流行，在大街小巷都可看到人聲鼎沸的「麻雀館」，成為最熱愛麻將的國家。

麻將自清代末期才開始盛行，其由來則眾說紛紜，難有定論；不過也和象棋、圍棋一樣，是逐漸發展、改良而來。

早在先秦時代，中國就發明了「陸博」，是牌子與骰子的組合遊戲，必須先擲骰子，才能根據骰子點數抓牌開始玩；性質與後來的麻將類似。

近千年前，宋代出現名為「馬弔」的博奕遊戲，宋朝名儒楊大年還曾撰寫《馬弔經》一書，可惜現已佚失。「馬弔」盛行於明代，是一種紙牌遊戲，共有四十張牌，分為十字、萬字、索字及文錢等四門。但「馬弔」在清代演變為「默和牌」、「碰和牌」及「梘牌」，玩法和規則像是四人遊戲，牌改為三門，有吃與碰，也與後來的麻將十分類似。

關於麻將的起源，目前公認是源自浙江寧波。當地著名的「天一閣」書院，還特別設立「麻將起源地陳列館」，強調麻將是清代咸豐年間的寧波人陳魚門發明並訂出規則和打法，館內也有豐富的藏書與文物做為考證。

陳魚門善於航海，做過衙門的師爺，從小聰慧，並精通紙牌。因為有感於紙牌易損壞，所以就把紙牌改成竹骨的材質，並從「碰和牌」承襲萬、筒、索字共一百零八張牌，再把「默和牌」原有的「公」、「侯」、「將」、「相」，改為航海注重的「東」「南」「西」「北」四個風；「文」、「武」、「百」則是取考功名都期盼的「百發百中」諧音，改為「紅中」、「白板」、「青發」，因此再增加七個字共二十八張牌，組合成為一百三十六張麻將。

方城之戰

由於寧波當時是通商貿易要港，陳魚門發明麻將後大受歡迎，很快就廣為普及，並且東傳至日本。清末作家徐珂，經過多番考據後也在《清稗類鈔》一書認定，麻將確實從寧波流傳出來。而且麻將原本稱為「麻雀」，因寧波方言「雀」與「將」同音，後來才有麻將的稱呼；我們現在稱「胡牌」，其實原本叫「和牌」，也是因為與寧波話同音產生的演變。

後來許多地區的麻將還多了「梅、蘭、竹、菊、春、夏、秋、冬」八個花牌，起源已不可考，主要是用來增加打牌的樂趣與刺激。台灣與廣東麻將都有花牌，因此麻將總張數為一百四十四張。但日本與台灣南部地區大多不打花牌。

麻將的玩法

麻將主要有萬、筒、索（台灣稱為「條」）三門，每一門三十六張牌（一到九，各有四張牌），再加上東、南、西、北、中、發、白七個字也是各有四張牌。因此一副麻將共有一百三十六張牌；如果打花牌，則再加八張，總共為一百四十四張牌。

麻將的玩法與規則，各地不一。大多打十三張，台灣則是打十六張，也就是抓十六張牌。以下介紹的是台灣麻將的玩法：

湊足四人上桌，首先要「搬風」，拿出東、南、西、北風各一張，牌面朝下，然後公推一家負責擲出三顆骰子，再按照擲出的點數，依逆時針序輪點，點到之位定為東，然後依序抓風牌，再依逆時針方向決定座位。

就定位後，首先要「洗牌」，把桌上的牌面翻為朝下，然後雙手把牌洗均勻。接著就要「砌牌」，每人要在自己面前砌出十八墩牌（一墩就是上、下兩張疊在一起）；如果不打花牌則是十七墩。

接著由坐東者再擲骰子，點序的人先當莊家。莊家負責擲骰子並先拿牌，拿牌是依莊家擲出的骰子點數，由順時針算起，每人每次摸進兩墩牌，每人總共拿八墩；莊家必須開門牌，就是多拿一張牌，總共為十七張。拿完牌並補完花牌後，由莊家打出第一張牌，正式開戰。莊家如果胡牌可以繼續當莊，稱為「連莊」；如果沒有，就「下莊」換逆時針的下一家「上莊」。

麻將並不難打，莊家丟出開門牌後，各家依序摸進一張牌，再打出一張不要的牌。如果上家打出一張牌是三萬，你的手上有一萬與二萬，就可以把這兩張拿出來吃三萬，並置於門前，吃到的三萬要擺在一萬與二萬的中間，然後再打出一張牌，這就叫做「吃牌」。

「碰牌」則是你的手上已經有兩張相同的牌，只要任何一家打出來，都可以叫碰，然後把手上兩張拿出來，與碰到的牌和在一起置於門前，再打出一張。碰牌是比吃牌要大的，也就是上家打出一張三萬，下家就算叫吃，但別家要是喊碰三萬，以碰牌者優先。

「槓牌」則是你手上已經有三張一樣的牌，要是摸進第四張，可以「暗槓」置於門前，然後再從牌尾補一張牌進來，再打出一張不要的牌。如果是別人打出第四張牌，你可以喊槓牌，程序一樣，但必須亮牌，稱為「明槓」；不過明槓補進來的牌，是不可以胡的。

「補花牌」則是摸到花後，從牌尾補進一張牌，然後再打出一張不要的牌。麻將打開拿牌時，如果有花牌就要拿出來置於門前，由莊家先補牌，補完要喊「請補」，補完的人要喊「過補」，接著依序為之；這是為了怕有人忘了補牌，變成不能胡牌的「相公」所規定的基本禮儀。

打麻將最重要的當然是「胡牌」，打十六張麻將，五個搭子與一對將牌就可胡牌。所謂「搭子」就是同一門的順序組合牌，例如「一萬、二萬、三萬」，或是三張一樣的碰和牌。五個搭子湊齊，再搭上兩張一樣的將牌，就可胡牌。

「聽牌」就是胡牌還差臨門一腳，例如你的牌其他搭子與將牌都齊了，手上還有五筒、六筒兩張，你就是在聽四筒、七筒兩張牌。如果有人打出來，你就可以叫胡，這就是胡牌，被胡的另一家就是「放銃」（或稱放砲）了，要算檯費給你；如果四筒、七筒是你自己摸進來的，稱為「自摸」，另外三家都要算檯費給你。

麻將也有犯忌諱之說。我父親是一位大而化之的人，不常打麻將，從來也不太相信甚麼忌諱。有次他打麻將，遇到一副牌是大四喜，也就是東南西北各四張全都被一個人摸到或碰到。邏輯上這是不可能的事情，一般人也都不相信自己可以手氣這麼順；萬一真的這麼順，也要迴避一下的。我母親說，我父親過世前，最後一次打麻將，牌風順到要甚麼牌就來甚麼牌。一般人遇到這種情況，都知道迴避一下，情願讓自己不要胡牌，也不要變成邪了門的順。但我父親就是不懂，最後還犯了更大的忌諱胡了西風；一般人在丟出不要的廢張時，都知道萬一前面三家擲出西，第四個人就算是有廢牌西，也不能跟著丟，好像有點送上西天的意思。總之，我父親在那副大四喜之後，就再也沒有上牌桌的機會，不久就過世了。打麻將偶而會遇到一些很玄的狀況，我覺得不需要問為什麼，只要隨著前人說的習俗，不要硬衝就好了。

仁喜念大學時，跟幾個朋友打麻將，那時他還沒有什麼經驗。打麻將的規矩是自摸時不可以靠牌，也就是必須把摸到那一張讓他胡牌的牌分開放。有一次他是莊家，拿完了四次牌，倉促間拿了頭牌，照例排整齊，正想著該出甚麼廢牌時，卻發現沒有廢牌，原來他胡了，這叫天胡，是一個最大的牌。對面三個窮學生全愣了，半天沒有人相信，這時一位輸不起的同學高喊：「自摸靠牌！」其他兩位相互看看，覺得太殘忍，最後三人協商，他們無法拿出天文數字的賭注，就以起立鼓掌表示最高的敬意。幾十年過去，仁喜說起這事還挺失望的呢！

對喜歡打麻將的人而言，「三缺一」是很難受的事情。我有位伯伯很喜歡打麻將，有次來我們家打到快吃晚飯時突然想起必須去幫一位晚輩證婚，那滋味可真難受呀！他跟他太太匆匆離去，證婚講了幾句話又匆匆趕回來打，他太太一進門就跟大家宣布，他證婚完了以後，跟主婚人拉拉手，要扯一個謊說不能留下來吃飯很對不起，結果居然說：我還要去參加一個「長輩」的結婚！他太太嘲笑他愛麻將與怕別人三缺一的猴急，居然把「晚輩」說成了「長輩」；那年頭，哪有長輩還要結婚的嘛！可見人起了麻將癮是會昏頭的！

在賭博場合裡，有一種特別的人叫「郎中」，就是牌技高超，藝高膽大，卻會作弊騙人的人。即使一般人打麻將，偶而也會遇到這種人。我哥哥與好朋友就遇到過，經過很多次奇怪的輸錢的感覺後，他們決定要查個究竟。那位郎中在銀行做副理，人模人樣的，但他會在洗完牌拿牌時，趁大家在理牌的時候換牌，也就是把他不要的，趁著他拿新牌時藏在手心裡，等抓回新牌時換掉不要的牌。某次，哥哥與好友見狀有異，相互使個眼色，兩人同時站起來壓住他的手掌，終於當場抓住那個惡客。所以，打麻將應以娛樂為先，不要跟不熟識的人打，這點也是該注意的。

麻將輸贏的番數計算，有一些統一的標準，但也有很多例外。我向朋友抄來一份計算表，說明麻將的許多規矩與原則。事先把計算方式說清楚，也是打麻將時必須遵循的。

麻將是一個數學遊戲，也是一個非常好的頭腦運動遊戲。因為玩的時候需要強行博記自己與別人打過的廢牌，以此來預估別人的牌路，並且計算見過的牌有幾張，才能換算下一張可能是什麼牌。幾個朋友定期的聚會聊聊天，喝點小酒，打打小牌，吃點點心，是很愜意的。對於退休的長輩，也該鼓勵他們沒事打打麻將，是一件快樂且健康的活動。

麻將16張台數表

牌型	台數	牌型	台數	牌型	台數
一獨	一台	小平胡	三台	大三風	十台
小對碰	一台	無花字	三台	四暗嵌	十台
字(無字)	一台	絕張	三台	海底一筒(撈月)	十台
花(無字)	一台	一摸四	四台	湊一色	十台
自摸	一台	*槓開五筒	四台	對對胡	十台
明槓	一台	一條龍(暗)	五台	四槓	十五台
槓開(摸花或明槓)	一台	三暗嵌	五台	七搶一	二十台
對碰	一台	小胡	五台	小四喜	二十台
一條龍(明)	二台	小三風	五台	☆尼咕	二十台
○半求人	二台	*天聽	五台	八花	三十台
花槓	二台	○全求人	五台	大三元	三十台
門清	二台	*地聽	五台	大四喜	三十台
暗槓	二台	海底自摸	五台	四喜(無大小)	三十台
搶槓	二台	三槓	七台	◎五暗嵌	三十台
*槓開(摸四張暗槓)	二台	△兩張絕張	七台	*地胡	三十台
獨獨	二台	小尼咕	八台	*天胡	四十台
二槓	三台	小三元	十台	清一色	四十台
二暗嵌	三台	大平胡	十台		

* 和台數外加表列台數　　○加計獨獨

☆尼咕自摸只算一摸二(不算門清)　　△只剩一張可胡

◎不再算對對胡

麻將十六守則，敬希愛好者共同遵守

一、按時赴約，不得有遲到早退之行為。

二、圈數固定，不得有縮短延長之行為。

三、說吃就吃，不得有反覆無定之行為。

四、叫碰就碰，不得有猶豫不決之行為。

五、落地生根，不得有取回另打之行為。

六、輕拿輕放，不得有摔牌砸桌之行為。

七、摸牌要快，不得有慢手慢腳之行為。

八、一團和氣，不得有指桑罵槐之行為。

九、保持風度，不得有怨天尤人之行為。

十、敬重牌品，不得有勾結叫張之行為。

十一、嚴守口密，不得有喧嘩擾人之行為。

十二、看牌不語，不得有批評出張之行為。

十三、觀牌不言，不得有說謊全包之行為。

十四、抓牌按規，不得有先打後抓之行為。

十五、放牌按順，不得有東放西放之行為。

十六、輸錢付帳，不得有扯皮賴帳之行為。

象棋是中國最廣為流傳的兩人對弈棋藝遊戲，根據漢朝《說苑》記載，早在戰國時期就有「象棋」的出現，但遊戲方法大異其趣，與現在的象棋並無淵源。因此象棋的起源，應回溯至南北朝時代的北周武帝曾制定《象經》，並集合百官講說「象戲」，後來至唐朝衍生發展為「寶應象棋」。

根據歷史記載，寶應象棋的棋盤為八乘八的黑白格子，棋子已有上將、軍師（士）、象、車、天馬、六甲（兵卒），走法與現在象棋一樣，因此被視為中國象棋的起源。

在北周武帝同一時期，印度也出現名為「恰圖蘭卡」（Chaturanga）的棋藝遊戲，與寶應象棋極為相近，後來傳到中亞、歐洲演變為今日的國際象棋，也就是「西洋棋」。只要略懂象棋與西洋棋的人就知道，其實很多棋子的走法相同，因此這兩種棋藝系出同門的可能性相當高。但究竟是中國還是印度先發明的，至今仍有爭論。

象棋發展到南宋，奠定今日棋制的基礎，也就是以寶應象棋為本，參考戰國末年劉邦、項羽爭霸天下的故事而成，棋子分紅、黑兩軍，棋盤中間分漢界、楚河，棋子並多了包（炮），共有三十二枚棋子；其中，將（帥）、士（仕）只能行走於所謂的「九宮」之中。棋盤雖仍為六十四格，但棋子不再行走於格子中，而是十條橫線、九條直線組成的九十個點。一般認為，棋子增加炮，與北宋已發明火炮有關。至於為何兩軍各有五個兵卒，則是因為古代皆以五位士兵為一伍。

象棋到了南宋幾已成為全民運動，至今仍是華人社會最為普及的棋藝遊戲，主要原因是入門簡單，不像圍棋那麼難下，但箇中棋理又博大精深，引人入勝，而且還衍生出暗棋、三國棋、象棋麻將等多種簡易玩法。

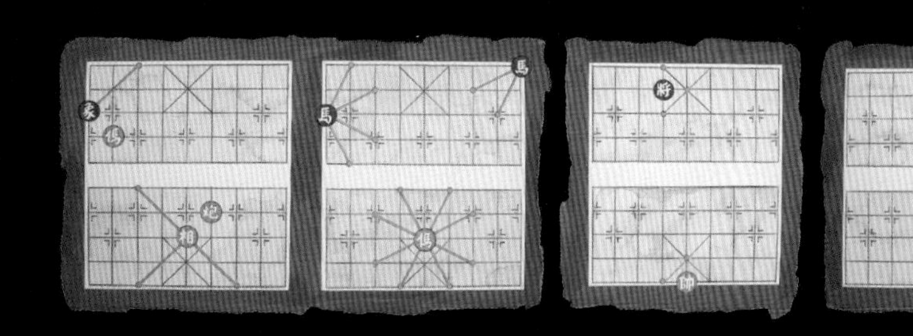

象棋的玩法

象棋是兩人對奕，分紅、黑兩軍，在開戰前先把棋子擺成對稱的局，然後由紅方先走，一次只能移動一枚棋子，到另外一個空的交叉點，如果那個交叉點有對方的棋子，就算吃掉對方並占領交叉點，最後以誰先吃到對方的將（帥）算贏，但也有可能發生和局。以下是各子的走法：

將（帥）：將是最重要的棋子，一旦被吃或是被逼到無路可走就算輸。將一次可走一步，上下左右都可走，但不能走斜線，而且活動範圍只能在九宮之內。將還有一個有名的規則就是「王不見王」，也就是將跟帥不能在中間沒有其他棋子相隔的情況下面對面。如果九宮的三條直線，有一條已經有將，另一方就必須迴避不能走，否則就會被對方直接過河擒王。

士（仕）：士是將的貼身護衛，一次只能移動一步，而且士是走斜線，不能走直線，與將軍一樣只能限制在九宮之內活動。因此，士總共只有五個點可以走。

象（相）：象也是屬於防衛性質的棋子，所以只能在自家的範圍內活動，不能過河。象是走「田」字形，也就是從四個方格的尖端，飛到另一個對角線的尖端；但如果田字的中間點，剛好有其他的棋子，象就不能移動，這叫做「塞象眼」。

車（俥）：車是威力最強的棋子，只要中間沒有阻礙，它可以在直線、橫線飛到任何一個點，沒有距離限制，但不能跳子。如果中間有對方的棋子，就可吃掉並停在那一個點，不然就是走到己方的棋子前一點就必須停下。

馬（傌）：馬是走「日」字形，也就是從兩個方格的尖端，跳到對角線另一端。馬如果擺在棋盤中間，一次共有八個點可以走，因此被稱為「威風八面」的強子。但是馬有「拐馬腳」的限制，如果馬的旁邊有棋子，就不能越過該子走日字了。

包（炮）：包跟車一樣，如果沒有阻礙，可以在直線與橫線暢行。但是包的攻擊方法很特別，它必須中間有一個棋子當做「炮架」，才能吃掉炮架另一頭的敵方棋子。因為方法跟跳棋一樣，所以包吃子，一般稱為「跳」。

卒（兵）：卒是象棋最基層的兵種，一次只能走一步（直線），而且只能進不能退。不過小卒要是過了河，就可以左右移動，威力大增。

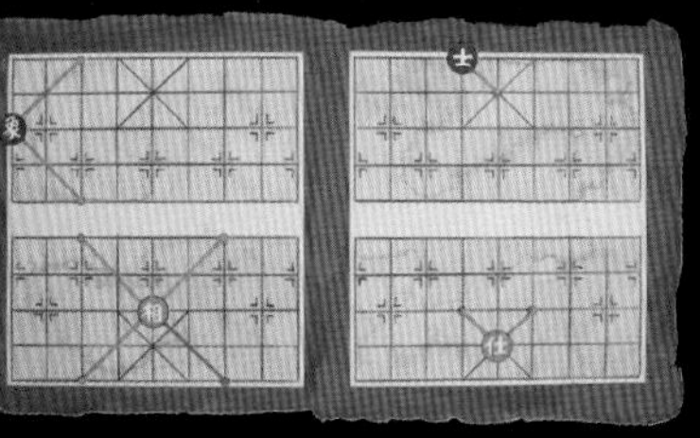
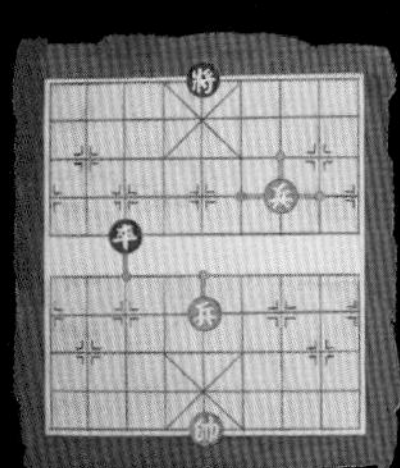
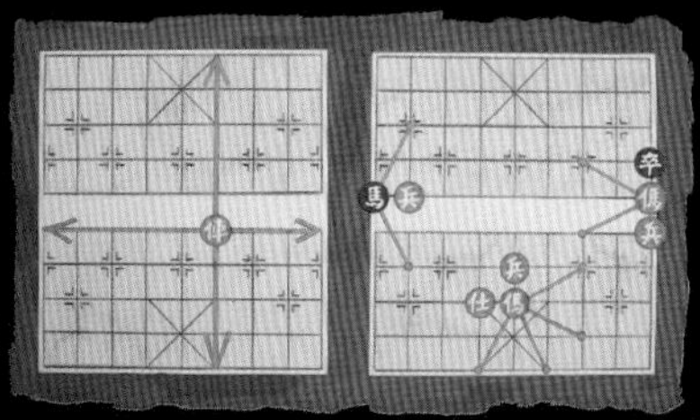
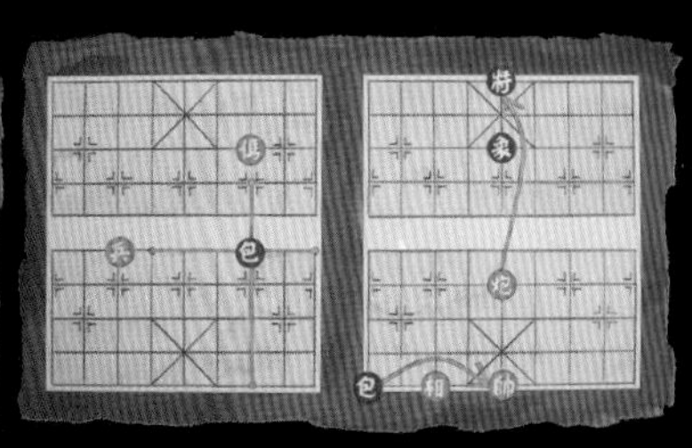

圍棋是中國老祖先最偉大的發明之一，也是歷史最悠久的博奕遊戲。「奕」這個字就是指圍棋。在好奕者的心目中，圍棋精妙無窮，蘊含宇宙天地陰陽的哲理，絕非僅是博奕，實已達到藝術的境界，更是中國文化精髓「琴棋書畫」的代表之一。

晉代《博物志》中說「堯造圍棋以教子丹朱」，意指早在西元前兩千多年，堯帝因為兒子丹朱性情急躁，因此發明圍棋教誨其子的心性。雖然因為毫無史料可考，被認定應是古代好奕者穿鑿附會之說，但圍棋至少在兩千五百年前的春秋時代就已盛行，而且到了戰國時代還出現職業棋士名為「奕秋」。

孔子於《論語》〈陽貨〉篇就曾說：「飽食終日，無所用心，難矣哉。不有博弈者乎！因之猶賢乎已。」意思是說，下圍棋至少比整天吃飽沒事幹要好些。雖然聖賢如孔子，言談之間對下圍棋並非語帶肯定，但論語也曾記載，孔子周遊列國，隨身都會帶著圍棋，由此可見當時對奕風氣之盛了。

歷史學家多認為，圍棋所以從春秋戰國時期盛行，應與當時戰事頻繁有關，因為下圍棋除了有助心定氣閒，更與打仗調兵遣將、運籌帷幄的思維多所相通；到了漢代，圍棋的棋譜更被視為兵法之一，成為仕宦階層必修的一門學問。

根據出土的古物顯示，縱橫交錯的圍棋盤圖形，也是經過由簡單到複雜，棋子由少到多，著法由單一到多樣的發展而來。從最少的十條縱橫線交錯而成，逐漸增加到十三、十五、十七條，大約在魏晉南北朝定形為目前的十九條線、三百六十一顆棋子。

圍棋到了唐代更為盛行，唐玄宗還設置「棋待詔」，官拜九品，隸屬翰林院，由政府來養棋士。圍棋並在唐代傳入日本，產生深遠的影響，因為日本對圍棋更為風靡，不但發展成為「國技」，形成全民運動，後來實力還淩駕中國之上，許多規則與用語，反而傳回中國，形成文化迴流，甚至歐美還誤以為圍棋是日本發明的；圍棋的英文「GO」，也是源自日本的說法。

日本並首創職業制度，棋手分為九個等級，最高為九段（源自魏晉南北朝的九品制度），不斷精益求精，向外推展，圍棋也因而成為世界重要運動項目。不過中國棋士仍代有人出，吳清源、林海峰、聶衛平都曾稱霸棋壇不墜。近年，韓國反而有後來居上之勢，不但圍棋人口密度高居世界第一，韓國棋士也在重要比賽最常奪冠。

圍棋的玩法

圍棋顧名思義，就是對奕雙方以棋子來圍棋盤上的地域，誰圍的地域大就贏。正式比賽的圍棋盤上共有十九條縱橫線、三百六十一個交叉點，一盤棋的勝負就是由對局雙方最後的活棋所占據的交叉點有多少來決定。

圍棋的棋子分為黑、白兩色，大多形狀為兩面凸的，也有一面凸的、一面平的；質料則多為塑料製成，比賽通常由黑子先下。一般是由較資淺的、段數較低的持黑子。

棋

正式比賽的棋盤均為木製，為了便於辨識棋子的位置，棋盤上有標示九個黑點叫做「星」，正中的黑點又稱為「天元」。棋盤可分為九個部分，分別稱為：左上角、左邊、左下角、上邊、中腹、下邊、右上角、右邊、右下角。

對弈除了棋盤、棋子，正式比賽因為有出手時間限制，還要準備棋鐘。

圍棋的遊戲規則有中國規則、日韓規則以及應氏規則，因為規則繁複，專業名詞、術語甚多，本書謹附台灣通用的「中華民國圍棋協會總則」，初學者只要熟讀，即可開始享受圍棋的樂趣了。

中國人的

十二生肖

農民曆

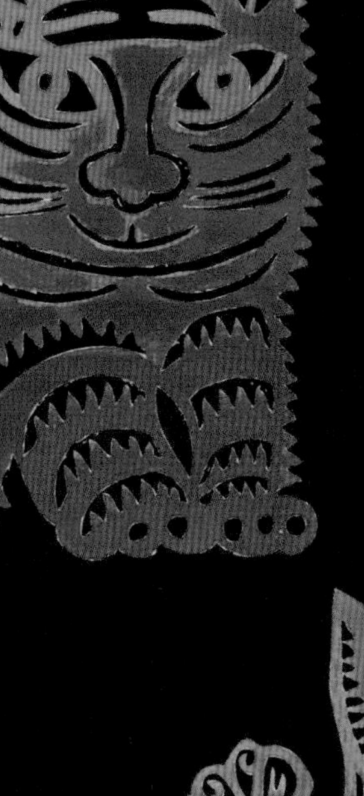

中國人紀年，除了運用「天干地支」外，一般還會使用「十二生肖」，也稱為「獸曆」。相較於天干地支，「十二生肖」簡單易懂，即使到了現代，人們依然經常使用它來計算年齡，推算流年吉凶，是生活中面對重大選擇時的參考依據。

中國歷史上對於「十二生肖」的完整記載，最早出現在東漢王充所著《論衡》一書，其中清楚排列著：鼠、牛、虎、兔、龍、蛇、馬、羊、猴、雞、狗、豬。

對於「十二生肖」，很多人好奇它是怎麼產生的？為什麼老鼠排第一，而行動敏捷又與人親近的貓卻不在排行裡？

對此，也許可以從傳説裡尋找答案。據説玉皇大帝有一年過生日，號令所有動物在正月初九前往祝壽，並將依照抵達先後，選定十二種動物擔任通往上天之路的守衛，依序按年輪班。當時，貓與老鼠還是好朋友，約定一起前往。不料，正月初九那天，平時常受貓欺負的老鼠刻意不叫醒貓，獨自先行出發。

一路上，老鼠過關斬將，卻在最後遇到了一條河，因為不會游泳，無法渡河。正在望河興嘆之際，老實的牛來了，機伶的老鼠就央請牛載牠一起過河，然而一抵達對岸的岸邊，老鼠就縱身一躍上了岸，奪下第一名，吃了悶虧的牛只能屈居第二；稍後，虎、兔、龍、蛇、馬、羊、猴、雞、狗、豬也陸續到達。被擺了一道的貓終於趕到時，已經是正月初十，玉皇大帝的生日已過，氣急敗壞的牠從此與老鼠水火不容。

除了這個充滿想像的古老傳説深植人心，「十二生肖」的來源還有各種説法。比較科學一點的講法是，「十二生肖」乃依照動物出沒時間與生活特性所排列，例如老鼠的活動時間通常是晚上十一點到凌晨一點（子時）；牛則是清晨一點到三點開始農務（丑時）……；以此類推。

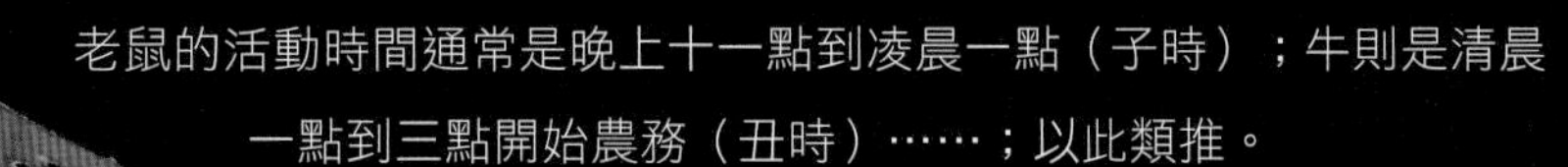

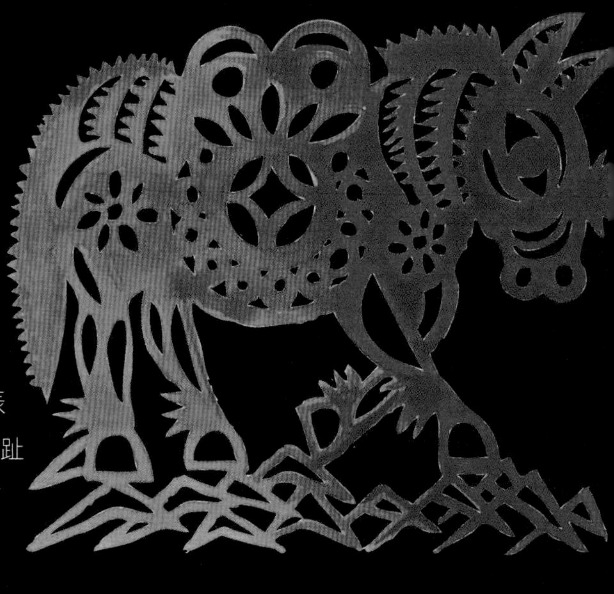

還有一種
比較玄學的說法，是根
據中國陰陽五行所排列：子寅辰
午申戌屬陽，以奇數搭配，則選定五趾
的鼠虎龍猴狗及單蹄的馬；丑卯巳未酉亥
屬陰，以偶數配，因而選擇四爪的牛兔羊雞
豬以及無足的蛇。

「十二生肖」不僅在中國廣為流傳，在深受中國文化浸養的東南亞國家也被廣泛運用。但隨著當地文化的演進，各國的十二生肖也有些微的差異；例如泰國十二生肖中的龍，指的是「納加」而非中國傳統的龍；日本的「豬」，所指為野豬而非家畜等等。

「十二生肖」的流年運勢是中國農民曆裡不可或缺的重點。新的農民曆出版時，人們總是習慣立刻翻開生肖運勢，快速瀏覽自己新一年的運圖走勢。如果是「本命年」的正沖或者遇上偏沖，家裡的長輩總不忘去廟裡「安太歲」化解。

所謂「本命年」，指的是當年干支與出生年相同，簡單來說，屬「雞」的人如遇雞年，這一年就稱為他的「本命年」。一般相信，遇到了本命年，運勢將會面臨大起大落的變化，因此，為求一年平安順利，各地也發展出不同的習俗，像是掛「紅腰帶」、「紅手鏈」以求避邪躲災；或者佩戴自己的生肖飾物……，而台灣和香港則是習慣在本命年和正沖年「安太歲」。

在相命學上，生肖依照五行變化推算，而有所謂「破、刑、害」的相生相剋之說，例如鼠沖馬、牛沖羊、虎沖猴、兔破馬、龍破牛、蛇破猴、雞害狗、狗害雞、豬害猴等等，這也是老一輩的人認為年紀相差三、六、九歲不宜婚配的原因。

生肖的特質，經常會反映在人的個性上，所以有人說屬牛的人比較勤奮老實，但也可能會有牛脾氣；屬蛇的人比較靈活，但可能會顯得滑溜……。一般人特別期待「龍年生龍子」，因為在中國人的觀念裡，龍代表祥瑞、權力；此外，為求婚姻幸福、早日得子，新婚安床也有找個屬龍的男孩「滾床」的傳統。

肖虎的人則被認為是「命硬」之人，所以古時候娶媳最忌屬虎，使得屬虎的女子常常故意多報或少報一歲，隱瞞屬虎的事實，以求個好姻緣。除此之外，婚禮也忌屬虎之人，他們不但不能觀禮、鬧洞房，也不宜探視孕婦與新生兒。也因此，以前的虎年被視為凶年。中國人對生肖的深信不疑，從「虎年生育率驟降、龍年出生率暴增」的出生人口數統計資料裡，就可以一窺堂奧。不過虎、福同音，現代人為了安民心，常把「虎年到」說成「福年到」，期望大家在這一年逢凶化吉。

插畫家葉子明為本單元繪製了剪紙版本的十二生肖，是不是饒富優美、創意與幽默。找找看你屬什麼，欣賞這優美的民間習俗藝術。

農民曆中的食物相剋圖

農民曆除了紀年外，在資訊不發達的古代，也是生活經驗傳承與散播最有效的通路。農民曆雖有不同版本，但絕少不了「食物相剋圖」，用簡單的插圖解釋什麼東西搭配著吃會中毒，部分內容至今仍然是人們日常生活飲食的參考。

食物相剋圖裡最常出現的是魚類、毛蟹、田螺和蛤等水產類食物；紅柿和李子在食物相剋表中，也被列為「危險水果」；牛奶出現的比例也不低。現代醫學進步，醫生們認為食物相剋圖裡，有些內容可以用科學方法解釋，例如「牛乳+醋酸物」會產生「腹中癥結」，是因為蛋白質碰到酸，本來就會凝結；水產類食物因為容易腐壞或有寄生蟲，本來也就容易吃壞肚子。在醫療衛生進步的現代，無論中、西醫的醫生們都認為，大部分的圖示只是老祖宗的善意提醒。

「食物相剋圖」記錄了老祖宗在沒水沒電的生活裡，累積下來的智慧與經驗，這種非科學的傳統，就像老人家說指月亮會割耳朵、咬指甲會剋父母、摘牽牛花會下雨等等俚俗傳說，其實，都只是反映了古人對天地自然萬物的謙卑與自持。

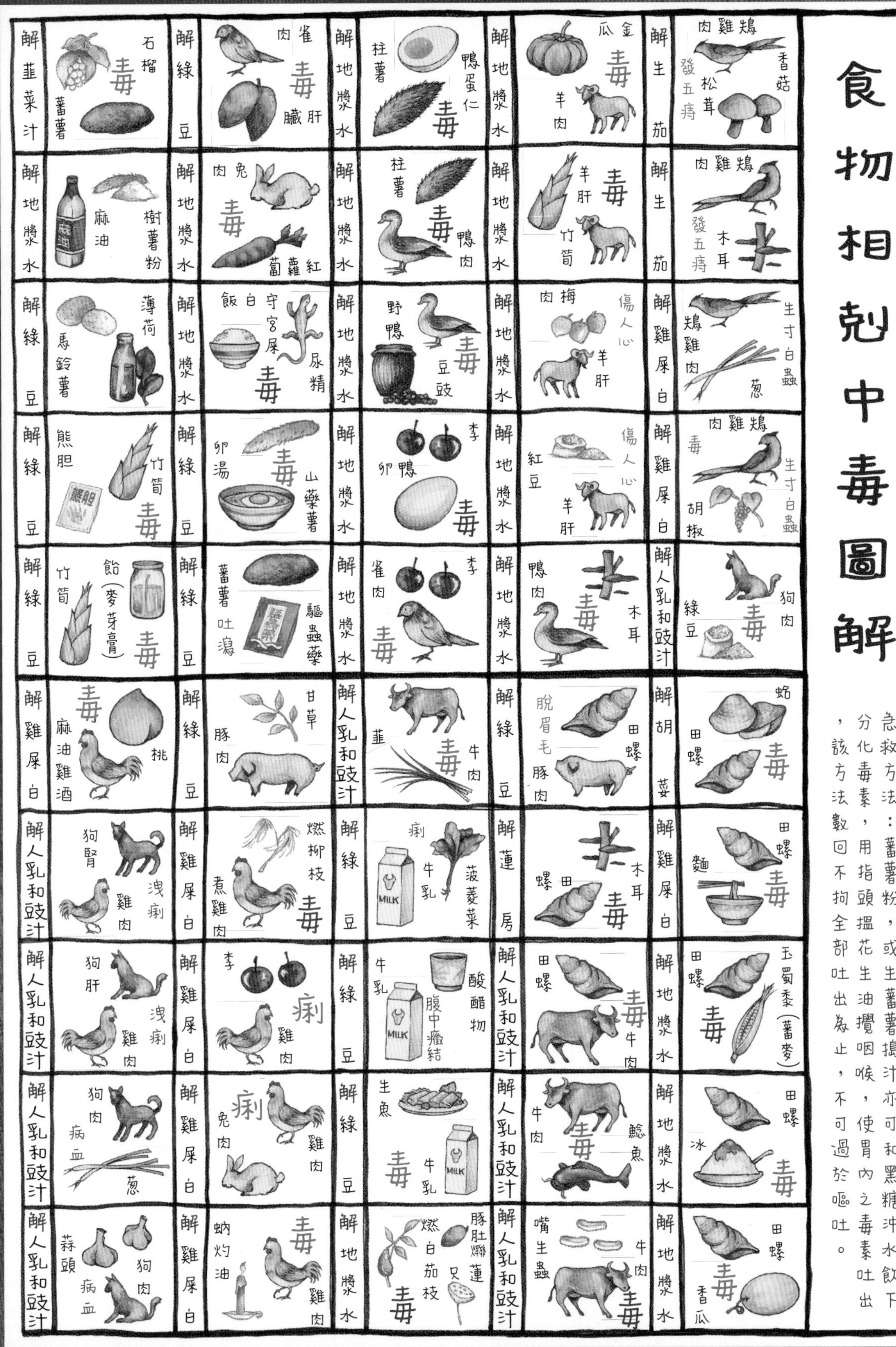
食物相剋中毒圖解
急救方法：蕃薯粉，或生蕃薯搗汁亦可和黑糖沖水飲下分化毒素，用指頭搵花生油攪咽喉，使胃內之毒素吐出，該方法數回不拘全部吐出為止，不可過於嘔吐。

以食為天

主食

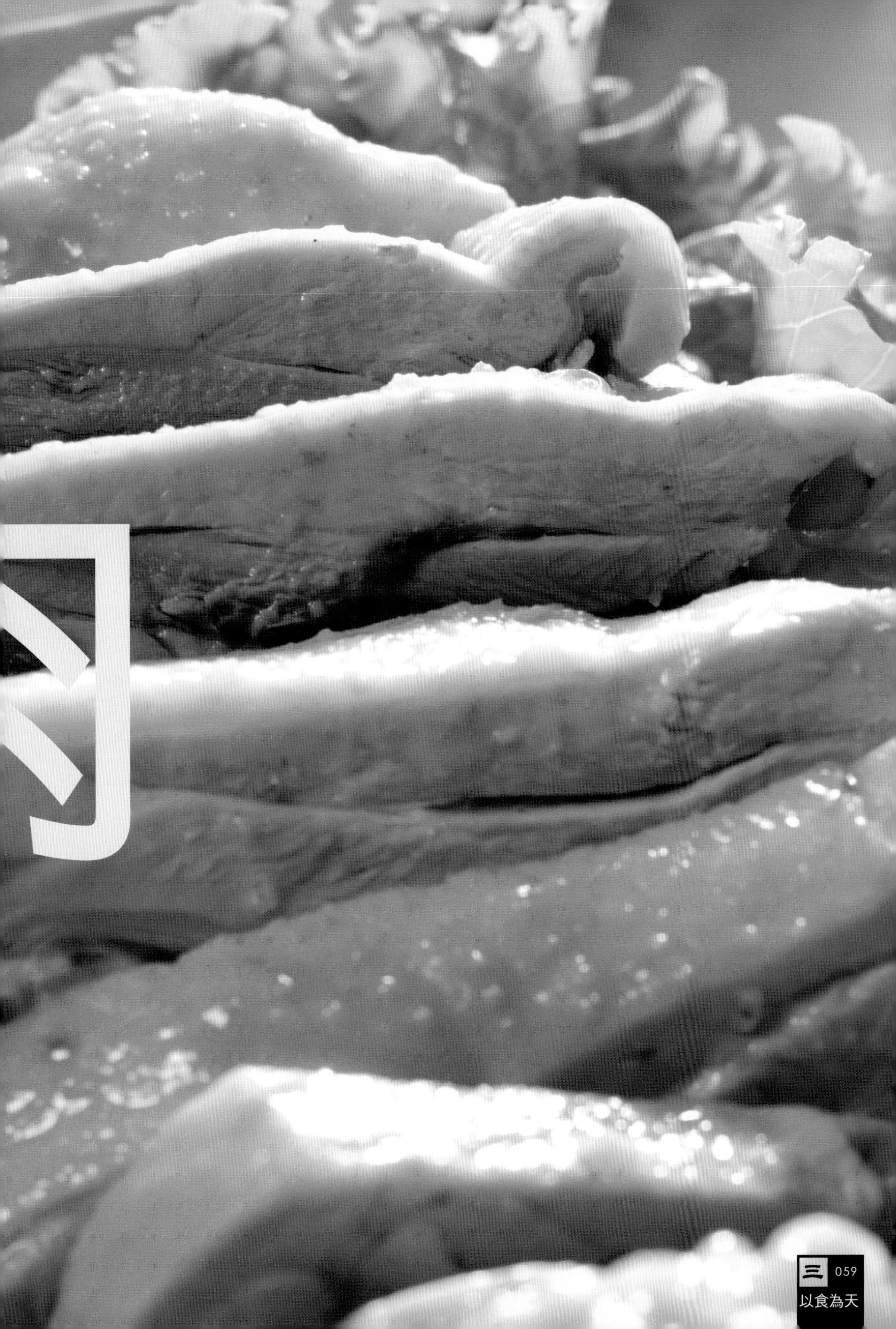

雞

一隻雞的全身都有利用的價值。雞胸肉，沒有筋，可以切片切丁切絲，或搗碎成泥；翅膀或翅鼓，皮厚，可以滷或紅燒；雞腿可以燒烤；鳳爪雞腳，富含膠質，可以滷或當成紅燒的鍋底；雞柳肉最嫩，可與昂貴的小豌豆熱炒；頭頸、內臟與屁股部分可以滷；骨骼的部分，可以先用開水泡一下，撈出洗淨加入蔥薑煮成清湯，又稱為高湯或上湯。

我小時候，家裡隆重一點的宴客，雞是全隻上桌的。記得有個長輩會說吃哪兒補哪兒，夾起雞屁股就吃，我跟二哥從頭笑到尾；特別是他站起來要上廁所時，我跟二哥直盯著他被補的部位，第二天還拿來當笑話說呢！

台灣的雞，種類比外國多，可以選擇肉雞做炸雞排或熱炒；選土雞、烏骨雞燉煲或燉煮；選仿土雞做白切、醉雞或燻雞。雞的不同，大多以飼養的環境與生長期做區分，沒有足夠生長空間且生長期快的雞，與成長於山谷間、生長期長的雞，吃起來的口感是完全不同的。前者不適合久煮，一般加了醃料炸粉的，大多用這種雞；後者則可以久煮，並能熬出雞的精華風味。

我認識台北有名的秀蘭小館老闆娘，她剛開店時賣的白切雞，是找塊地圈養，並且顧個人每天來來回回的趕著雞走路，其實也就是現在的仿土雞。她的白切雞熟成，是先用沸水去腥，將雞提起來從頸部灌熱水，再浸泡提起來幾回，以沸水仔細的洗淨，也以此求得體內溫度預熱的效果，再換開水煮，用小火燜熟後放入冰水中浸泡一下再提起，肉質鮮嫩清爽。

烏骨雞適合加上中藥材燉補，對女性身體有益。記得我讀世界新聞專科學校時，灰色絲襪開始流行，有一天我上身穿著白色大襯衫，配條灰色迷你裙與灰絲襪到學校，自覺很時髦瀟灑，卻被老師嘲笑為白毛烏骨雞！她還叫我站到前面給同學看，並說烏骨雞有白毛、黑毛與斑毛之分哩！現在我每次上菜場看到烏骨雞，就會去分辨牠的毛色是哪一種。

雞爪與內臟適合做滷味，我阿姨滷時會丟片雞皮或豬皮下去，增加膠質與稠度。仁喜自小媽媽不讓他吃雞爪，說長大會寫字難看。我媽媽從小縱容我吃雞爪，害我的字寫得難看！

我阿姨有道名菜風雞，用的是雞腿肉，買回家洗過就先按摩，讓肉中的血水流乾淨，然後用鹽與花椒乾炒，趁熱抹上去，再按摩一下，一隻一隻放到塑膠袋，存入冷凍庫。我們一通電話說要去吃飯，阿姨就拿出來解凍蒸熟，然後用手撕得大塊大塊的放涼，甚麼醬料也不用，好吃極了！雞湯則一定要用土雞，可以配點火腿或扁尖筍乾提味，煮麵泡飯都很棒。燉煮雞湯，需不斷的把浮油撇掉，不過撇掉的油也有剩餘價值，例如拿來燒豆腐之類的。

台灣人的習俗是母親知道女兒懷孕後，就讓母雞生一窩小雞，等九個月後用來給回娘家坐月子的女兒補身體。坐月子一定要吃的麻油雞，就是用土雞與老薑、黑麻油與無鹽的米酒（台灣俗稱紅標米酒）做成的。我坐月子時，那位來幫忙的宜蘭阿婆一次就用黑麻油爆炒半鍋薑片，把捲曲的薑片放涼後密封起來備用，每天就用這薑片煮雞、煮腰花、煮蛋，一定要我每天吃這些麻油薑製品，還把黑麻油擦到娃娃頭上，眉毛上。所有的菜該放水的，她都以酒替代。她認為產後要熱身滋補，土雞、黑麻油、老薑是必不可少的。小如的先生安平第一次進小如家，適逢小如的姊姊坐月子，小如的媽媽就給安平添了一碗麻油雞，這男友哪敢不吃，也哪敢不吃完呀？但是一碗吃下去，不勝酒力的安平醉了，當場在小如家的沙發昏睡過去。這一醉一睡，博得了在場三個女人的好感，很快就由醉漢變成乘龍快婿啦，可見這麻油雞的酒力與威力有多強！

一九八四年麥當勞來台灣之前，我們吃到的雞，大多是土雞，雞肉的顏色不似肉雞那樣雪白。有位住在中部的布商，當時幫我趕一批做辦公室隔間的布料，傍晚從台中載來台北，還帶著六歲的兒子同來。為了表達感激之意，我二話不說帶他們去新開的麥當勞。我對那小兒子說：我帶你去吃雞塊，很好吃呦！他抱了一盒麥當勞隨送的玩具把玩後才拿起雞塊來吃，我跟他說要沾另外一小盒醬，他照辦了，但是吃下一口隨即吐了出來，微皺著眉頭說：「這不是雞！」他爸爸一臉尷尬，連罵小孩不識貨，我則心下細想：真的，這不是我們的雞！我們吃雞，不需要個盒子搭配轉移心念的玩具，也不需要一盒讓沒有味道的東西變得有味道的沾醬呀！於是立刻拉著他的小手，走到一個夜市，叫了盤白斬雞、雞肉飯，我們三人津津有味的吃得好開心。二十五年過去了，我常想，那小孩不知是否在「真雞」與「不是雞」中間做了妥協？

速食店如雨後春筍興起後，雞隻的需求量大，只得由肉雞供應，並迫使雞隻注射荷爾蒙加速成長；現在的小男生小女生，間接吃到了荷爾蒙，生長也變得快速起來了。

而肉雞就是需要靠沾太白粉、玉米澱粉、吉士粉、地瓜粉、辣椒粉、香蒜粉以濕炸、乾粉炸，用大量的油去炸出酥脆辛辣，炸出有脆殼的、乾硬黃香的，這些都是因為雞肉本身沒有味道，需要靠裹覆作料產生味道的手法。

台灣夜市的鹽酥雞也很香脆好吃，用的也是大量的粉、油，搭配九成鹽與胡椒。每次看到那一鍋油，也不知道已用了多久！我們的食雞文化，怎麼幾年間演變成跟進口速食文化一樣，麻木且越來越沒有反省的空間？

鴨

幸好美國人不擅料理鴨，否則炸鴨塊或鴨肉漢堡說不定也早已攻陷我們的市場了。

鴨的體型較大，一般家庭較不易處理，選鴨也不像選雞要肥的，而是要以少油的嫩鴨為上品。

在中國，鴨子有北烤鴨南板鴨之稱。尤其是北京烤鴨，早已揚名全世界。

烤鴨的做法是要先用氣筒灌氣，以沸水燙之，然後刷上好幾遍醃料，再以麥芽糖或蜜糖澆淋幾回，吊掛起來自然風乾。入烤之前，需先將白饅頭浸濕裝入鴨腹，並置入蘋果等有果香的水果塊，尾部密封後腹部朝上放在烤盤上。烤箱要以中低溫約兩百度預熱，開始烤約三十分鐘後再轉為一百二十度烤一小時。若鴨子體積較大，再延長半小時。再翻身烤約二十分鐘。整隻烤好後，還需大師傅熟練的片皮功夫，再以大蔥沾甜麵醬，以薄餅包著吃，堪稱人間美味。這層繁複的功夫，絕不是外國的速食文化可以做到的。

我們的烤鴨，更惜物的有四吃法：除了片皮外，鴨肉鴨塊可以炒，銀芽配鴨肉絲是很常見的菜餚。鴨架子可以與酸菜煮湯，拿來煮稀飯也很鮮美入味。

南京板鴨是以鹽滷風乾而成，因加工期不同分成臘板與春板兩種：從農曆十月底到十二月底加工的是臘板鴨，因為溫度的關係，醃得透，可以保存六個月；從農曆一月到二月底加工的板鴨，則稱為春板鴨，只能放三到四個月。選購板鴨要儘可能選扁圓形，外表乾燥，腿部摸上去是硬的，以白色或乳白色為上選；如顏色呈暗紅或紫色，最好不買。

樟茶鴨則是川菜中頂別緻的菜色，製做過程是以鹽、花椒、硝粉抹在鴨身醃置，風乾，用茶葉與水果皮燻烤，讓鴨身變色入味再蒸熟，口味特殊。

杭州醬鴨也是名菜，要先讓鴨子空腹才能處理，清理上有獨到的功夫。醃製鴨子時，要以大石頭漬壓、浸泡，日曬再蒸熟，手續極為繁複。因為是先醃再泡醬，其肉為棗紅色，又鹹又鮮，一般家庭主婦很難在家單隻進行。

芋泥香酥鴨，也是許多人喜歡吃的，這道菜以香港鳳城酒家燒得最好：表皮酥脆，芋泥鬆軟，鴨肉不鬆不緊，吃起來味道濃郁，卻又乾爽而不油膩。

台灣的薑母鴨，則是一道著名的冬令暖身聖品，農業社會時代只有冬至才吃，最近幾年則到處都有薑母鴨店，不過大多夏天休息，秋冬之後每天吃客盈門。以前我看到店面招牌寫著「公薑母鴨」四字，一度以為是公的薑、母的鴨，所以唸做「公薑，母鴨」。被仁喜發現後嘲笑了很久，我才知道是公鴨與薑母的組合，要唸「公，薑母鴨」才對。

薑有三年薑、兩年薑與一年薑的分別，所謂薑母，即是俗語「薑是老的辣」的老薑。一株薑分為底部的薑母，中間段的中薑，最上面則為嫩薑。老薑可以促進血液循環，是冬天驅寒的重要食材。

薑母鴨的老薑需先以黑麻油炒香，再加桂枝、當歸、蔘鬚、沙薑、黃耆等中藥材與米酒煮成，冬天吃一碗，全身暖呼呼，難怪生意那麼好。

豬

台灣豬隻分成黑毛與白毛兩種，黑毛豬的口感與甜度都明顯的高於白毛豬，價格當然也比較貴。

豬跟雞一樣，可以從頭吃到尾，沒有一處浪費。而且豬肉的每一個部位，都有不一樣的燒法，都可燒成名菜。豬頭肉中有最珍貴的龍筋（豬的視神經），我在張昭泰先生家吃的是芹菜龍筋；芹菜脆嫩，龍筋Q嫩，以沙茶燴炒，口感非常別緻。龍筋因為量少，取得不易，且口感特殊，大都處理為前菜。

耳朵的部分，最有名的是雲南的大薄片，沾料是麻油加辣椒與醋香菜等。一般的處理大多是滷豬耳朵切絲，要滷得軟而Q香，切時的刀工也很重要。豬頰肉則常在米粉湯店看到，沾點醬油吃。

豬身的部分，肩胛肉即市場說的胛心肉，上肩肉即梅花肉，肥肉較少；下肩肉是一般稱的前腿肉；肩胛排即中排；胸排為肩小排；帶骨蹄膀也就是德式豬腳用的部分。背脊部分則有帶骨里肌，即大排；里肌肉為大里肌；里肌小排；里肌肉位於豬的腰椎邊上，油脂較少；僧帽肌又稱離緣肉。腹脇部分有腹脇肉，即五花肉，分成附皮骨三層肉與去骨的三層肉，肥瘦比例約為四比六；腹脇小排；肋軟骨。後腿部分則分成後腿肉；後腿；後腿蹄膀；後腿外腱肉。此外豬隻中最昂貴的肉，是腰部的小里肌又稱為腰子肉，一隻豬只有兩條；嘴頸部分的肉為特級赤肉又稱為松阪豬肉，一隻豬只有六兩。早年台灣豬肉的腰部小里肌與特級赤肉多半為外銷。

好吃的豬肉菜餚，一定是混合了瘦肉與肥肉，以文火慢慢的煮，有名的如東坡肉、梅乾菜燒肉、杭州燜肉、醬豬肉、焢肉，都是湯汁燒得帶點濃稠，香味撲鼻，入口即化，拌飯最好吃。

有一道豬肉的宴席稱為燒方席，以前跟餐廳訂，其價位僅次於魚翅鮑魚席，其中有道「炸響鈴」是豬肉以炭火烤熟，豬皮香香酥酥的，片下來再回鍋炸脆，配餅與肉夾著一起吃。川菜館子的吃法是以吃皮為主，肉則切片，以豆瓣醬與蒜苔加上香糟同炒，即是著名的「回鍋肉」。若不回鍋只片下肉片，沾紅油蒜泥，即是「蒜泥白肉」。「炸響鈴」因為豬皮取得不易，後來演變為用薄如蟬衣的杭州富陽泗鄉豆腐皮代替，包裹上好的里脊肉（肉需剁成細末，加入蛋黃攪拌），入油鍋酥炸而成；鬆脆鮮香，配甜麵醬、蔥白段、花椒鹽沾著吃。此菜在宴席上桌後，仍有ㄘㄘ聲響，咬下去也有脆響音。

我阿姨有一道「燒大方」，是以上好的三層五花肉紅燒而成。五花肉有一層薄薄的皮、一層淡淡的油、一層瘦肉，再一層油，再一層瘦肉。因為這肉大塊又切得方正，我們從小稱為燒大方。如果隆重一點，還會在其周邊排一圈紅燒婆參再排一圈青江菜。「紅燒蹄膀」也是阿姨的拿手菜，她有個專門的鍋子，剛好扣住整個蹄膀，加少少的水，慢慢的火煨出來。「蔥燒排骨」也是一排排燒得酥爛。阿姨燒這些肉，除了萬和豆瓣醬油與冰糖蔥薑外，也不見她放別的甚麼加味料，奇怪的是，由她手裡做出來，就是漂亮又好吃，我想選擇豬肉一定是個重點。

大塊肉與排骨，燒得好的，整塊上桌，是不需要動用到刀子分割的，輕輕用筷子撥，就可以拆開的，這就可以想像到她處理到的酥軟程度。

阿姨跟東門市場的每個豬肉攤子都很熟，她總打破砂鍋問到底的向肉販詢問豬隻的來源及豬吃些甚麼。她的鼻子靈，買的時候就判斷有沒有腥味，用手按按測試彈性，顏色則選鮮紅明亮的；還把豬肉對著光線照，看肥瘦的結構比例。此外也會看狀況給肉按摩或是敲打一下。煮時如果太油，她會丟入一片瘦肉去吸取過多的油份。她說大塊肉與排骨，燒得好的，整塊上桌，是不需要動用到刀子分割的，輕輕用筷子撥，就可以拆開的，這就可以想像到她處理到的酥軟程度。她炸大塊豬排，選用的是里肌豬排肉，炸前用叉子或排叉均勻的刺過，目的是破壞其纖維組織。若用豬肉排，則需用刀背拍打得薄一點，炸起來才好吃。

快炒豬肉也很普遍，川菜有一道特別的「甜燒白」或名「夾沙肉」，是炒五花肉的上品；做法是先將五花肉煮熟後抹醬再炒，冷凍後切片，覆上糯米飯蒸，蒸到軟爛，抹上花生粉反扣到碗，既是一道菜也可以是一道點心。

台灣的擔仔麵與滷肉飯海內外馳名，重點就是肉燥的製作。擔仔麵的肉燥通常是用五花肉與胛心肉配上蒜頭、紅蔥、蝦米、干貝、五香粉與冰糖燉製而成。滷肉飯的肉，則採用胛心肉，配料和擔仔麵的相近。江浙料理著名的獅子頭，則是用五花肉與胛心肉依個人喜好混合調製。我看楊管北家大廚燒獅子頭，不用機器絞肉，而是將肉切成小丁，敲拍使其有黏度，混以少量蛋白、薑汁還有麵包屑做成大肉團；炸過後放入鋪有雞爪與蛤蜊的砂鍋，慢慢燉煮，有時也放入蠶豆同煮。我的做法清淡一點，絞肉裡摻一點點碎洋蔥，配大白菜煮，最上層則用全片的大白菜將肉團包住；有時也會加點蟹粉同煮，清淡而鮮美。我也很喜歡紅糟炸肉，用的是三層肉，與紅糟、蒜頭等醃過，裹點蕃薯粉油炸。記得蔡辰男先生請客上這道看似簡單的菜時，平日注重健康飲食的長輩，抵擋不住美味當前，一下子吃個精光，還要求續盤呢，可見其實也有其採買獨到的工夫。

肉丸是孩子們的最愛，絞肉的瘦肉與肥肉比例在七比三與八比二之間。如果買機器絞肉，回家最好再用刀剁得黏一些，再拌攪太白粉或蕃薯粉，捏成丸子後摔打出空氣，入滾水以小火製成。

小時候我們家請過一位廚子到家裡燒菜，媽媽說他的「肴肉」是用腱子肉，做得肥處不膩、瘦處不柴，切成小正方塊，胭脂色，凝脂透明，搭配鎮江醋與極細的薑絲，是一道亮眼的前菜。「風光無限數金焦，更愛京江肉食饒；不膩微酥香味溢，嫣紅嫩凍水晶肴。」這首不可考的詩中的水晶肴就是對肴肉最恰當的形容。

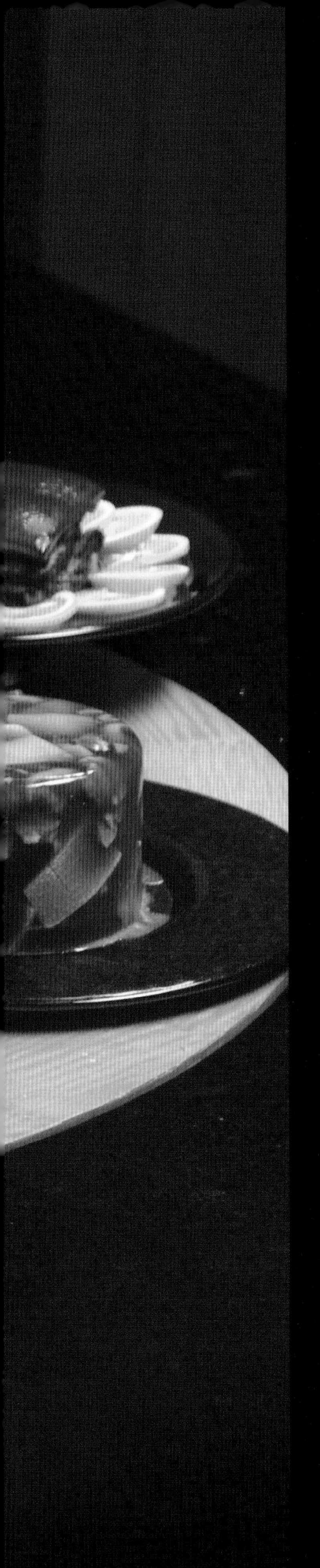

肴就是硝，亦即芒硝，有致癌物質，一斤肴肉只能用0.65克的硝。肉要洗淨晾乾，戳很多小洞，將硝、鹽、花椒混合塗於肉身，且需用力揉搓，最後以棉布包裹，入缸，墊上板子，以大石頭實壓三五天逼出水來（逼出的水要存起來當老滷）。肉取出沖洗乾淨後，在水中浸泡半天，再刮除表面的硝末。然後再以棉布包裹入鍋，同樣壓上石頭，加回滷水煮半天，取出後再用石頭壓緊，待冷後即可切塊入盤。這道人間極品，手續繁複，且要靠化學物質製作，看看就好，不要多吃。

松阪豬肉是豬隻頸部深層處的瘦肉，有大理石紋，一隻豬只有兩片，約四百公克，可見其珍貴程度。這款好肉，最好是汆燙吃原味，或是煎烤一下即可，不需要做繁複的處理。

內臟則有豬心；豬肝；豬腎（通稱腰子）；豬肚；肝連又名條子肉；小腸又名粉腸；大腸；豬血又名豬晃子或液體肉；直腸又名大腸頭；子宮又稱生腸，也有人稱脆腸。

豬肝湯配點麻油與薑絲，是台灣人很常見的街邊小吃，也可以煮豬肝麵。此外，女性生產後常吃腰子補腎，切成腰花狀，以麻油、薑絲炒腰花或煮湯都很滋補。福州有一道腰花的菜很特別，是和海蜇皮、老油條一起爆炒，非常爽口。豬血湯與豬血糕在台灣很風行。台灣小吃的米粉湯中，常見其他內臟跟高湯同煮，煮久煮爛，沾醬油與薑絲一起吃最好吃。麻辣火鍋中也常見這些食材同煮。

豬的其他部分稱為副產品，有豬油；大片中油；中油；前後腳爪；豬尾；下肉（即頸部下）；腹脇尾赤肉；腳筋（又名虎掌）；粗排（又名龍骨）；大骨分前肢與肩胛骨兩種；後肢骨與骨盤骨等。

「滷豬腳」要選年齡輕一點，且骨頭較小瘦肉較多的前腳，滷後冷切，不油膩卻也Q軟。「豬尾煲杜仲」，是調理腰骨的藥膳。美其名為虎掌的腳筋，以往南貨店賣的是乾筋，現在則連超市及傳統市場都買得到發好的蹄筋，顏色透明淡黃，與海參搭配即是江浙名菜「虎掌燴烏參」；如搭配白蘿蔔紅燒即為蹄筋蘿蔔，熱滾滾的吃，很過癮的。豬蹄凍是以豬蹄與豬皮煮爛再冷凍，因為有大量的膠質，可以成型；圖中的蹄凍看起來像個生日蛋糕，是用模子脫出來的。

豬皮富含「明膠」，可以萃取膠原蛋白，每隻豬大約有四點五公斤豬皮，可萃取約兩百公克膠原蛋白，而每百克豬皮中含蛋白質26.4%，為豬肉的2.5倍，脂肪則只有2.27克，為豬肉的一半。膠原蛋白具有增加皮膚貯水保濕的功能，現在成為美容聖品，據說賣價不凡，價值連城。

牛

羊

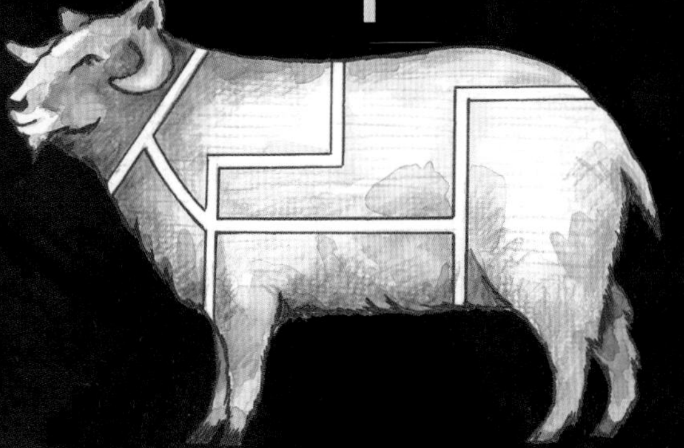

牛的食用部位以牛排最為昂貴：菲力屬於腰內肉，是整條牛最好的部位；沙朗為牛肋脊，紐約克為下腰肉，三種牛排的價位當然是有差別的。

其他的部位，牛肋帶點筋，適合清燉或紅燒；肩部的里肌肉適合做火鍋肉片，肩肉的肉質比較結實，前腱與後腱膠質多，可以久煮與滷，牛腩可以煲湯，臀部與後腿肉含脂肪量少，可以切絲切片快炒。牛筋可以紅燒，也是需要久煮的。牛尾是由十六個骨節組成，有豐富的膠質，可以燉湯與紅燒。

王宣一女士獨到的那一鍋牛肉，選用臉頰的部分，先加熱後逐漸冷卻下來，燒上三天，火候的經驗與挑選的功夫，不是一般人學得來的。

我阿姨教我選擇牛肉要以鮮紅色為佳，脂肪部分則以乳白色為佳。牛肉乾是台灣很有名的零食，原味、五香、麻辣等口味很多。牛肉丸子則是小朋友喜歡的。去美國念書的人，第一道菜如果不是青椒炒牛肉絲，就是洋蔥紅蘿蔔燒牛肉或咖哩牛肉，燒一鍋省著吃，可吃一個星期呢。

台灣很多人不吃牛，因為早年牛是幫忙耕田的，像家庭的成員一樣，所以以牛肉入菜的機會比豬肉少很多。

牛的內臟也不像豬內臟那麼受歡迎，但近年來有一道麻辣川菜叫夫妻肺片，是以牛內臟雜碎為食材。據說本來是夫妻倆提著籃子沿路叫賣，受到歡迎後就擺攤販賣，生意興隆，最後開起了店面。這道菜名為夫妻肺片，其實沒有肺，用的是牛心、牛舌、牛肚、牛肉等，特色是每一片都很薄，麻辣味道很香濃。其做法是將上述食材清洗乾淨後，用八角、三奈、大茴香、小茴香、草果、桂皮、丁香等同滷，切成薄片裝盤，淋上滷汁，再加上辣椒油、花椒粉、胡椒粉、鹽、炒熟的芝麻粉、花生粉與芹菜末拌勻冷食。我以為菜名的由來是因肺有兩片，夫妻兩人，查證後才知是因為那對夫妻合作無間。我在上海初次吃到時大為驚豔，我想是因為花椒特香的關係。那家賣肺片的餐廳店面很小，聽說夫妻倆原本替人刷油漆，剛做肺片生意時，店面小得像走進別人家的車庫。後來大發利市，店面一間接一間，一樓上一樓，這對夫妻也像發明夫妻肺片那對夫妻一樣的門庭若市了。

其實只要夫妻合作無間，甚麼不好的事也都會變成好事的。社會上這種夫妻合作成功的例子很多，所以俗諺有云：「夫妻同心，其利斷金」。

《說文解字》把「美」上下拆開，上為羊字，下為大字，故有「羊大為美」，近代研究美學的學者，則歸納「美」這個字，應該起源於味覺之說。我讀到美食家朱振藩先生寫到蘇東坡發明東坡肉，是為了解羊肉饞，據他寫出當時的皇宮是只吃羊肉的。可見得縱使現在我們的料理菜色最多的是豬肉，羊肉仍是皇上賜宴的大菜。

羊肘是全身最沒有羶腥味的一部分，我做的佛跳牆，一定會選用這個部位燉湯。羊肉爐是台灣冬天常見的補身料理，羊肉搭配紅白蘿蔔、凍豆腐、韭黃、山藥與大白菜，也有很多人與甘蔗頭一起煮，暖暖的一鍋，非常滋養。但如果正在感冒的人，或有發炎的症狀，有發燒的症狀都不宜食用，對手腳冰冷的、貧血的人，則是理想的料理。

涮羊肉是火鍋料理中很常見的，要選的羊肉則以閹過的羊，沒有羶味，要搭配有脂肪的部位。

用紅酒煮羊肉，也是很理想去腥味的辦法；羊的後腿肉與豬肉皮與白蘿蔔與香料等小火煮上一小時，把豬皮取出剁碎，再加醬油續煮，取出白蘿蔔倒回碎豬肉皮再煮，用紗布濾出湯汁，把羊肉撕成小塊與湯汁入模冷凍即成羊羔，可配青蒜吃。

魚

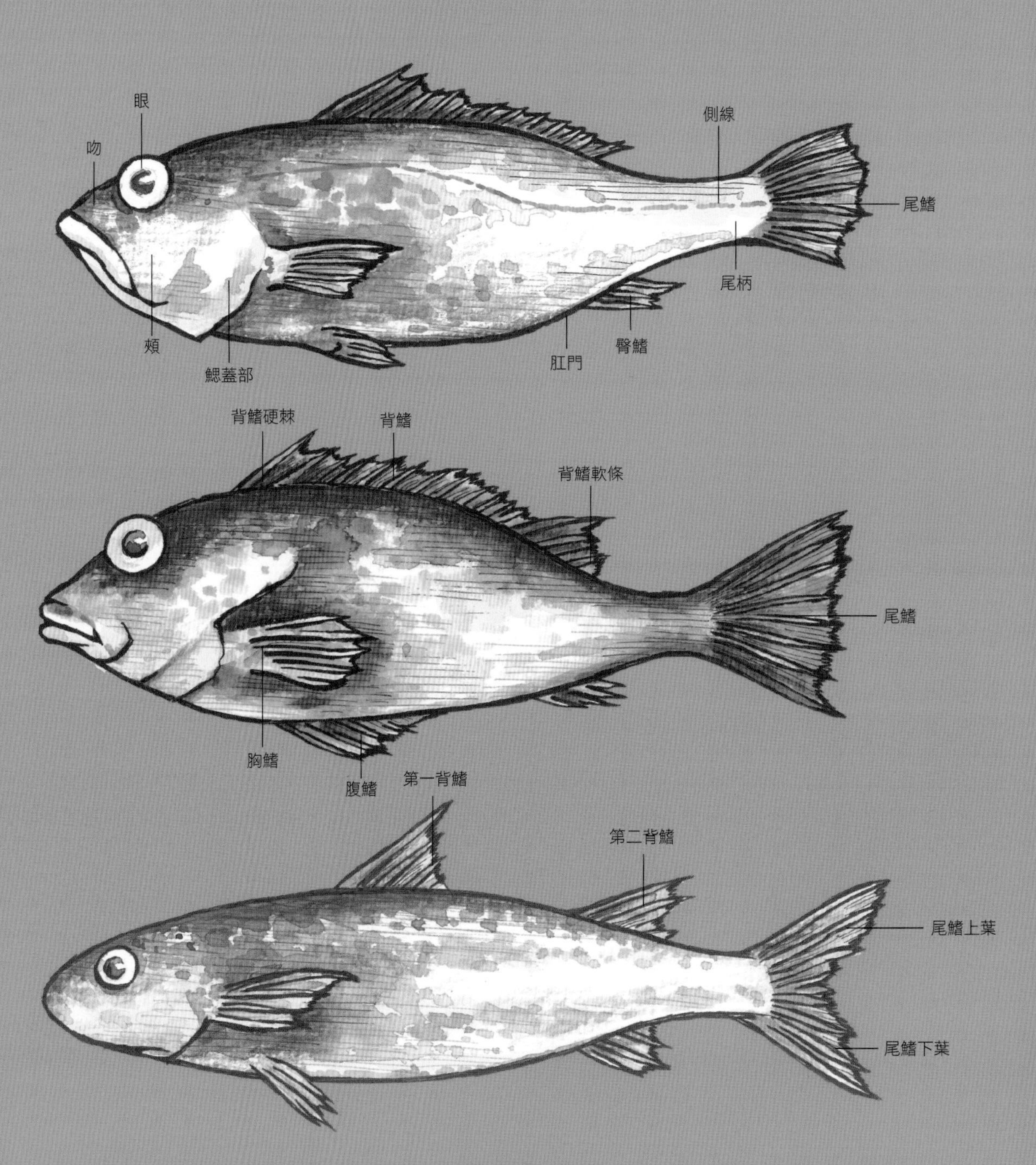

台灣四面臨海，可以吃的魚、蝦、貝、藻、蟹的種類繁多，走一趟魚市場，就好像上了一堂海洋生物課，常吃的魚約有兩百種之多。漁夫們更懂得各種珍奇魚種與內臟的利用，比如烏魚的胗，其價值比烏魚子還珍貴；烏魚的膘，看上去像豆腐，它是公烏魚的性腺，適合紅燒，入口即化；台灣有名的黑鮪魚，一旦捕獲，為了防止魚被悶壞，必須立即剖開魚肚取出內臟，塞入冰塊保存，取出的美味的精囊，就是有錢想吃也吃不到。很多精華部分，都不是在船上第一線捕魚的人可能知道的常識。

黑鮪魚最昂貴的部分在眼窩、下巴與頭蓋下方，每次在市場都看到這些部分有個缺口，問老闆則告知是被大餐廳先訂走了。大腹部分油脂豐富，一條魚也只有八分之一這等級的肉，所以也一樣的昂貴。一隻成熟的黑鮪魚成長期約為八年，但漁夫補到小的，也很少有良心放生回去的，這也是近年造成魚量的減少，讓保育人士提出限制配額的立法與管理。

我總以為，我們對海洋生物的認識其實很欠缺，對那些漁夫自己取的魚名字就更為陌生了。這回我選了台灣近五十種常見的海鮮，以插畫的手法表現。

烹煮海產，多以清蒸與紅燒、燒烤、糖醋、豆瓣或日式的生魚片為主。清蒸多以蔥薑蒜或破布子為材料。蒸鱈魚時，還可以加上豆酥，有其特殊的風味。有些魚肉比較乾的，可以在蒸的時候鋪上一片豬油網，增加肉質的潤澤度。

魚的厚度決定蒸的時間。魚放在長盤內，上面鋪些拍過的蔥段與薑片與酒，待鍋裡的水滾即放入鍋中架子上，蒸約八分半熟即取出，把盤裡的蔥薑與湯汁倒掉，再鋪上大量切碎的蔥與香菜，先以熱油淋過，最後淋上調好的醬油跟糖的混合液。

我媽媽家的砂鍋魚頭選用的是鰱魚頭，要經過約一百七十度左右的油略煎到金黃色，把魚身的水分全部煎乾。鰱魚頭比較大，要翻面煎，需要較大的鍋子，處理的功夫較難掌握。然後把肉片、筍片與蔥酒醬油同炒後放入砂鍋底，置入煎好的魚頭，加溫水煮沸，再以小火燜煮一小時；起鍋前，加上胡椒與花椒，淋點酒。上桌前再放入斜切的青蒜，以及豆腐與寬粉皮。

魚丸市售多半含有硼砂，建議用旗魚和鯊魚在家自製，用手或果汁機將魚肉打成泥，可放入冰塊來控制魚漿的蛋白質變性，混入一點鹽、胡椒粉、太白粉或玉米粉成魚漿，再敲打出黏性，捏成球狀入滾水燙熟，再入冷水十來分鐘。魚丸也可以混入各種想要加入的材料，例如加入冷凍過的肉燥，即成所謂的福州魚丸。若將魚漿入模子中，蒸熟成塊，再入油鍋炸成金黃色，即成為魚片。

魚類是最健康的肉類，低膽固醇，吃了不像其他肉類對身體造成負擔，而其豐富的蛋白質，更是身體必須的養分，可以放心的吃。

鮭魚
剝皮魚
魩仔
午仔魚
虱目魚
七星斑
馬頭魚
黃雞仔魚
鸚歌魚
白帶魚
赤筆

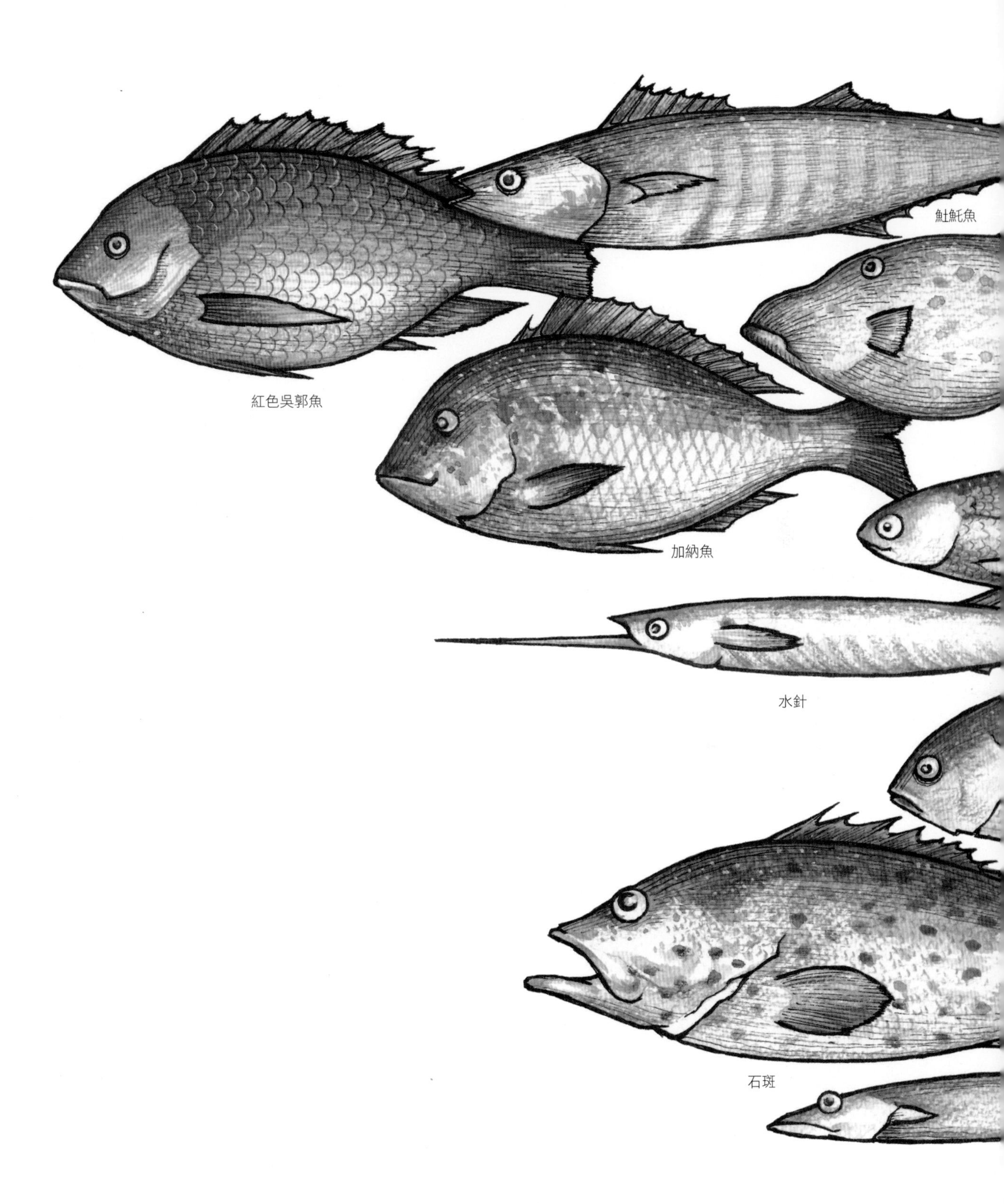
魟魠魚
紅色吳郭魚
加納魚
水針
石斑

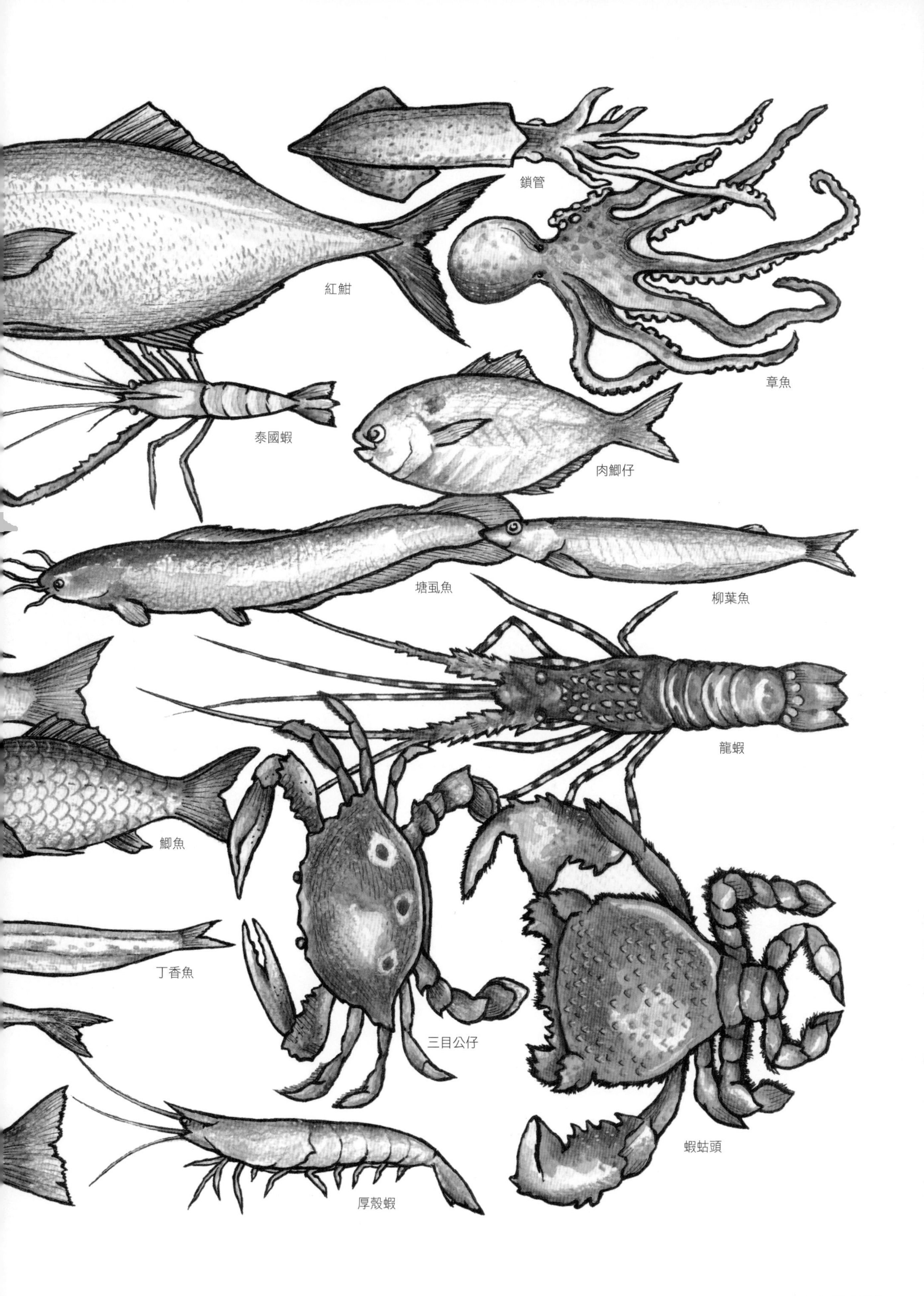
鎖管
紅魽
章魚
泰國蝦
肉鯽仔
塘虱魚
柳葉魚
龍蝦
鯽魚
丁香魚
三目公仔
蝦蛄頭
厚殼蝦

海鱺
白北仔
虹鱒
黃魚
白鯧
烏魚
赤鯮
大眼鯛
金線魚
香魚
七星鱸
秋刀魚
吳郭魚
四破
豆仔魚
鰻

酒

中國字跟酒沾得上關係的都有「酉」字邊，多達六十幾個：

醰、酸、醋、醬、醱、酵、醞、釀、醅、醩、醮、酻、酬、酌、酪、酊、酣、酖、醉、醒、醍、醐、酲、酘、醇、醛、酷、酎、醢、醲、釅、醴、酳、醍、醌、醮、醿、醞、醄、酳、醜、醀、釃、醝、醎、醌、醁、醺、醯、醑、釂、醾⋯⋯。

這些字，有酒的容器，有形容酒的製作，也有酒的祭祀功能及飲酒之後的神情描述。酒在中國已有六千多年歷史，從這些字可看出中國人自古即對酒有細微的觀察。光就酒器的演變來看，其中歷經無數朝代與工匠藝家的雕琢；其功能從盛儲、溫煮、冰鎮、挹取到斟酒、飲酒、娛酒，有三十五種名詞之多；材質則從陶、瓷、玉、銅、玻璃、獸角、竹木到蚌貝都有。中國的酒器，為器雖小，在禮實大，文人雅士的歌詠也昇華了它們的意象。

中國的酒詩，最有名的如唐朝李白「花間一壺酒，獨酌無相親」、「人生得意須盡歡，莫使金樽空對月」、「抽刀斷水水更流，舉杯消愁愁更愁」；王維「勸君更盡一杯酒，西出陽關無故人」；宋朝蘇軾「明月幾時有，把酒問青天」；以及女詞人李清照的「三杯兩盞淡酒，怎敵它晚來風急」⋯⋯。

自古以來，酒後的心聲，總離不開風花雪月與悲歡離合的情緒，也因為有這濃烈的酒文化，讓我們從印象嚴苛的禮教中，看到人性的真情。酒逢知己千杯少，能夠跟三兩知己對飲，讓真切的感情流露，無疑是人生最快樂不過的事。

三國時代的梟雄曹操曾說：「何以解憂？唯有杜康。」根據非正式的文獻記載，酒的發明源於「餘粥棄於桑，鬱積成香，竟有奇味，杜康嘗而甘美，遂得釀酒之秘。」可知杜康的酒是用米做的。中國造酒業者認為酒是杜康所發明，所以奉他為祖師爺。

白酒

白酒即一般通稱的燒酒、白乾，是一種蒸餾酒。由於蒸餾釀造的方式不同，中國白酒產生不少種類。以香型來分類，目前最明顯的有醬香型、濃香型、清香型、米香型。

釀造酒時，要先以豆類或麥類等熟的糧食，接菌培養製成麴，與高粱或米或其他糧食混合，進行糖化與發酵成酒後再蒸餾。若以氣候與菌種分麴，據說「大麴酒」乃以大麴為糖化發酵劑，其原料主要是小麥、大麥，加上一定數量的豌豆。大麴酒屬於中國北方的麴種，一般是固態發酵，所釀的酒品質穩定。「小麴酒」適合較濕熱的南方，主要原料是稻米，大多用半固態發酵，熱量較低。

製酒中有一個很重要的技術稱「勾兑」，從事這項技術的人，必須有敏鋭的舌頭與味覺記憶，能從不同車間釀的酒，品嘗出濃度與水分的異同，然後才能去除雜質，協調香味，使酒體平衡，口味統一。聽說這種技師在生活上要清心寡欲才能勝任。

酒的儲存需要恆溫、恆濕的環境，所以存酒的地方也很重要，有些酒就以它儲存的洞或坑道命名。所謂地靈酒傑，所言應該不虛。

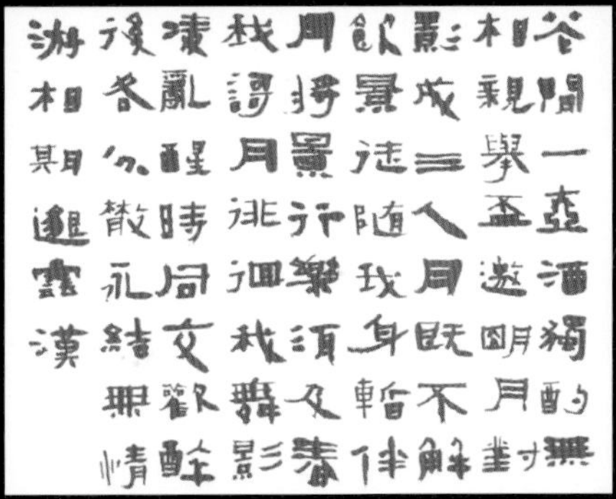

中國酒的命名定義多不勝舉，但從名稱也可以略知其身分。酒的種類與命名，除了麴種、儲存地點，最重要的辨別是產地：如茅臺，其字義還包括「長滿茅草的土臺子」；郎酒則產自二郎灘渡口。

這篇〈月下獨酌〉是畫家小魚的墨寶。

醬香型的酒，表示有醬物的香氣，且是香而不艷，以貴州茅臺酒、四川郎酒最聞名。濃香型則入口甜而落口綿，以四川瀘州老窖特麴、五糧液、古井貢酒最聞名。清香型的代表是山西杏花村的汾酒。米香型以柔香柔綿聞名，代表為桂林三花酒、小麴米酒等。其他香型的白酒，較具代表的還有西鳳酒、董酒。

近年來市場競爭激烈，各類香型酒廠頻以「喝酒保肝」作宣傳。其實，喝酒固然愉快，但應適情適量，過量必然會傷身。

照片中有一瓶名為「酒鬼」的酒，產自位於四川、貴州、湖南三省交界處的湖南吉首市。這款以麻袋型包裝的酒，還附有一首很貼切的詩：「酒鬼背酒鬼，千斤不嫌贅；酒鬼喝酒鬼，千杯不會醉；酒鬼出湘西，涓涓傳萬里。」

吉首市周邊的泉水質地甘美，當地的土家族、苗族皆有悠久的釀酒文化，米採用湘西特產的雲霧糯高粱、香糯米與大米，加入陳年大麴製成，顏色較黃，酒體醇厚，兼有濃香及醬香型酒的特點。出產「酒鬼」的酒廠，還有另外一種名為「湘泉」的名酒。

白酒的另一著名品牌是金門高粱酒。金門是位處福建省外海的島嶼，一九四九年以古寧頭大戰名揚全球，此後曾長期接受軍管，至一九九二年才解除戒嚴。該地為花崗岩層，土質多為沙土與紅土，適合種植高粱與小麥，軍方於一九五二年設立酒廠。高粱需經過浸泡、蒸煮、冷卻、拌麴、發酵；蒸餾第一道酒後再冷卻、拌麴、發酵；蒸餾第二道酒後即開始窖藏。長時間窖藏淬煉出酒魂熟成後，才進行勾兑調和，然後始可裝瓶販售。

金門酒廠主要生產大麴酒、高粱酒、窖藏酒與二鍋頭酒。大麴是蒸餾期間的第一道酒，味覺兇猛粗獷，酒精濃度高達六十八度。高粱酒採用固態發酵原理，分五十八度、五十三度、三十八度與三十度的八達樓子。窖藏酒則有陳高、老窖、金酒典藏等，以「三高二低一翻」的固態發酵後，於花崗岩中存放數年，酒精濃度都在五十六度以上。二鍋頭是指蒸餾白酒時，更換第二鍋冷凝水後開始流出之酒心白酒，酒精濃度為五十三度。

金門高粱酒的穀物生長於少雨乾旱之地，搭配以花崗岩層下的水質，以四面臨海所獨有的菌種，搭配古法的勾兑技術，使其品質達到中國白酒所該有的純淨、芳香、甘冽；其酒齡越長風味也愈醇厚。我去採訪時，在酒廠看到熟練的工作人員在炎熱的環境中只留一個小小的窗戶，為了麴種的培育，窗戶開開關關並不停的翻轉麴塊，這些技術都是機器無法取代的。

早期金門高粱有一種黑金龍，大約一九七〇至八〇年間我家常收到的禮物就是這種酒，瓶子上貼的紙有兩個日期，分別標明釀造與裝瓶的民國日期。後來我去金門，已經沒有黑金龍，改出產黑金剛；一瓶要九千元台幣呢！

照片中可以看到金門酒廠各種酒的包裝。金門高粱酒由於量少價昂，坊間出現不少仿冒品，金門酒廠也一再宣導防偽的辨識方法是：以手摸凹版紋，並以放大鏡看龍尾雲彩的英文字與螢火反應；防偽鋁蓋也有影形識別，蓋子側邊有凸字與防盜環的設計。

温酒

在温酒杯的外桶中注入熱水，把裝了黃酒的酒杯跨在桶上。

蓋上温酒杯桶的蓋子，利用水温將杯中的黃酒温熱飲用。

温酒的鼓型瓷器(裡面有附杯子)。

温酒的鼓型瓷器，鼓蓋可以拿起來，杯子跨在鼓上，下面加熱水温酒。

這一款温酒壺，為一母子壺的設計，
兩壺的空間注入熱水温酒。在盛放的
內，有用棉布包所做的保温設計。

黃酒

唐朝王翰的〈涼州詞〉，是中國最早提到葡萄酒的名詩：「葡萄美酒夜光杯，欲飲琵琶馬上催，醉臥沙場君莫笑，古來爭戰幾人回。」但中國釀造葡萄酒的歷史，則要上溯至西元前二世紀的西漢時期，張騫出使西域帶回的葡萄種子。所以漢賦有云：「西域開，漢節回。得蒲桃之奇種，與天馬兮俱來」；當時的葡萄稱為「蒲桃」。

李時珍把酒分為三大類：酒，燒酒，葡萄酒。其中的酒，指的就是穀物釀造酒；亦即黃酒。中國的黃酒與葡萄酒、啤酒一樣，都是靠釀造技術而成，其中的黃酒在南方較為普及。

黃酒的定義是：以稻米、黍米、黑米、玉米、小麥等為原料，經過蒸料，拌以麥麴、米麴或酒藥，進行糖化和發酵釀製而成各類黃酒。早在宋代，浙江紹興即家家會釀黃酒。至清朝時期，紹興一帶的紹興酒、老酒、加飯酒都已聲名遠播。黃酒中最好的是花雕，選用上好糯米、優質麥麴，輔以江浙明淨澄澈的湖水，用古法釀製，再貯以時日，產生出獨特的風味和豐富的營養；分為三年陳、五年陳、八年陳、十年陳，甚至幾十年陳不等。花雕酒與「女兒紅」一樣，都需要貯以時日，江南一帶稍有錢的人家，都在女兒出生滿月那一天為她釀幾罈子酒，泥封後長期窖藏。待女兒長大嫁人時，再取出陳酒宴客。

台灣的菸酒公賣局埔里酒廠，也以生產紹興酒及窖藏十六年的「女兒紅」聞名。該廠的紹興酒，是以圓糯米、蓬萊米與小麥為原料。先以八成的精白蓬萊米製成「米麴」，小麥製成「麥麴」；以當地聞名的泉水、米麴、酵母為「酒母」做基礎，然後分二次添加米麴、麥麴、圓糯米飯、泉水進行發酵。之後再經壓榨、澄清、過濾、殺菌、裝甕，置入儲酒庫典藏。經過三年自然熟成的，即成一般的紹興酒；五年以上熟成的則為馥郁香醇的「陳年紹興酒」；七年以上是酒中極品「特級陳年紹興酒」；十年以上即酒中珍品「十年窖藏精釀陳紹」。

近年因有微生物學等知識的引進，黃酒的釀造技術與品質更趨穩定。黃酒的酒精濃度約僅十五度，也可用以烹調菜餚。

藥酒及養身酒

「醫」這個字底下也有個酉，表示在古代以藥物釀酒，具有醫療養身之效。中國的藥酒和養身酒，主要特點都是在釀酒過程或在酒中加入中草藥；藥酒以治療疾病為主，有特定的醫療作用；養身酒以養身為主，有保健強身作用，並分成補氣、補血、滋陰、補陽和氣血雙補等類型。

藥酒除了內服，也可作為外用療傷，或是中醫推拿輔助之用。

女兒紅

將進酒　李白

君不見黃河之水天上來，
奔流到海不復回。
君不見高堂明鏡悲白髮，
朝如青絲暮成雪。
人生淂意須盡歡，
莫使金樽空對月。
天生我材必有用，
千金散盡還復來。
烹羊宰牛且為樂，
會須一飲三百杯。
岑夫子，丹丘生，
將進酒，君莫停。
與君歌一曲，
請君為我傾耳聽。
鐘鼓饌玉不足貴，
但願長醉不願醒。
古來聖賢皆寂寞，
惟有飲者留其名。
陳王昔時宴平樂，
鬥酒十千恣歡謔。
主人何為言少錢，
逕須沽取對君酌。
五花馬，千金裘，
呼兒將出換美酒，
與爾同消萬古愁。

馬祖陳高

金門陳高

五粮液

玉山二鍋頭

竹葉青酒

花雕

二鍋頭

女兒紅
紅星二鍋頭酒
紅星二鍋头酒
五十六度
北京紅星股份有限公司
酒鬼
八八坑道馬祖陳高
女兒紅
大麯酒
大麯酒
紹興酒
太雕酒
太雕酒
五粮液
紹興女兒紅
女兒紅
NYU ER HONG
女兒紅

陳年紹興

五粮液

紅標米酒

瀘州老窖

貴州茅台酒

杜康

玫瑰露酒

陳年特級高粱酒

三白酒

劍南春

狀元紅

貴州茅台酒

永康酒

石園牆

西鳳

陳年特級高粱酒背標

羅漢果紅米酒

郎酒

古越龍山花雕酒

舍得

文化
食物
火
鍋

火鍋是比較隨性的飲食，也是一種比較原始的飲食方式；《清稗類鈔》稱它為「生火鍋」，亦即生的東西丟下去煮熟就行了！

每個人或每個家庭都可以做自己愛吃的火鍋；只要準備自己喜歡的湯頭和沾料，就可以搭配各種肉類、海鮮、蔬菜，吃到其原味，還可以喝到綜合其精華的湯。據說慈禧太后最愛菊花鍋，想必那鍋不只豐富好吃，而且一定色彩悅目。

我小時候只吃過東北的酸白菜火鍋，一九八五年代之後，台灣陸續引進韓式石頭火鍋，日式壽喜燒，日式涮涮鍋，呷哺呷哺，港式海鮮鍋，加上我們自己研發的沙茶火鍋、麻辣毛肚鍋、涮羊肉鍋、紅白鴛鴦鍋，市面有「鍋」字的招牌越來越多。接下來還出現臭臭鍋、蕃茄鍋、豆漿鍋、味噌鍋、稀飯鍋、魚頭鍋、檸檬香茅鍋、咖哩鍋、養身鍋、藥膳鍋、花雕雞鍋、菇菌鍋、龍蝦海鮮鍋；就連薑母鴨、羊肉爐、五更腸旺也加入了「鍋」字的戰場。總之，只要你想得到一個名詞或形容詞、動詞如「天下第一」、「吃到飽」、「當心上癮」，加上個「鍋」字，就成了一種飲食新風潮。其間的千變萬化，據說有人執著到白菜、酸菜務必細切以至於手肘發炎，還有老闆遠赴東洋做夥計只為了學得人家的一招半式；也可以簡單到掰幾片香菜葉子、切個皮蛋滾出鍋底湯味來。

火鍋在台灣，從上世紀八〇年代發展到現在，可說完全發揮了台灣文化無限融合的精神，當然也應列入文化食物篇。

白居易的詩〈問劉十九〉：「綠蟻新醅酒，紅泥小火爐。晚來天欲雪，能飲一杯無？」寫的就是寒冬時節，想邀約朋友圍個小爐吃火鍋的心情。在紅色的火光中，剛釀好的米酒浮著一層微綠酒渣，如果能跟朋友在冷冷的冬天裡吃火鍋喝新酒，不但暖了腸胃，更暖了心頭，是多麼令人期待的事呀！

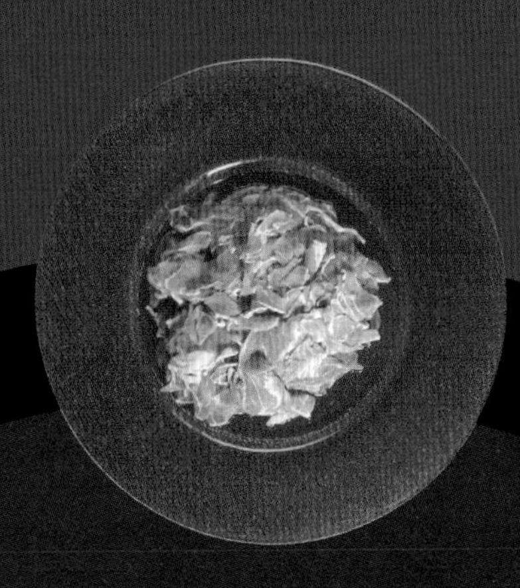

小時候我們家裡吃火鍋，桌面上熱鬧，鍋子裡熱鬧，人站站坐坐熱鬧，講的話題熱鬧，酒喝的也熱鬧。這番情景，只有熱愛朋友，愛熱鬧的人最為欣賞。吃火鍋，本就是要一家人或幾個朋友圍著吃才有情趣，也難怪火鍋店總是擠滿了人。

然而美食家袁枚卻不欣賞火鍋，他在《隨園食單》寫了一段「戒火鍋」，認為吃火鍋「對客喧騰，已屬可厭」，而且「各菜之味，有一定火候，宜文宜武，宜撤宜添，瞬息難差。今一例以火通之，其味尚可問哉？」我想，袁枚一定有潔癖，也不太喜歡與朋友同享熱鬧的聚餐之樂。

火鍋的鍋子，隨著時代進步有各種款式，我還是最喜歡古早的北方銅鍋，中間突起個高高的煙囪，頂上還有可以調節炭火強弱的小蓋子。以前我家要請朋友吃火鍋，媽媽總要先取出鍋子用醋與鹽洗掉銅鏽，以免中毒。現在回想起來，那些吃火鍋的夜晚，總讓小小的我有一種超現實的感覺：大人們講話好大聲，二鍋頭、大麴酒或黑金龍一瓶瓶的喝，食物的香氣與炭火的煙在家裡各處飄浮，但那喧嘩的聲音又好像被那層煙阻隔了；我的年紀最小，總是最清醒的呀。

吃火鍋全看個人的喜好而定，沒甚麼了不起的規矩。比如有人吃沙茶火鍋要在沙茶裡打個生蛋；火鍋料除了肉還固定有蝦、蛋餃、魚丸、豆腐、茼蒿、玉米、燕餃、蟹棒與金針菇等等，這些食材像一幅畫一樣的烙印在那些人的記憶中。

其實火鍋料可以有很多種變化，天候與地理環境的不同也會影響其內容。例如四川的麻辣鍋，當地人說因為四川處於較潮濕的地帶，需要藉辣鍋把體內瘴癘之氣揮發出來，才不容易生病，所以他們早也麻辣鍋，晚也麻辣鍋，舌頭早就習以為常。外地人吃麻辣鍋，則不但覺得舌頭發燙，連頭皮也發麻，我有個朋友去吃還得帶條毛巾擦汗呢。

四川有一種綠色青花椒，最是麻口帶勁，香辣過癮。四川麻辣鍋的湯汁像油鍋，食材泡在辣油鍋裡燙熟了挾起來吃，一般是不喝湯的。我去成都吃麻辣鍋，以台灣的經驗，認定火鍋哪有不喝湯的呀，硬著頭皮喝了幾碗，當晚上床前照鏡子，覺得自己像舒淇一樣性感呢。

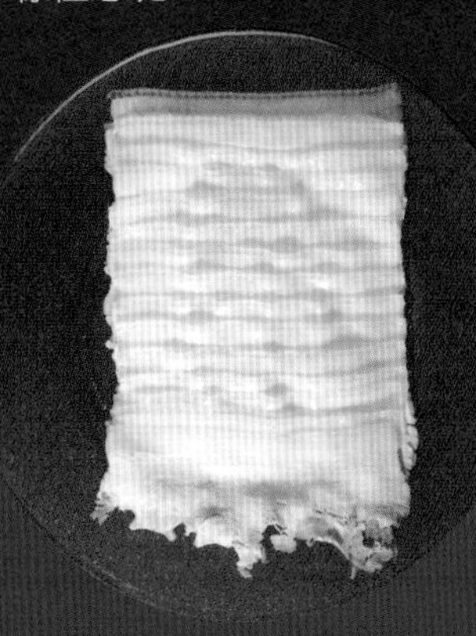

火鍋食材

肉片：必須油花均勻分布，順著紋理方向切成約4mm的薄片，到湯鍋內涮一下捲起，有所謂七秒半起鍋之說。吃一片放一片。買的時候注意廠家放血是否完全。

牛肉分安格斯、雪花肥與牛筋等多種。

羊肉分羔羊肩肉、霜降、嫩瘦肉、里脊肉。（羊肉與醋最好不要同時食用）

豬肉梅花肉、山豬白肉、三層肉可以煮到七分熟再冷凍切片，或是燙過後蒸熟去油膩再冷凍切片，肥而不覺油膩。

海鮮：鮮干貝、蝦、魚捲、蟹黃蛋、魷魚、螃蟹、蟹棒、手打鮮蝦漿、花枝漿、魚板、魚頭、蚵仔、草蝦。

球丸：蝦球、花枝球、半肉半筋牛肉丸、澎湖魚丸、貢丸、肉丸、雞肉丸、酥炸丸子、蔬菜丸、明蝦丸、脆丸、豬肉丸子。

內臟：四川人的鍋大多是內臟鍋，內臟要去腥，需以流動的水清洗二十分鐘，因為要久煮，可以先用小火煮到八分熟，但不能太高溫，否則會讓鴨血燙個洞。其他如牛百頁、豬肚、肥腸、腰片、脆管、毛肚（羊肚）、脆腸、大腸頭；血腸是用豬腸灌入豬血加花椒、蔥與高粱酒，用文火煮熟再切段入鍋。

餃：魚餃、蛋餃、燕餃、韭菜餃、鮮筍餃、蝦肉雲吞餃。

油條豆腐：油條、手工豆皮、嫩豆腐、老豆腐（因擔心豆腐的溫控不易，產生細菌，有些講究的餐館會把豆腐煮熟再上桌）。

醃製菜：榨菜。

蔬菜：大白菜、高麗菜、大陸A菜、茼蒿、洋蔥、玉米。

菇蕈類：金針菇、杏鮑菇、花菇、雞樅菌、猴頭菇、香菇、草菇。

根莖類：蒟蒻、山藥、南瓜、紅蘿蔔、白蘿蔔、地瓜。

水果：蕃茄、柚子、甘蔗。

主食：麵條、香港生麵、冬粉、粉皮、白飯。

鍋底

香菇底：土雞湯配牛菌菇，新鮮段木香菇，以木炭溫火煨出味道。

涮涮鍋：大骨、昆布、柴魚、甘蔗、水果、蔬菜、香茅。

五更腸旺底：鴨血、酸菜心切菱形、熟肥腸斜切汆燙。與爆香的薑、蒜及辣椒醬、花椒同炒後與高湯同煮；太白粉勾芡。

魚湯鍋：鰱魚熬出白色的湯汁，甚麼都不加就是完美的湯底。

咖哩鍋底：用油先炒麵粉，加入洋蔥、黃豆芽、大蒜末、南薑末、乾蔥與雞腿肉，紅蘿蔔，再加入咖哩粉與辣椒粉；可入清雞湯，香葉、大茴香、小茴香、八角、香茅與椰漿。

粥底：袁枚曾說「見水不見米非粥也，見米不見水亦非粥也」，他不喜歡火鍋，所以不知道把米煮到看不見的時候，就是粥底火鍋的精華。一大鍋水加入一點點米，一直滾到米不見了，大約要兩三個小時。煮的時候加上新鮮的豆腐皮同煮，或是煮好後加上豆漿，都是增加味道的簡單辦法。這粥底像幫每一項食材裹了一層外衣，也讓食物變得滑潤些，是時下最健康也最不上火的火鍋料理，發明這鍋底的人，真是了不起。

小火鍋湯底：雞骨、昆布、柴魚、白蘿蔔、紅蘿蔔、洋蔥、苳菜煮成。

酸菜白肉鍋底：大白菜古人稱為「秋菘」，東北人一個家庭一年買上近百斤大白菜醃製酸白菜是常事。通常是白菜整顆入熱水中燙熟，取出瀝乾，涼透即入缸，加滿冷鹽水，也有人滴入一些高粱酒，然後蓋上木板以大石頭壓住，高出醃菜約十幾公分，隔絕空氣中的菌種。約醃五、六個月就可使用。酸白菜醃得好，沒有生味，也耐煮，以煙台白菜的纖維質韌性最強，可以泡很久。最好的酸白菜要夠酸、夠香、夠脆且能回甘。吃時切細絲與豬油共炒後入鍋。其鍋底是用雞脖子、雞爪等多膠質部分與魚骨、蔥薑酒熬煮半天取其汁，再與火腿、香菇續煮，也有加上螃蟹的。酸白菜鍋的酸菜，與白肉、鍋底要一樣好，才是完美的酸菜白肉鍋。

麻辣鍋底：火鍋底油：把豬油、牛油、蔬菜油，緩緩放入鮮香料，再下醬料與處理的辣椒，提味料，待水氣散去，入香料，辣椒最後放，最後入料酒，以上都需不停的用鏟子炒，以免沾鍋；酒味蒸發後，冷透，去渣的油即為火鍋底油。

鮮湯：高級版用一隻母雞、一隻母鴨、豬肉排與火腿、豬瘦肉、雞胸肉與大蔥、薑、白胡椒、料酒搭配煮。火鍋底油加上鮮湯再與燈籠椒、辣椒、大紅袍花椒、胡椒、郫縣豆瓣醬、滷包香料二十種熬製。

重慶鍋底：辣椒、花椒、胡椒、牛油、植物油、郫縣豆瓣醬、滷包香料四十種、搭配鮮湯由豬骨、雞架、鴨架與大蔥、薑、白胡椒、料酒搭配煮。

以下為製作鍋底常會用到的基本材料與做法。

醬料：郫縣豆瓣醬，通常都用刀剁成碎末。

提味：冰糖剁碎、豆豉用料酒稀釋。

料酒：料酒。

油：豬油、牛油、蔬菜油。

鮮香料：薑片、蒜茸、洋蔥碎片。

香料：白豆蔻碎片、丁香、八角、桂皮小塊、山奈、去籽草果、小茴香、大茴香、靈草碎末、排草碎末、香葉碎末、糍粑辣椒（乾辣椒以開水煮幾分鐘瀝水剁成茸即成）、一般辣椒（有大紅袍、紅燈籠、二金條）、當歸、黨參、枸杞、小玫瑰、紅棗、菊花、銀柳、白芝麻。

骨頭湯：雞骨去皮去油熬製，湯頭不濁。

沾醬

沙茶醬

混合沾料：花生醬、XO醬、腐乳醬、蒜泥、蔥花、香菜，加一匙高湯。

自由搭配醬料：芝麻醬、芥末醬、醬油、香醋、腐乳汁、韭菜花、辣椒醬、蒜泥、麻油、滷蝦油、料酒、檸檬汁、白醋、蔥末、香菜末、顆粒花生醬、蘿蔔泥。

酸菜白肉火鍋的沾料最漂亮，如圖中把所有以上的沾料排在一起，好像一個彩色顏料盤一般豐富。

零食

糖果盅

小朋友期待過年的原因，除了穿新衣、領紅包、放鞭炮外，就是那一茶几無限享用的零食！我小時候過年，媽媽會在年前帶我去老天祿、普一、采之齋與迪化街糖果鋪採買，我則好像有一種要什麼有什麼的特權，買了南棗核桃糕、芝麻餅、陳皮梅、金門貢糖、牛肉乾、豬肉乾、花生、瓜子，還有五顏六色糖果紙包的瑞士糖。過年期間，媽媽把漂亮的糖果盅盒子拿出來，隨著不一樣尺寸的空間，放滿那些漂亮可口的零食，讓我們盡情享用。

台灣習俗，過年零食還包括冬瓜糖，大紅豆，以及外表染成紅、白兩色的花生糖。冬瓜糖製作費時，且一年只有過年期間才有，十分難得。近年則流行各色的牛軋糖，其製作過程是將麥芽以大約攝氏一百三十度的溫度煮軟，沖入打發的蛋白中攪拌，加入奶油與巧克力等，再入奶粉攪拌均勻，和入低溫烤香的堅果，再入模整平切塊，種類很多。

過年期間，佈滿豐富零食而漂亮的茶几，也是好朋友來訪時聚會聊天的中心點，所以陳列時也會依照過年的氣氛配上些應景的道具，看起來喜氣洋洋，好不熱鬧。

匠心手藝

雕欄玉砌

民族圖騰

我把中國人自新石器時代紅山文化第一隻出現的龍，到清朝皇帝龍袍上的龍全部找了出來，成就了這一頁「龍的傳人」的優美圖繪。

中式建築多為木結構，保存不易。較為講究的也大多留在宮廷與寺廟之間，與庶民生活的關聯較少。十九世紀中葉由台灣富商林本源家族在板橋興建的庭園府邸佔地寬廣，二十世紀中葉被政府列為古蹟，花費鉅資維修並有專人管理，成為平常百姓都可入園遊賞的「林家花園」，是台灣保存最好的中式建築。其中的「來青閣」，是林家招待貴賓之處；為當年少見的兩層樓建築，雕工極為精細，且登樓可遠眺青翠平野，景觀十分怡人。我以此閣的側立面作為繪製民族圖騰的底稿：從側面瓦片的龍到如意，三角形、圓形、長方形、八角形，發展出幾款屬於我們共同記憶的圖騰。

中國自遠古時代即很講究圖騰之學，且都有絕美的線條、完好的比例與名字，留存下來的質與量皆很可觀，特請我們公司的陳怡茜小姐將我蒐集的各種圖騰邊條，重新繪製成就這一雙開頁面的精彩畫面。我不是圖繪學專家，沒有資格解釋各種圖騰的來源與典故，但以我自己從事美術工作多年的經驗，確知這資料庫對美術工作者是很有用的。希望我的努力，能夠讓更多人輕易的親近我們的民族圖繪，並且利用自己的想像力，創造更貼近現代的實用設計。我們說中國人是「龍的傳人」，這一頁所呈現的龍，是我蒐集各朝代龍的演變，重新繪製的。

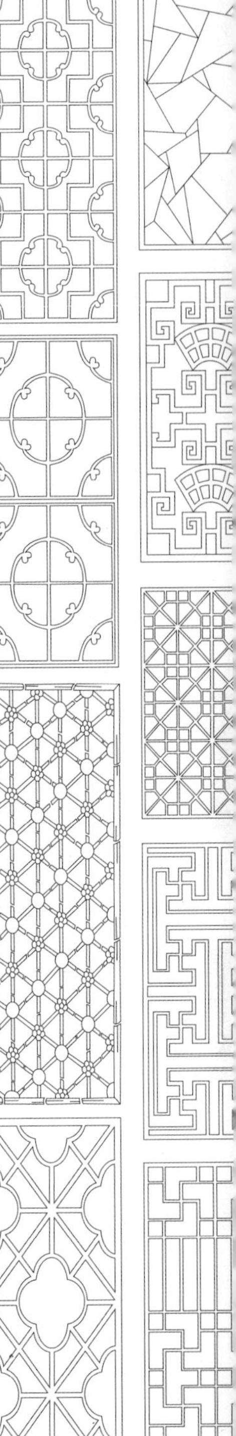

中國的樂器

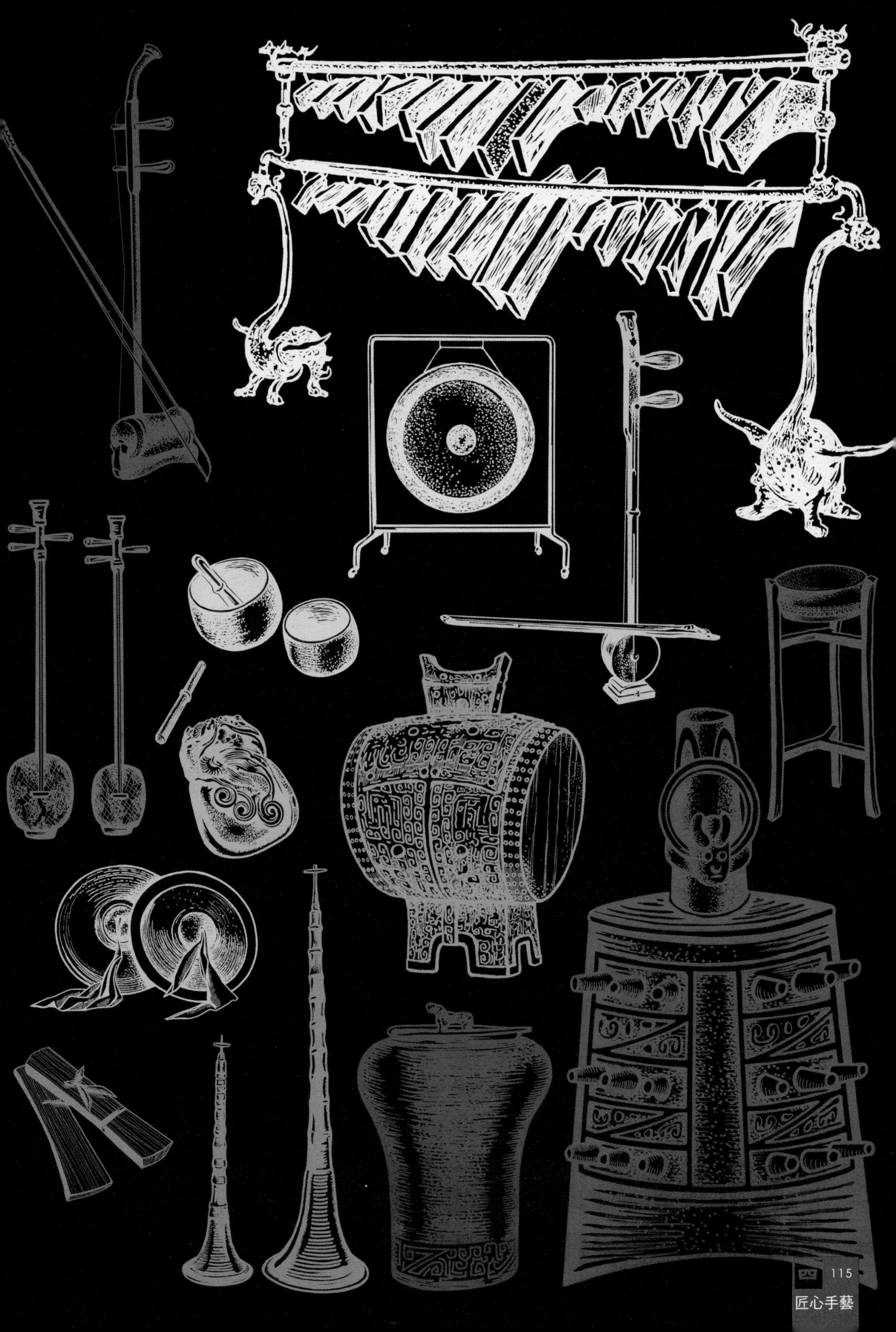

八音樂器

中國樂器發展甚早，河南舞陽賈湖遺址出土的「骨笛」就有九千年的歷史。早在周朝，老祖宗就建立樂器分類，《周禮》載「皆播之八音 **金、石、土、革、絲、木、匏、竹**」，而且一直沿用至清朝。以下謹就八音的代表樂器略述。

金：金屬樂器多為銅與混銅製品。「**編鐘**」由青銅製成，並依大小懸掛在鐘架上，戰國「曾侯乙墓」出土的編鐘多達六十五件，總重達五噸，氣勢宏偉，無與倫比，是周朝宮廷與上流社會專用樂器。「**錞淳于**」也是銅製，呈上大下小之形，始於春秋，盛於巴蜀地區，專門用來與鼓合音，並以虎形飾為鈕。「**銅鑼**」起源於漢朝，圓形弧面中央部位較高，用鑼槌敲擊發音。「**鈸**」在唐朝從印度傳入，以兩個圓形銅片撞擊發聲。「**磬**」則由銅、鐵等金屬鑄為缽形，是常見的佛家樂器。

石：石類樂器，以「**磬**」為代表，多以石或玉製成。「編磬」是由十六枚的磬編懸而成，起源自春秋魯國，至今仍在孔廟看得到。編鐘與編磬合奏之音就是「金石之聲」。

土：土製樂器以「**塤**」為代表，用陶土燒製而成，形狀類似陶笛，年代已有七千年之久，最早期只有吹孔，後來發展出多音孔，成為中國代表樂器之一，聲音低柔而淒美。

革：動物皮革多半用以製「**鼓**」。鼓是人類最早發明的打擊樂器之一，不僅用途廣泛，從最大的「**大鼓**」、中形的「**板鼓**」到拿在手上的「**鈴鼓**」，形狀、種類也非常繁多。

絲：泛指各類弦樂器，因為古代的弦是以蠶絲編織而成；弦樂器又分為**撥弦、拉弦、擊弦**三種。撥弦樂器以「**古琴**」歷史最久，到周朝固定為七弦，音色深沈悠遠，被尊為「國樂之父」。「**古箏**」在戰國時代即於秦地流行，又稱為秦箏。因為音色美、音域廣，深受文人雅士所愛，目前以二十一弦最常見。「**琵琶**」則是彈撥樂器始祖，最早可溯至戰國時代，並因為地域、外來文化融合，從而衍生出「**三弦**」、「**柳琴**」、「**阮琴**」、「**月琴**」、「**秦琴**」等種類。拉弦樂器以「**胡琴**」最具代表。顧名思義，胡琴在宋朝由西北少數民族傳入，多為二弦，以弓拉之，弓弦則以馬尾製成。因結構簡單、音色討喜，在民間流行至今，並有「**京胡**」、「**南胡**」、「**板胡**」、「**低胡**」、「**革胡**」、「**中胡**」等種類。擊弦樂器融合打擊與弦樂，戰國時代即有「**筑**」，可惜已經失傳。「**揚琴**」則是明朝由波斯傳入的桑圖爾琴衍生而來，並改以琴竹敲弦發聲，形體擴大，弦數也不斷增加，從八行琴到十四行琴都有。揚琴聲似鋼琴，成為現代國樂團必備的主要樂器，有「中國鋼琴」之稱。

木：木製樂器非常多樣，「**柷**」歷史悠久，是用於祭祀與宮廷樂的啟奏樂器，以木槌敲擊，形方如斗。「**木魚**」隨佛教傳入，多呈圓形，中間挖空，以木槌敲擊發聲，現多用於誦經。「**嗩吶**」從波斯傳入，於明朝流行，管身木製呈圓錐形，上端有銅製的哨子；因為聲音高亢明亮，被民間廣泛用於婚喪喜慶等儀式。

匏：古代用乾老的匏瓜殼製成樂器，以「**笙**」最為常見。笙是和聲用的簧管樂器，只要吹氣、吸氣就可發聲，並以手指按孔來控制。不過笙的「笙斗」，現在早已改為銅製，而非匏製了。

竹：最主要有「**笛**」、「**管**」、「**簫**」，笛是橫吹，管、簫是直吹。**簫**源於骨哨，是歷史最悠久的吹管樂器，因孔數不同分為洞簫、琴簫、南簫等，在三者之中，音色最為柔和，但也最難表現。笛與管都是漢代從西域流傳過來，**笛**的音色清脆嘹亮，因為筒音不同，主要分為「曲笛」和「梆笛」。**管**有前七後一共八個音孔，因為粗細長短不同，區分為小管、中管、大管，表現音域各有所長。

十大樂曲

《高山流水》

春秋時代，晉國有一位著名琴師俞伯牙，善彈七弦琴。一日他在漢江畔彈了一首高山屹立、氣勢雄偉的樂曲，當地樵夫鍾子期路過，從琴音中聽出伯牙的心聲，慨然嘆道：「巍巍乎志在高山。」伯牙又彈了一首驚濤駭浪、洶湧澎湃的曲子，鍾子期又嘆道：「洋洋乎志在流水。」伯牙覺得鍾子期能深刻領會他所彈奏的《高山流水》之意境，感動之餘遂與鍾子期結成知音，拜爲金蘭，並約定翌年中秋再相見。然而，次年俞伯牙依期赴約，鍾子期卻已不幸去世。伯牙得此噩耗後，認爲世間再無知音，一生不再操琴；這也就是中國人「知音」典故的由來。──這首曲子的《流水》部分，於一九七七年被美國國家航空暨太空總署發射到太空，在無盡的蒼穹尋找知音。

《廣陵散》

東漢末年即流行於廣陵（今江蘇揚州）之民間樂曲。後來演變爲戰國時代「聶政刺韓王」的琴曲；描述鑄劍工匠之子聶政，爲了報殺父之仇，刺死韓王而後自殺的怨怒。另有一說是三國時代，著名的竹林七賢之一嵇康善彈此曲，後來嵇康被司馬昭處死，刑前仍從容不迫的索琴彈奏此曲。也因此，我們理解這首樂曲蘊含了一種蔑視權貴、懷恨不平的情緒。

《平沙落雁》

明朝即有的古琴曲。全曲描述秋天瑰麗的自然景色：雲的怒放，地的淡遠，群雁的飛翔，流沙的移動。全曲之意寄託文人雅士之心胸高遠，意境開闊，引人遐思。

《梅花三弄》

唐代已在民間廣爲流傳，全曲表現了梅花的高尚品性，也是一首隱喻中國士大夫情操的琴曲。明楊掄《伯牙心法》記載：「梅爲花之最清，琴爲聲之最清，以最清之聲寫最清之物，宜其有淩霜音韻也。三弄之意，則取泛音三段，同弦異徽雲爾。」

《十面埋伏》

明代開始流行的琵琶曲目，當時名爲《楚漢》。全曲描述著名的楚漢相爭垓下決戰之慘烈；漢軍設下十面埋伏陣法，迫使楚霸王項羽自刎於烏江而亡。旋律雄偉起伏，曲風壯麗撼人，讓人感受兩雄相爭的激烈戰況。

《夕陽蕭鼓》

明清兩代即流傳甚廣。旋律寫意，抒情優美，豐富的景致有如長卷圖繪，引人入勝；是琵琶古曲中的代表作品。近代改編後，另名《春江花月夜》。

《漁樵問答》

一五六〇年（明朝）即有紀錄的曲譜。表達隱逸之士對漁民與樵夫生活的嚮往。通過漁民、樵夫在青山綠水間自得其樂的悠然，對應出追逐名利者的世俗；「千載得失是非，盡付漁樵一話而已。」樂曲中出現的伐木聲、搖櫓聲，能讓人親切感受置身於平民百姓生活中的寫實意境。

《胡笳十八拍》

東漢末年蔡文姬譜寫自己心境的樂府名曲，淒美感人。全曲共十八段，敘述她身在胡地，時刻思念故鄉，以及歸漢後骨肉分離的莫大痛楚。情節的進行與心情的對比層次分明，反映了戰亂給人民帶來的深重隱痛與悲怨。

《漢宮秋月》

原爲清康熙年間盛行於崇明島的琵琶曲，表達了宮女哀怨悲愁的情緒及無可奈何、寂寥清冷的生命意境。除了琵琶曲，後來也發展了二胡曲、古箏曲、江南絲竹等不同版本。

《陽春白雪》

原爲戰國時期流行於楚國的兩首樂曲：「陽春」取萬物知春，和風坦蕩之意；「白雪」取凜然清洌，雪竹琳琅之音。合爲全曲則旋律活潑新穎，節奏輕快有力，流露大地回春、生氣蓬勃、春意盎然的意象。後人引申認爲「陽春白雪」隱喻「曲高和寡」；但這與原有之琵琶曲目並無關聯性。

H86 W101.5 D49.5

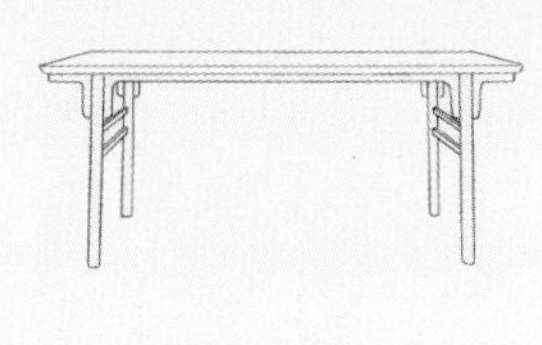

H79 W193.5 D53.5

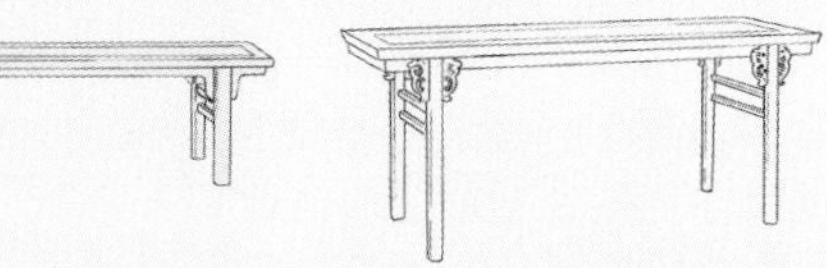

H80 W84.5 L273

H84 W60 L213.5

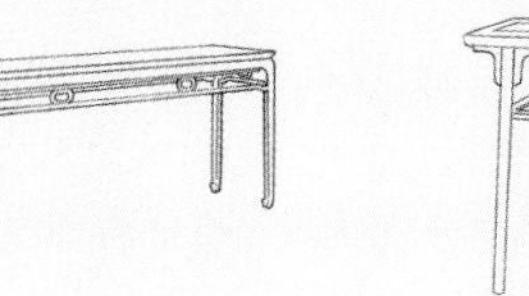

H85 L204 D48.5

H79 W74.3 D38.8

L178.3

H90.5 W65 L116

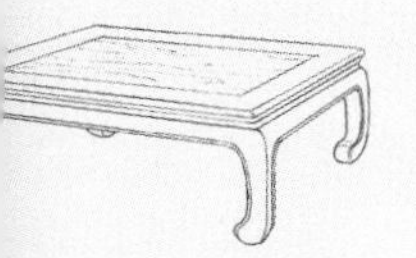

H27.7 W76.5 D76.8

H82.5 L151 D56.5

H85 W114 D56

H81

H84 W190 D63

H88 W62.5 L110.5

H33 W84 D36

H79.2 W84.5 L119.5

H288 W680

H326 W606

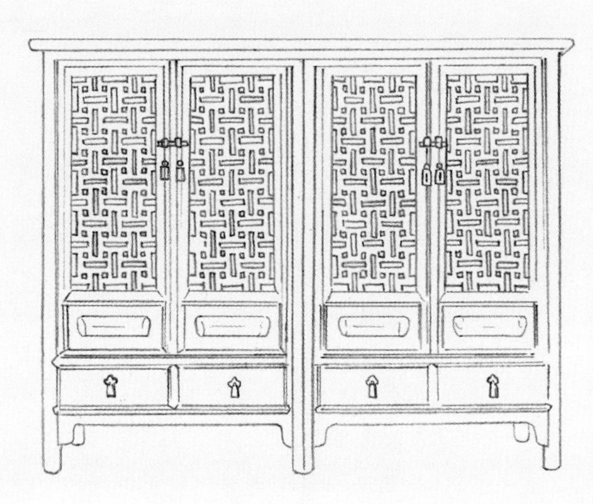

H189.2

H21.5 W42 D26.5
H17.8 W15.2 D15.2
H77 W47.5 L47.5
H87.5 L140 D69
H35.5 W44.5 L11
H34 L31 D23
H29.2 W27.3
H82 W51.5 D51.5
H84 W29 L159
H85.5 W147 D52
H35.5 L110 D44.
H55 L83 D54
H189 W62 D42
H82.5 L309.6 D52
H35 L63 D42
H54 L81.5 D70
H81 W74 D37
H17.5 W24.5 L42
H72 D40.5
H80.2 W85.9 D31.8
H82 W206.5 D42
H81.5 W40.5 L9
H21 W18 L28
H45 W104 D40.5
H90 W71 D45.7
H33 L105 D28.5
H80.2 W230.6 D48
H91 W90
H72 W68 D38
H53 W44.5 D33
H41
H58 L112.5 D43
H84.5 L103.5 D68
H44 L34 D28
H53.4 W210 D77.4
H86.5 L105.5 D67.5
H94 W52 L260
H89 L302 D49
H56
H64.2
H28 L76 D46
H81.3 L118.1 D43.8
H48.5 L187 D42
H76 L104.6 D45

中國的傢俱

87 L94 D61

H99 W64 D26

H102 W109 D86.5

H93 W57.8 D45.1

H99 W61.5

H89 W50 L343.5

5.7 L99.7 D66

H183 L102 D56

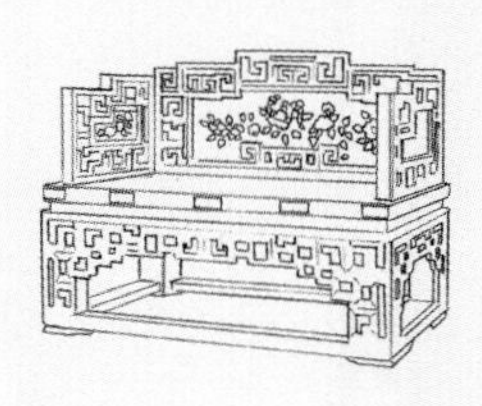

H98 W117.5 D84

H130

H102.7 W61.6

H94 W71.5 L109.5

; W92.7 D92.7

H197.4 W109.5 D50

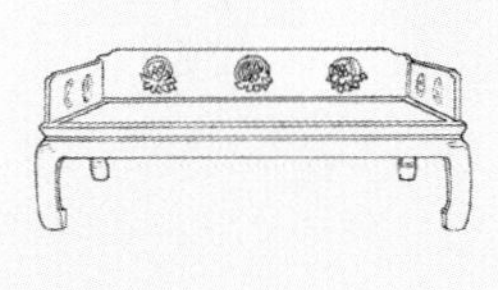

H82 W122 L211

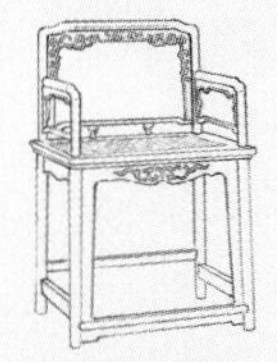

H69 W58 D45

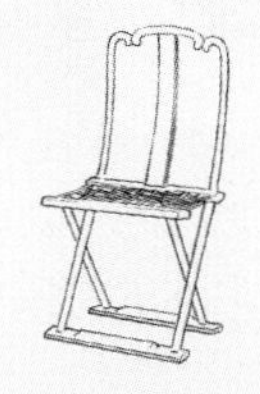

H112 W54.9 D35.6

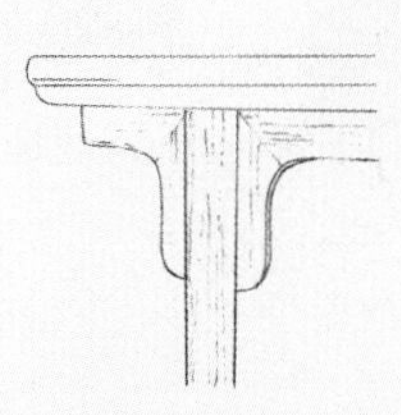

H82 W75 L143

H178.5

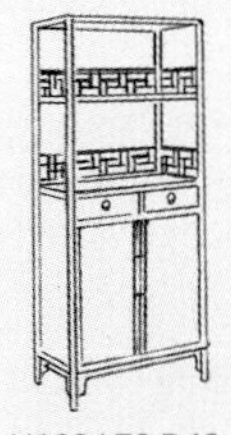

H182 L78 D42

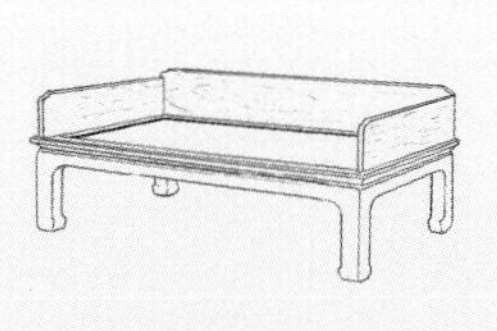

H77 W112 L206

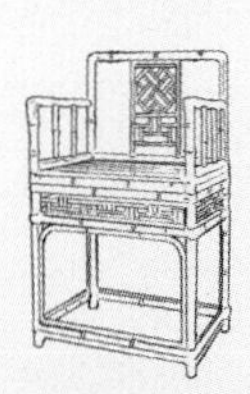

H85 W54 D42

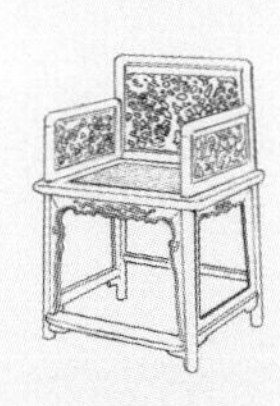

H83 W57.7 D46

H222.3

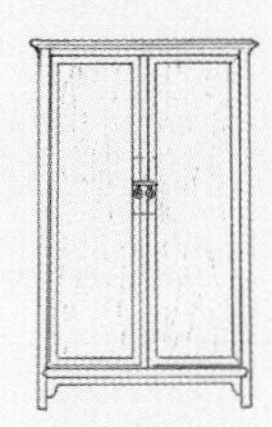

H126 W48 D49

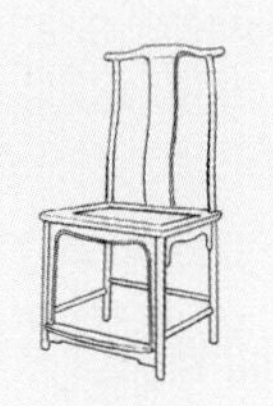

H50.5 W58 D45

H88 W56 D45.5

H83 L61 D49.5

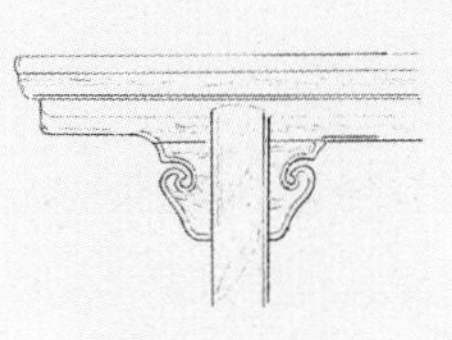

H81.5 W52.5 L193

H296

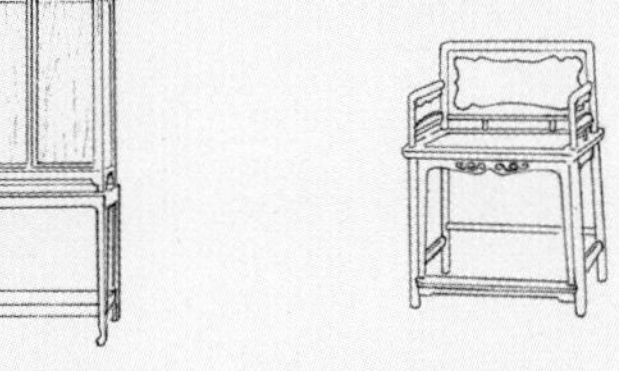

H101/76

H82 L60 D46

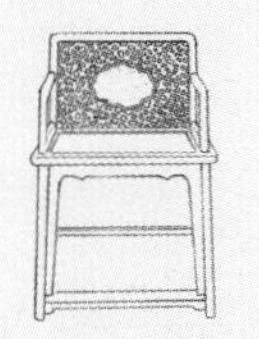

H87.5 W61.4 D46.8

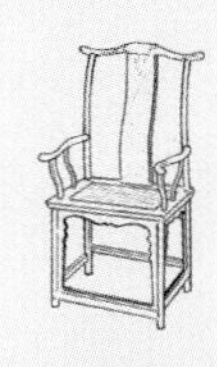

H122 W59

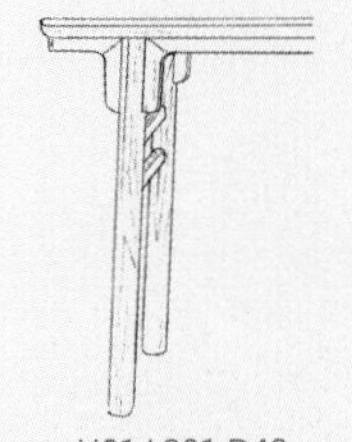

H81 L201 D49

H185 L126 D48

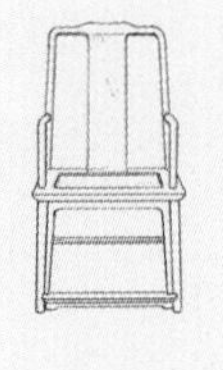

H118 W58 D48

H83.4 W64 D42

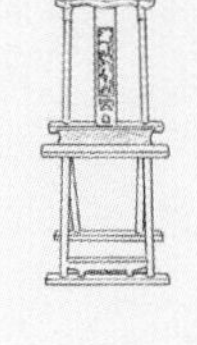

H104

.60 W104 D51

H172 W100.3 D43

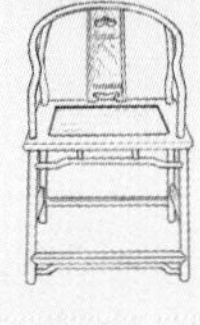

H119 W56.5 D47.5

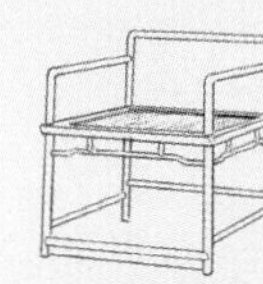
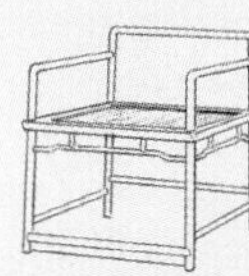

H 高
W 寬
L 長
D 深

H288 W680

H82.5 L158.5 D58

H53 W33 D33

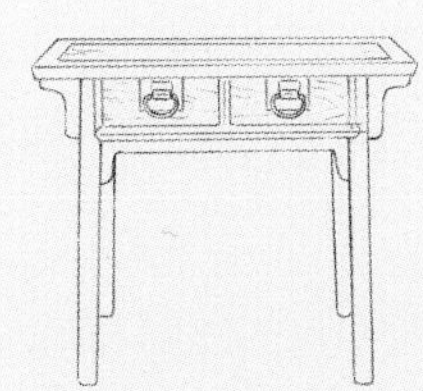

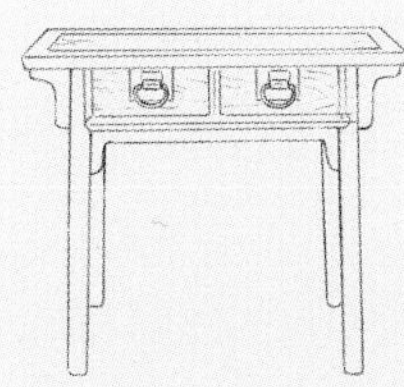

H48 D61

H51 W36 L56

H56 D51

H164

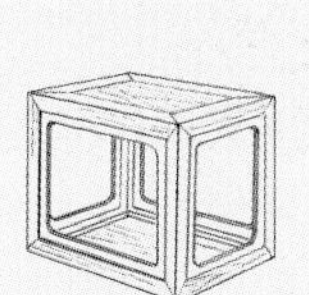

H36.6 W48.3 D33

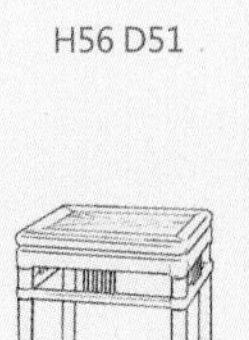

H52 W59 D59

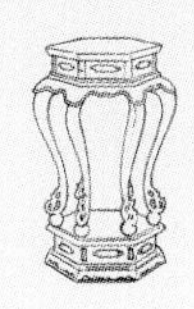

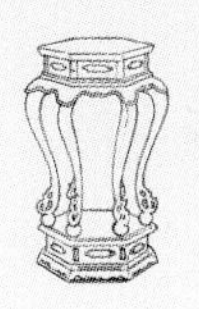

H83.9 W105 D63

H227 W159 D58

H85.3 W61.5 D30.5

H51.5 L60 D60

H82 L88.3 D46.4

H51 W54

H85 W92 D92

H42 D38

H80.5 W100 D56

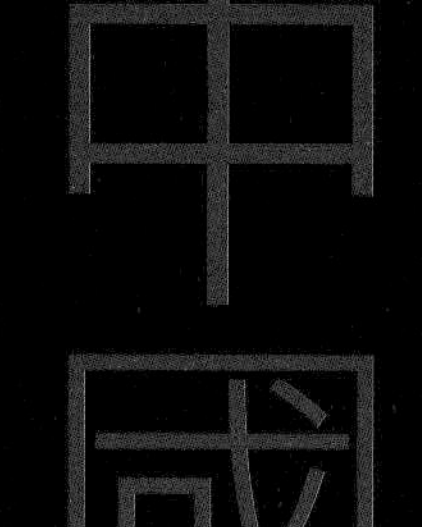

中國字

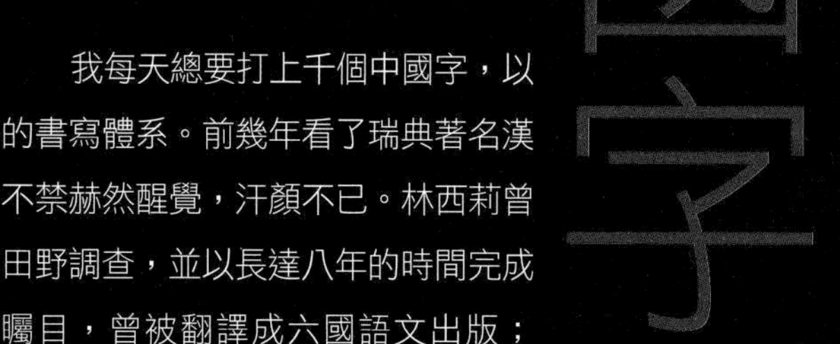

我每天總要打上千個中國字，以前從未發現我們何其幸運擁有這麼精緻的書寫體系。前幾年看了瑞典著名漢學家林西莉女士《漢字的故事》一書，不禁赫然醒覺，汗顏不已。林西莉曾遠赴黃河流域對中國古文字的源起進行田野調查，並以長達八年的時間完成此書，一九九六年在瑞典問世後備受矚目，曾被翻譯成六國語文出版；二〇〇六年在台灣出中文版。

這本分析漢字意象的書，考古資料完整，取材廣泛且深入民間，是每一個中國人都該仔細閱讀的。她將三百零四個漢字分類為：人、動物、植物、畜牧農耕、工具、文物、器物、建築、人文、飲食、服飾，以說故事的方式分解每一個字的結構，部首，推演其邏輯，一步步還原到中國古代的地理景像與市井小民的生活面貌，讓讀者觸類旁通的看到文化的延續性與故事性。

我們從小學習中國文字，卻從不知跟遠古那些有智慧的造字祖先對話。一位遠在北歐的瑞典人，知道我們金庫裡藏匿的寶藏，為什麼大部分的中國人，不知道自己財務報表中「無形資產」那一欄的價值呢？中國人自己的財富，卻由外國人以親切幽默的方式整理出版，讓世人見識我們的文字藝術與歷史；此書無疑給我們一個當頭棒喝！

世界上其他國家的文字大多以音韻表達，中國字則有視覺圖象的聯想與故事性。從殷商時代的「甲骨文」，到周代的「金文」，其源起都兼具圖象與故事，蘊含豐富的趣味與美學藝術；所以自古即有「書畫同源」之說。我參考高明一博士所著的《中國書法簡明史》，以及故宮博物院出版的《華夏文化與世界文化之關係圖錄》、李蕭錕教授所著的《中國書法之旅》，做了一張簡易的中國書法長軸，跟讀者們分享從象形文字到書家大師的書法精華。雖然礙於版權與版面，只能輕描淡寫的點到為止，但已足夠讓我們從這些優美的線條，看出每一個中國字都是一幅畫。也希望我們的兒女及後代子孫在學習中國字的當下，珍惜祖先留下的這份文化內

魏晉南北朝 (265AD)	隋 (581AD)	唐 (618AD)

天發神讖碑》

《正始石經》

封禪國山碑》

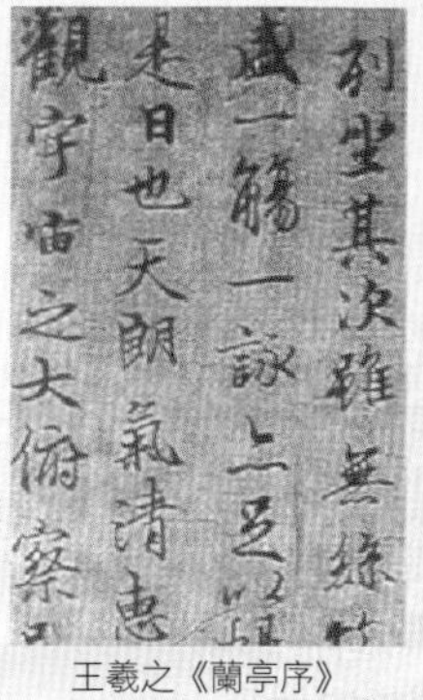
王羲之《蘭亭序》

王羲之《快雪時晴帖》

王獻之《大道帖》

《爨寶子碑》

《中岳嵩高靈廟碑》

《爨龍顏碑》

《弔比干文》

《石門銘》

《雲峰山刻石》

《泰山金剛經》

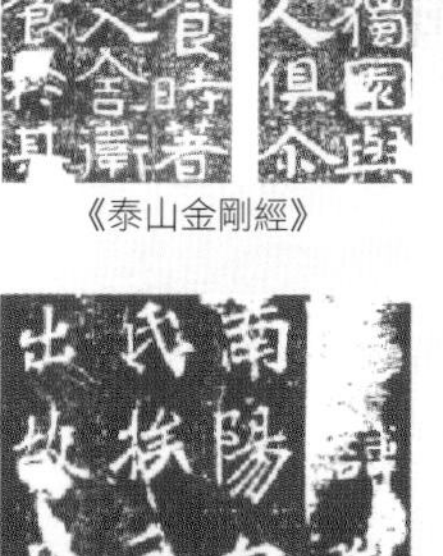

《張猛龍碑》

《張黑女墓誌銘》

《龍藏寺碑》碑額

《美人董氏墓誌》

《寧贙碑》

《孔子廟堂碑》

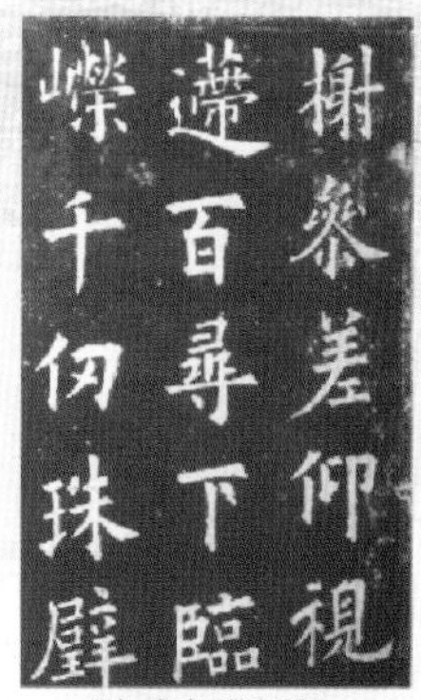
《九成宮醴泉銘》

褚遂良《伊闕佛龍碑》

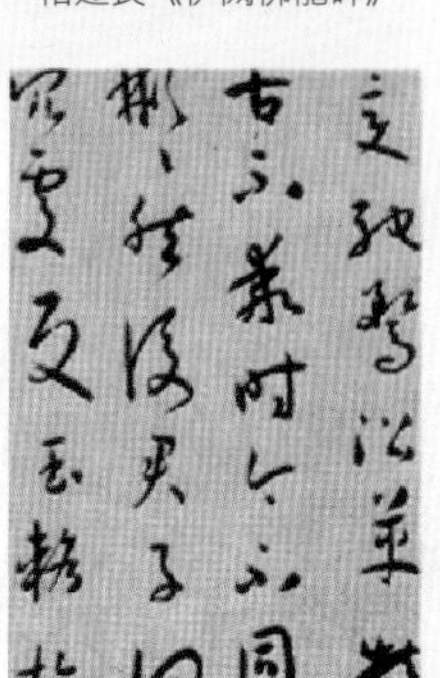
孫過庭《書譜》

商 (1600BC)

甲骨文

西周 (1045BC)

《散氏盤》

東周 (770BC)

《毛公鼎》

《石鼓文》

秦 (221BC)

秦始皇詔版

李斯《琅琊台刻石》

《睡虎地簡》

西漢 (206BC)

衡府君碑

韓仁銘碑

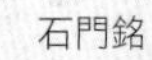

石門銘

新莽 (9BC)

《萊子候刻石》

東漢 (25AD)

《祀三公山碑》

《禮器碑》

《西岳華山神廟碑》

《西狹頌》

《熹平石經》

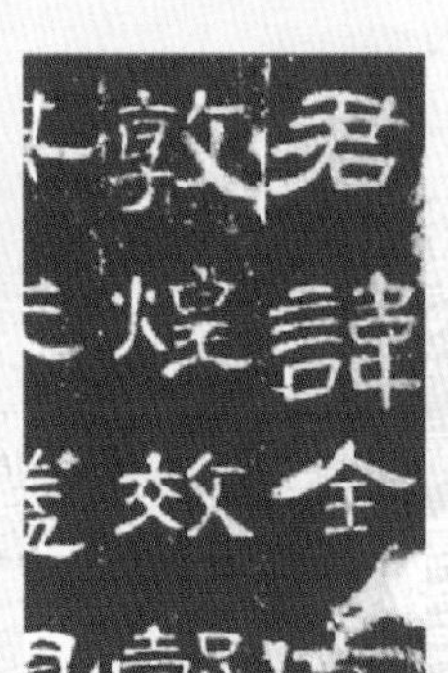

《曹全碑》

三國 (220AD)

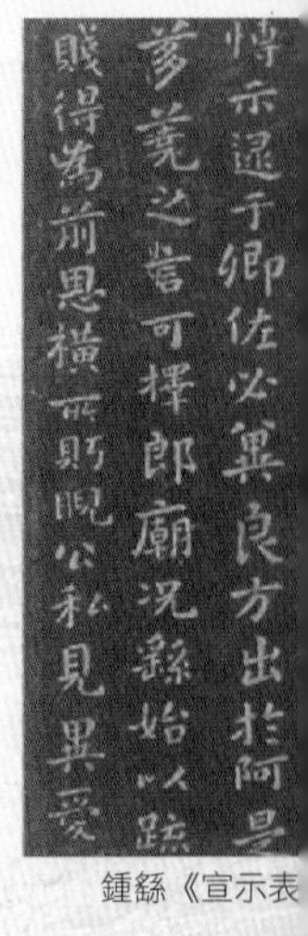

鍾繇《宣示表》

《孔羨碑》

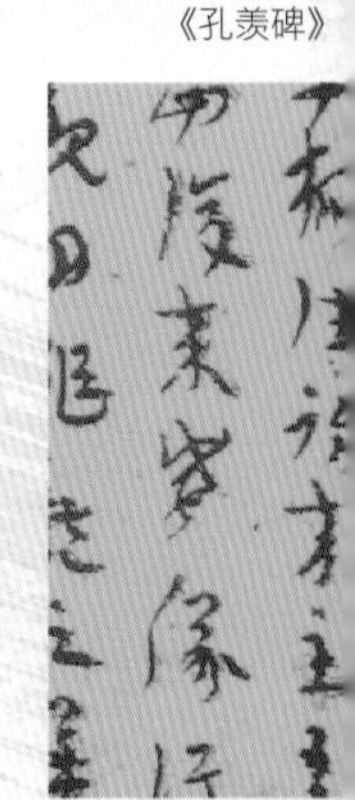

陸機《平復帖》

《谷朗碑》

方寸之間

我們的中國字還具有另外一個獨一無二的藝術境界，那就是印章的藝術；這方寸間的藝術，源起於中國篆書盛行的時代，所以印章也稱為篆刻。篆體非常適合框於一方一寸之間以凹凸雕刻呈現，利用留白的線與面交會，將其工藝的手法與粗細線條的轉折排列，自成一難能可貴的比例。

一顆印章就像一幅小小的版畫，本身就是一個完滿的視覺藝術。它的文字線條生動多變，甚至有肖形意象的圖繪，看似方寸之間，卻有一種動態的美感與情趣。其間的好辭好詩也充滿故事性，或諷刺，或幽默，或抒發個人心胸大志；既能表達心聲，又充滿了浪漫的文藝氣息。

印章在我們的文化上是權力、信物的象徵，有著嚴謹的規矩。古時候皇帝的印章稱為「璽」，朝廷百官則按官職大小，稱為「章」或「印」。現代的公司行號，對外行文也都必須蓋上公司大印。

印章最重要的配套是印泥。我開公司時，朋友送了一盒考究印泥，我去「點石齋」刻了一副公司大小章。那印泥的外盒是木雕，內盒是扁圓瓷裝著紅色印泥；木雕盒子的下方還有三隻獅子。朋友寫的卡片裡告訴我：三獅代表三思，要我在用印時，必須再三思考。

好的印泥，成分有很難得的礦物質，還有銀朱與珊瑚呢。以前聽說某家著名餐廳的老闆，以一道傳家菜餚換得朋友一方祖傳的「八寶印泥」，可見講究此道的人是不惜代價的。

南懷瑾老師送給我們這套書的橢圓形篆刻為「願天常生好人，願人常做好事」，那線條的對稱與留白處的比例，讓人一看就好想知道寫的是甚麼字；知道了字的內容，又再次讚嘆它藝文兼善的美學境界。印章本身就是令人愛不釋手的一個器物，材質有很多種，本文右下方的吉祥獸印章是由一隻大的公獸搭配一隻小的母獸，是很理想的一對夫妻章。此外，古代的人出門隨身攜帶毛筆與墨，跟現代人帶鋼筆或原子筆的道理是一樣的。

歷史書法長軸表，是我把手邊所有的書法資料依時代先後標明，委請台灣大學藝術史系高明一博士篩選，以歷史與美學兩個角度為依據，從有史以來的甲骨文、金文、篆書、隸書、楷書、宋體、草書等眾多書體的演進，選出書法大家王羲之、柳公權、懷素、顏真卿、米芾、宋徽宗、陳獻章、王寵、董其昌、于右任、溥心畬、孫文、毛澤東等人的代表作；一共一百一十三幅。

律詩》

詩卷》

書》

詩卷》

詩卷》

連綿草》

金農《隸書》

錢南園《蕪城賦》

蔣仁《八言對聯》

黃易《隸書》

奚岡《七言對聯》

伊秉綬《隸書五言聯》

鄧石如
《隸書和畢沅登黃鶴樓詩》

陳鴻壽《隸書對聯》

吳熙載《行書對聯》

趙之謙《楷書》

楊峴《隸書七言聯》

張裕釗《千字文》

楊沂孫《篆書》

康有為《行書五言句》

吳昌碩《臨石鼓文》

鄭孝胥《楷書八言對聯》

于右任《對聯》

溥心畬《行書七言詩》

孫文《樂天》

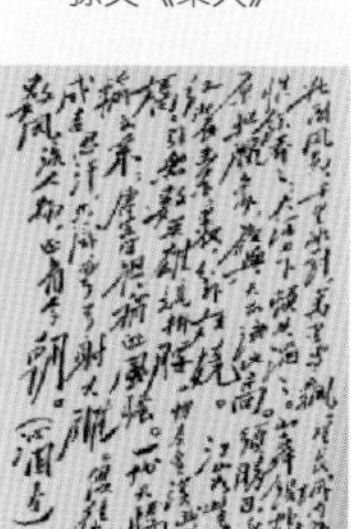

毛澤東《沁園春》

沈尹默《行書七言詩》

台靜農《行草》

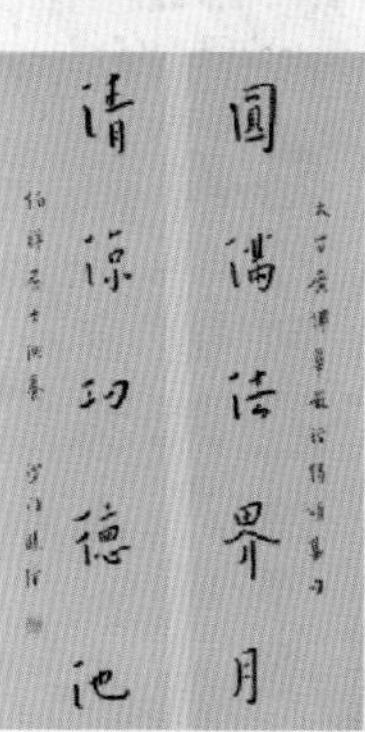

弘一《楷書五言對聯》

北宋 (960AD) | 南宋 (1127AD) | 元 (1271AD) | 明 (1368AD)

顏真卿《大唐中興頌》

顏真卿《爭座位稿》

顏真卿《顏勤禮碑》

五代
(907AD)

楊凝式《韭花帖》

陳摶《行書》

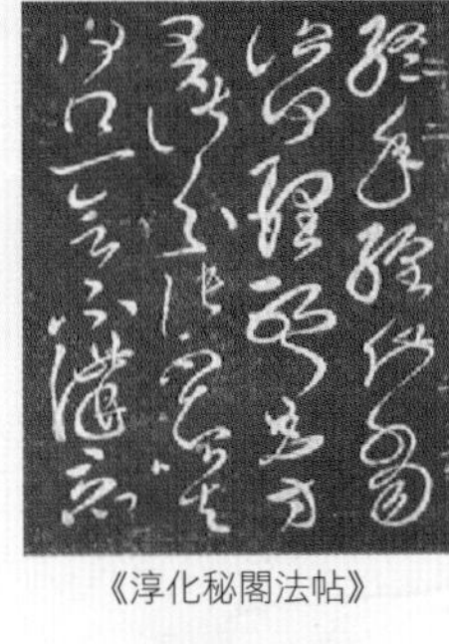
《淳化秘閣法帖》

蔡襄《泉洲萬安橋記》

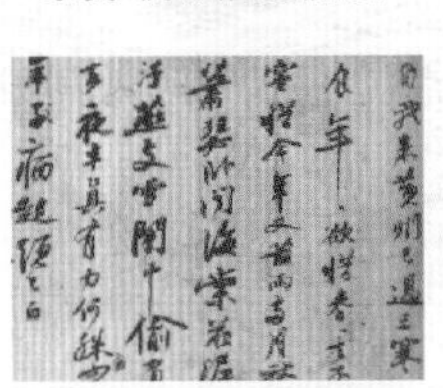
蘇軾《黃州寒食帖》

米芾《蜀素帖》

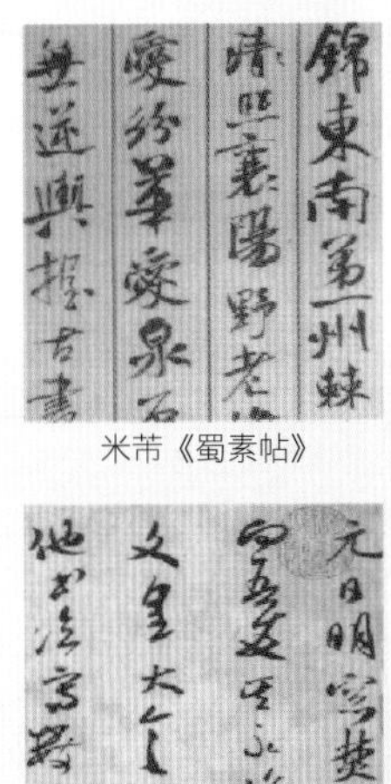
米芾《元日帖》

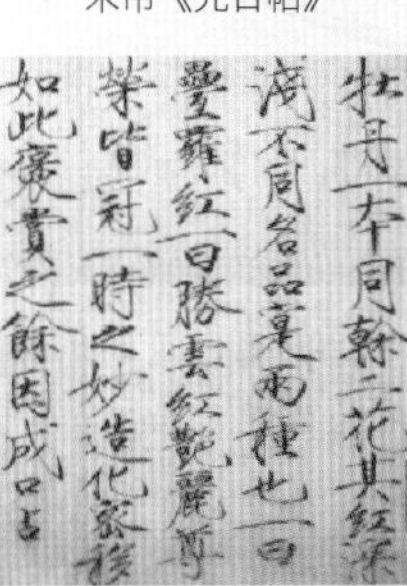
宋徽宗《牡丹詩》

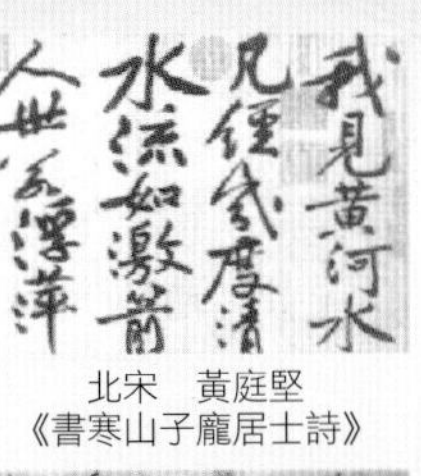
北宋　黃庭堅
《書寒山子龐居士詩》

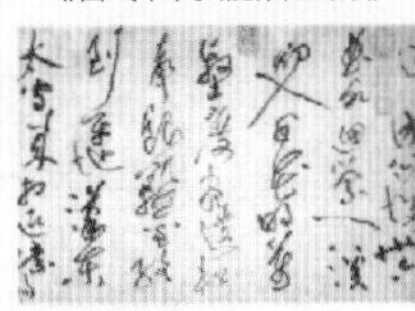
北宋　黃庭堅
《李太白憶舊遊詩卷》

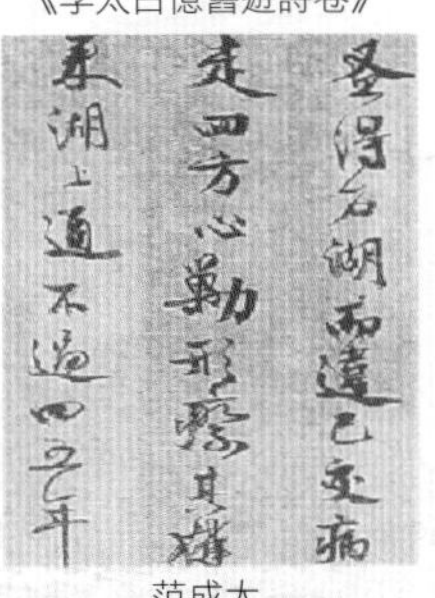
范成大
《西塞漁社圖卷跋》

朱熹《易繫詞》

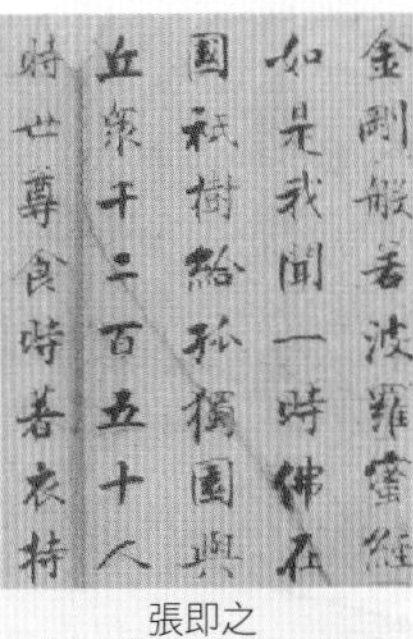
張即之
《金剛般若波羅蜜經》

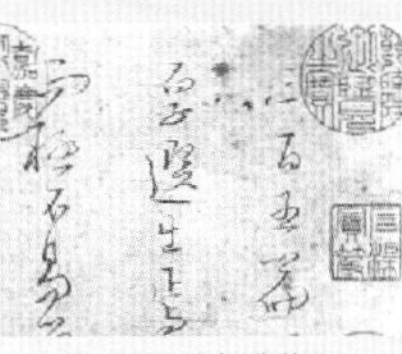
文天祥《木雞集》

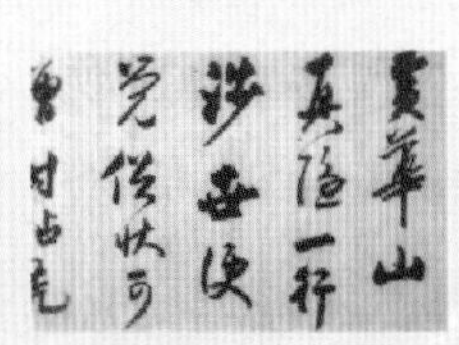
王庭筠《幽竹枯槎圖》

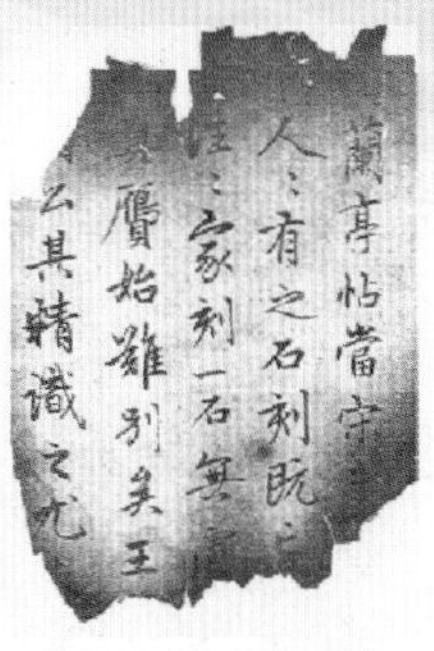
趙孟頫《蘭亭十三跋》

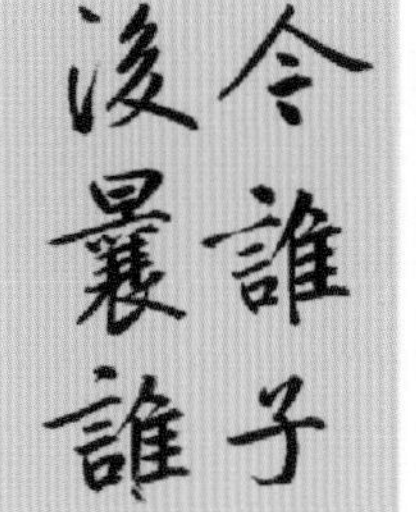
鮮于樞《透光古鏡歌》

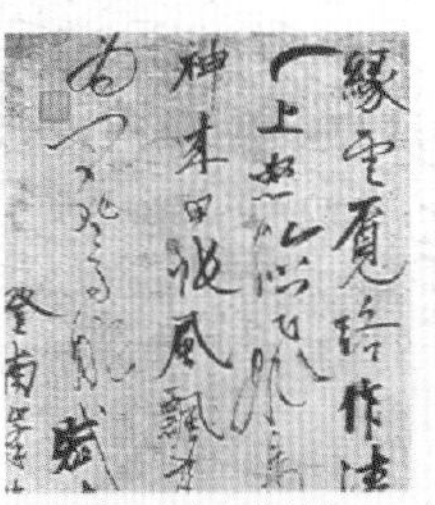
張雨《七言律詩》

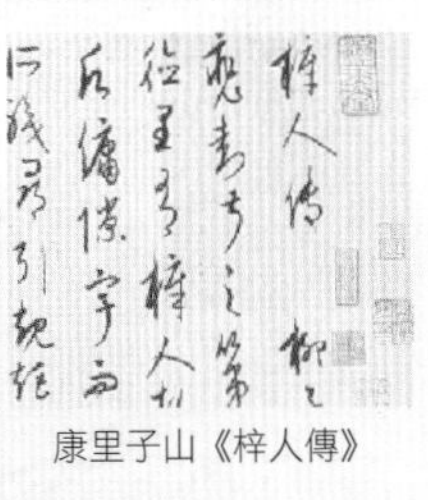
康里子山《梓人傳》

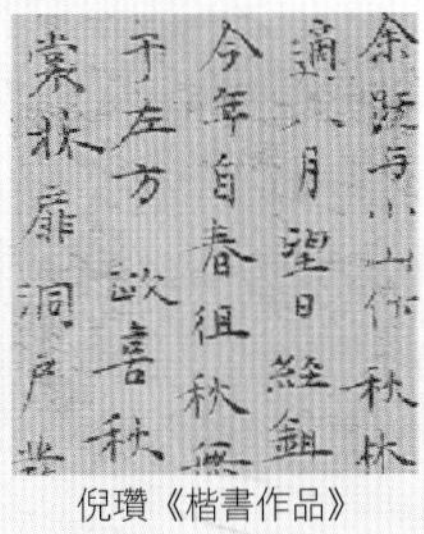
倪瓚《楷書作品》

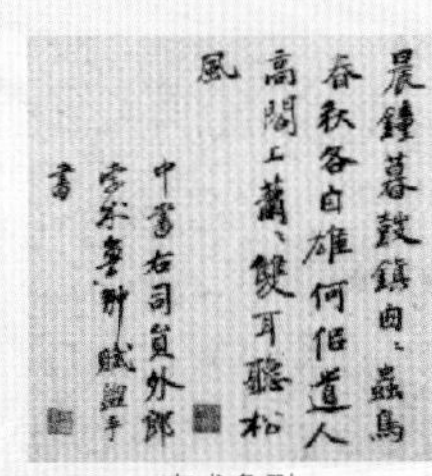
李朮魯翀
《於黃庭堅松風閣詩題跋》

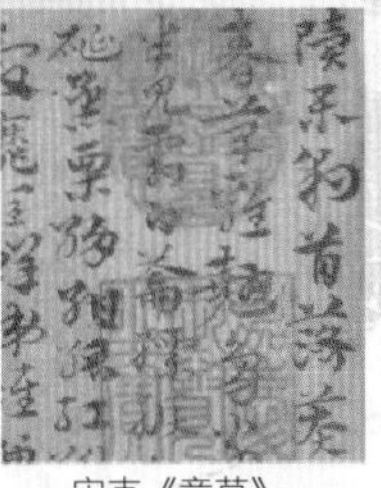
宋克《章草》

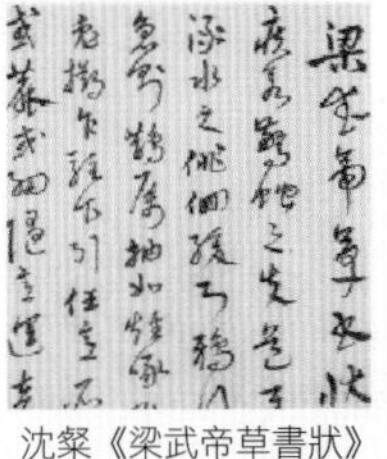
沈粲《梁武帝草書狀》

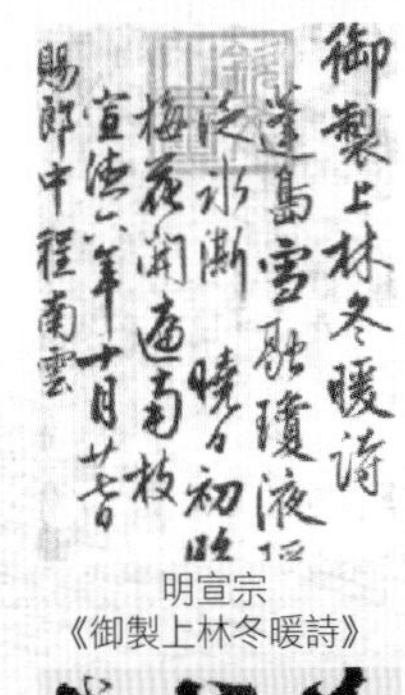
明宣宗
《御製上林冬暖詩》

陳獻章《漁夫詞》

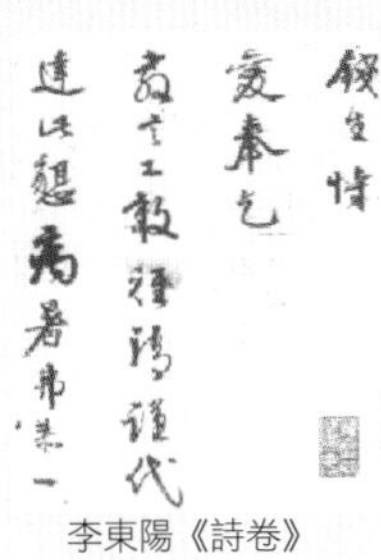
李東陽《詩卷》

李應禎《和靖處士真跡》

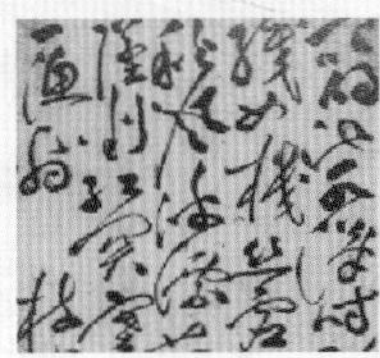
祝允明《七言律詩軸》

文徵明《般若波羅蜜》

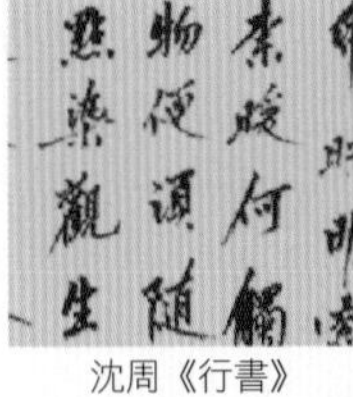
沈周《行書》

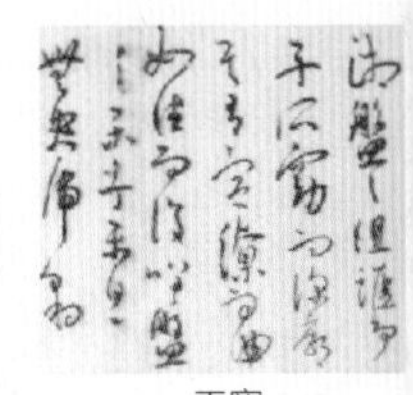
王寵

徐渭《青天詩》

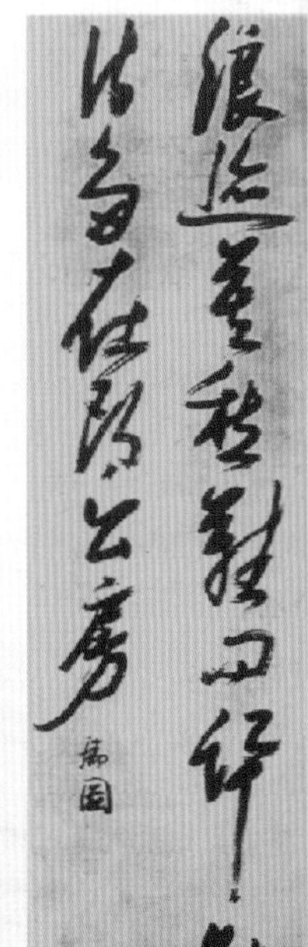
張瑞圖《七言二句》

母親的藝術

中國女紅

我熱愛做手工藝，尤其喜歡中國女紅的創作。「女紅」一詞，泛指女人所做的手藝品；中國地大，歷史久遠，世世代代承傳下來的手工藝術，蘊藏著母親們樸質的巧手與美麗的慈心，一針一線的串起了繽紛富麗的手藝，讓不同時代女性的創意深植於中國民間。

一九九六年在台灣成立「中國女紅坊」的陳曹倩女士，曾親身體驗日本對於傳統藝術沒落所做的努力，看到傳統藝術與生活密不可分的事實，遂結合中國母女代代相傳的「愛」與「情感」，讓一項艱難的文化推廣事業，轉化為台灣婦女愉悅的生活實踐，開創出「母親的藝術」天地。

除了縫繡編織，她還於二〇〇七年創立「母親的藝術基金會」，推廣花藝、茶藝、剪紙、版畫，兼顧文化的保存與創新，提升婦女生活的文化素養，並藉以扶助弱勢者，造就她們的工作機會。同時她也培育種子教師，繁衍及開發、保存地域性技藝與文化。這些心力的付出，貢獻卓越，令人激賞。

中國女紅的天地十分遼闊，台灣的《漢聲》雜誌也曾費心的遠赴大陸各省實地採訪，將深山裡的侗族織繡技藝，陝西農村姥姥們的巧手布藝，山東婦女的傳統手工紡織，陝西大娘的各式剪紙，一一做了深度報導並搭配教學方法，讓世人縮短了時空的距離，更了解中國女紅的深度與廣度。對於無私奉獻的文化工作者，我們獻上最誠摯的敬意。

我自己對於中國的滾邊與包扣特別欣賞，總覺得有一種秀氣的質感，在這個篇幅中，特別把自上海買到的滾邊包扣包展示出來，此外我也把中國女紅的縫繡編織技巧，以同一個版型做成派對皮包，也把我們民族既有的傳統圖騰，以串珠縫製成輕巧的派對包；讓這些聽起來以為是姥姥們才會的技藝，搖身一變成了時尚的飾品。

中國女紅的天地，本就是溫古而常新的！

縫繡編織

在台灣，有很多性質不同的社團，讓有各類興趣的人聚在一起學習、分享，同時也扮演著社交律動的功能。我參加的女紅社團，縫、繡、編、織，每一樣都相當活躍，每次舉辦發表會，不但結合了西方的工藝呈現非常現代的設計作品，也讓人目不暇給的欣賞了種種中國傳統的古老工法。圖中一款被套，是小如參加中國女紅(音功)坊「縫」的工藝課程所學習的作品成果。她上這項工藝課，一共三十餘堂，每一堂學一種縫的工法，每次縫一個方塊，結業作品就是把它們全部縫接起來，成為這個被套，也因此可以取得「中國女紅坊」的畢業證書。在學習其他不同的工法時，她也做了各種枕套與布包。

「繡」法源自古老的中國，以蜀繡、湘繡、粵繡與蘇繡最富盛名；除了它們的繡法不同，繡線本身的材質與植物染料的染色方法，也造就各地繡品的特色。中國現在還有很多資深的「繡娘」，甚至可以將一幅畫繡出來，而且比畫作本身還多了層次感呢！我母親在永樂戲院演出那幾年，戲服上的蝴蝶、花朵或邊飾，也都是由她的好友陳長桐夫人畫草稿，再委請專人繡出來；不同的繡線，在舞台上綻放或華麗或柔和的光彩，讓人為之驚艷。

刊頭照片中有一床繡有百子圖的被套，上面繡了一百個動作不一的小孩，具有多子多孫的象徵；是我結婚時蔡阿姨送我的。旁邊的紅色刺繡長衫，則是莉玲送我的。我將它們放在古董中國床上與床邊，有一種初婚的喜氣。

中國結則是「編」法的最好呈現，遠古的人以結繩記事，大概就是「編」法的開始。中國結的編織，除了美學的呈現，也包括了數理上的幾何與邏輯運用，同時也最具實用性。我們的玉器與瓔珞，常利用中國結將器物串連，甚至可以做成開關，也常與流蘇搭配，成為裝飾的吊飾。我自己在珠寶設計中，常利用編的方式，把很多一樣的串珠以中國結的手法編串起來；其中一個是把八串珠子編成一個方正的珠串，比較難編，但效果特佳。

編的源起只有幾根繩線，但可玩的方法繁多，能讓作品呈現多樣的造型特色。我利用中國結的編法，做成如圖這兩個裝茶葉罐的飾品，讓這個本來呆板的器皿產生了活潑搶眼的效果。此外也參考漢聲出版社的一本《手打中國結》，將名結藝家陳夏生所教導的十三個常用的結繪製出來。記得唸初中時，家事課有教我們編幾個簡單的中國結，學會了，就可以搭配著做各種設計，好玩極了。

「織」有著名的織錦緞，是中國傳統絲綢之物的統稱，通常都比較華麗，一般經紋是用單色為主，再靠三種以上的緯紋彩色絲織出花紋，也有利用斜紋織成另一種裝飾的效果。現代最常用的織品是毛線，圖片中是用毛線替熱水袋織了一件毛衣，還特別織上我們公司的「元」字，看起來更具溫暖的感覺。

另外我也利用一個黑色的小提袋，做了縫繡編織四款外套，展現這些手藝在不同時尚上的運用。

冬天的
花藝

在美術館或博物館裡，我發現不論中外都一樣：凡是以花藝為題材的繪畫，總吸引人久久的留駐，仔細的觀賞；因為畫裡不只可以學習各種插花手法，還可以看到不一樣的花器造型，以及搭配的瓜果靜物。台北的故宮博物院，也藏有許多中國歷朝歷代的花藝圖繪，欣賞時固然賞心悅目，研究起來則是一門大學問。

中式花藝的特色是融合，熱鬧，大氣，發展至宋朝已是鼎盛時期。宋朝畫家李嵩出身杭州，享有「三朝老畫家」美譽，他所繪的〈花籃圖〉至今仍典藏於台北故宮：花籃是藤條編製，其間簇擁著百合等各種早春的花葉，中間則斜倚著嬌柔粉嫩的山茶花，讓人在欣賞時彷彿看到花容月貌的青春少女正挽著藤籃從花園走出來。

世人大概沒有不愛花的。花的色彩繽紛亮麗，香氣則能沁人心脾，在人類生活中一直扮演著不可或缺的角色。同樣典藏於台北故宮的宋朝〈生活四藝圖〉，即把花等「四藝」的基本位置都明載其中：插花居中，掛畫後懸，點茶於左上方，焚香於左下方。中國自古即把琴、棋、書、畫視為讀書人的四藝，宋朝的人則把插花、看畫、燃香、飲茶，視為一般人的生活四藝；想見那是一個心靈多麼富裕的年代！

元朝的花藝，花器風格仍沿用宋朝，大多為大而淺的銅盤，色彩絢麗的奇花異卉交錯其間，花朵翻仰自在，並排比擬，卻沒有擁擠的感覺；這不正是目前流行的歐式花藝所注重的技法嗎？清朝則以歲朝齋花最為有名，故宮典藏的〈新韶如意〉，是文人雅士的隨興創作，畫作中有山茶、松、梅、柿子、百合、靈芝等，每一個單項都有吉祥的寓意或諧音上的巧意，也有「無意、無必、無固、無我」的象徵。

中國花藝史的重要史料皆出自明朝，其中一五九五年張謙德所著的《瓶花譜》，及一五九九年袁宏道所著的《瓶史》最具影響力。

《瓶史》計有十二節，分別為花目、品第、器具、擇水、宜稱、屏俗、花祟、洗沐、使令、好事、清賞、監戒，詳盡的介紹了中國人的插花理論與技巧。一六九六年，該書翻譯為日文，中國的花道開始東傳日本。所以日本的花道，至今仍有「宏道流」，可見影響至深。研究中國女紅的陳曹倩女士說，日本花藝協會到台灣的圓山大飯店展覽，主持人上台對著台下深深一鞠躬，說他們展覽的雖是日本花藝，但他們都知道，日本的插花藝術源自明代袁宏道的《瓶史》；日本花道是向中國人取經之後再研變的。

中國花藝文化傳到西方，則應歸功於前行政院長俞國華的夫人俞董梅真女士。她熱愛花藝，研究花藝，於陳奇祿擔任首位文建會主委期間，由該會於一九八六年出版《中國古典插花藝術》一書，有系統的將中國的花藝史料整理成冊，對中國的插花精神、技巧，以及歷來花器的演變，都有詳實而精彩的介紹。該書係以英文撰寫，英文名《The Art of Classical Chinese Flower Arrangement》，是向西方世界介紹中國花藝的重要史料。

冬天的花藝單元，我請資深的林雪玉老師插了一盆中國過年的應景花藝；她還把我家大樹下發現的靈芝也納入花作中，以取吉祥之意。

中國的花道、茶道、香道都是由來已久的生活藝術，這些看似靜態的活動，所帶來人心與人文的影響力，是不容忽視的。對自身的心靈的滋養，更不是三言兩語講得清楚的，只有親身體會，才能了解其中的情趣與奧秘。

中式花藝

冬之禮

鎖麟囊

《鎖麟囊》是程派青衣戲的代表作，劇本一九三九年出自編劇名家翁偶虹之手，原型則出自清朝學人焦循所著的《劇說》。故事敘述一位家財萬貫的富家女，一位家道寒微的貧家女，兩人同一天出嫁途中遇雨，喜轎暫停「春秋亭」躲雨時，富家女聽到另一乘喜轎傳來陣陣哭聲，乃請轎伕過去關心發生了什麼事，得知貧家女因為沒有嫁妝而傷心，於是取出一個裝滿珠寶的鎖麟囊錦袋，請轎伕拿過去送給貧家女；雨停之後雙方分別上路，未曾互留姓名。但是人生無常，六年後淹大水，富家女不幸被沖到一個陌生的地方，為了吃飯活命只好暫時去替人幫傭，無巧不巧就是當年貧窮女子的夫家，且在女主人家看到那個她當年送出的珠寶錦囊，內心百感交集……。這齣程派名戲也是我母親的拿手好戲。

龍年這一年，我設計的禮物是幸運餅乾。所謂幸運餅乾，是中間藏有一張字條，印著幾句命運籤言，在國內不怎麼流行，在國外的中國餐館則一定是飯後贈送的甜點。我的設計是把籤言改成過年的對聯佳句，比如：「生意興隆如春意．財源滾滾似水源；花好月圓人長壽．時和世泰年年豐；笑盈盈去除舊歲．喜滋滋歡迎新年；天增歲月人增壽．春滿乾坤福滿門；門迎春夏秋冬福．戶納東西南北財；爆竹連聲除舊歲．桃符萬象更新年；積善之家有餘慶．里仁為鄰納千祥；日日皆是平安日．年年皆是幸福年」等等，分別夾在餅乾中。

餅乾需要一個口袋來裝，我想到《鎖麟囊》這個好心有好報的故事，設計了這款「鎖麟囊」：金色的布是到迪化街永樂布市場選購的，車縫成縮口的口袋，配上應景的金龍賀卡。我祈願收到禮物的朋友，一邊吃著幸運餅乾一邊讀著吉祥話，也讀著我希望大家知道的這個好心有好報的故事。

ARTECH INC
大元建築及設計事務所

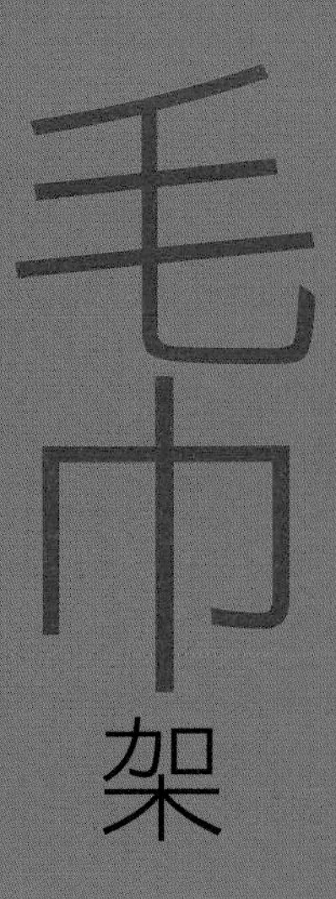

毛巾架

　　這一年是狗年，適逢我學串珠，就把我家賈寶玉用水晶串出來，另外用串珠做了財神爺，並且搭配立體的春字、福字與巧克力等，全部懸掛在一個架子上，寫了一句應景的話：「春字在人間，福字在心田，狗年行大運，財神送上門」。

　　卸下了這些小玩意後，那個架子還可以變成一個實用的毛巾架呢。

紅包枕

過年的紅包有喜氣又象徵吉祥，我想送給朋友們一個大紅包。要找到好看有勁道的「賀年」兩字，用雷射切割機切出來，鑽了孔噴成紅色，縫到紅色絲絨布上。動作看起來很簡單，卻因布料太柔軟，必須用繡花框綳住才能使力。

我想要搭配一個像郝思嘉在《飄》（GONE WITH THE WIND）那部電影中所穿的絨布裝一樣的絨布，要有吸住人眼睛的力量，但又不能有化學材質的白粉亮，最後找到日本生產的絨布，價格不斐，好在用的不多。在用縫紉機縫製時，也因絨布又柔又軟，容易滑跑，必須先用手縫固定才能過機器車縫。

小小的絲絨墊子，縫製時出的狀況不少，讓我更體會了世間的完美都是得來不易的。能送朋友們這樣的紅包，也說明了我的心意是如此誠懇而飽滿。

花團錦簇

不織布是一種新材料，可塑性強而色彩飽滿，且價位合理，可以拿來做各樣的創作。特別是紅色，有著深厚濃郁的慶賀之意，我決定好好的彰顯它，將所有的顏色都找來，於是出現像花園一樣的豐富色彩。

我用的賀卡與「是好年」同一個版型，不同的是四邊留的縫份稍寬些，中間放了柔軟的棉花糖，另外附一個柔軟無比的枕心，糖果拿出來後就可以替換成小抱枕。並且在背面做了一個可以放照片的位子，也可以變成一個花團錦簇的相框呢。

糖果盅

過年期間，小朋友總忘不了對糖果的期待，糖果盅成了最受歡迎的盒子。

我一直想念的則是小時候有提把的三層飯盒，於是以那樣的概念設計了這款糖果盒：把手利用竹節的概念，並用銅鑄出來；盒身分成兩種，一年用米色陶瓷材質，另一年用綠色玻璃材質，並在透明處用金色鋁箔紙裁切圖案，也把我們公司的名字以古字手法切割後套在玻璃上。

這個實用的器皿，兩年都配上有嚼勁的牛軋糖，裡外都有厚實的感覺。

發糕

台灣過年習慣上要吃「發糕」，用米做的，早年沒有發粉的時代，考驗著長媳打開蒸籠的那一刻，有沒有開口發，象徵著來年一家的興旺。我以發糕的形體做成外盒，也做成肥皂，有謂「遇水則發」，我想送給別人的，正是這一個「發」字：發奮！發動！發展！發明！發財！發達！發光！發亮！

這份禮物有著美麗與吉祥的寓意。

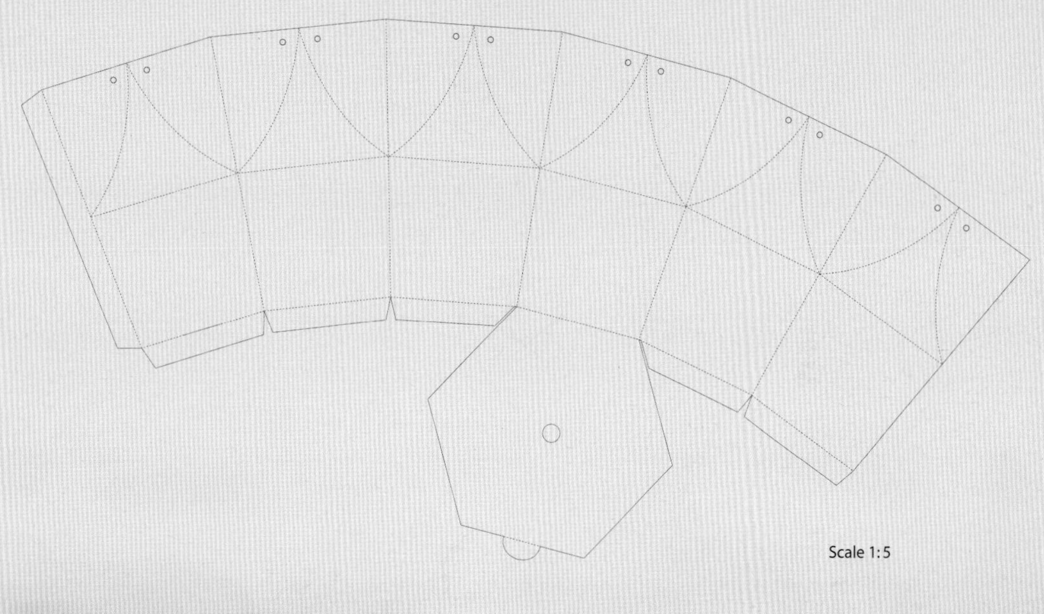

Scale 1:5

步步高陞

年糕有著「年年高陞」的寓意，於是我選用王平姊精製的干貝金瓜年糕做為給親友們的過年贈禮。棗紅色的盒子配著銀色緞帶，並且用菩提葉、心葉與玉蘭葉染成銀色，有些則用藥水浸成網狀。最好玩的是把金豆一切為二，在尾部切兩刀，黏上鬚鬚，用黑筆畫些點點，即成為一隻小瓢蟲。這樣的搭配，讓原本樸素的盒子，變得有網狀蕾絲般的效果，也有著小蟲快樂展翅的幽默感，收到的人看了都會發出會心的微笑。

好的靈感來自玩耍

我們公司自一九八五年成立以來，每一年的新年賀卡設計，都認真的當一個專案來處理。一九八七年，我們開始依循中國人十二生肖的概念設計卡片，輪完十二年之後，又以立體手法做各種結合日曆的造型，可說玩得不亦樂乎。

早年的平板印刷總有顏色不夠飽滿的遺憾，所以我比較喜歡以絹印製作卡片。經過二十多年，這次再拿出來拍照，它們的色彩依舊濃郁，沒有辜負當年一張一張手工刷網，一張一張晾乾的苦心。

二〇一〇年上海世博的瑞典館，展出很多創意設計，大廳中有一個好大的鞦韆，牆上貼有「Swing it！The more you test and play, the more creative the ideas. Try a swing and see if you can come up with something」，我一看就覺得靈犀相通，是真的，好的靈感來自玩耍！這二十幾年來，我們公司每天都在為建築做設計與創意，因為要斤斤計較於工地品質與法規安全，我不敢說每天都在「玩耍」，但每年一次的新年卡片設計，總是運用各種媒介，創新各類手法，一試再試，整個過程的確是好玩極了。

我自己覺得玩得很開心，但執行班底遇到的挑戰也相對的多。我由衷感謝大元這個夢幻團隊，感謝能幹的同事們幫我一一克服了難題。當然，我也由衷的希望他們都玩得開心！

豬

豬年取自三隻小豬的故事，豬鼻以一種韌性強的紙張做成，讓它可以上下彈動；信封還有條豬尾巴哩。

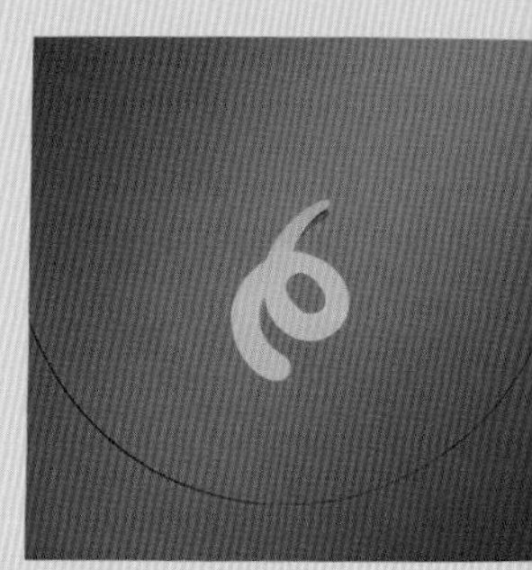

羊

羊年姚姚才四歲，正喜歡剪東西，我每天一進家門，就給我一袋她剪的小東西；我就用那個創意做了「羊羊得意」的小剪紙。

狗

狗年設計成一張可以捲摺的造型，可以套在任何一個罐子上當筆筒用。

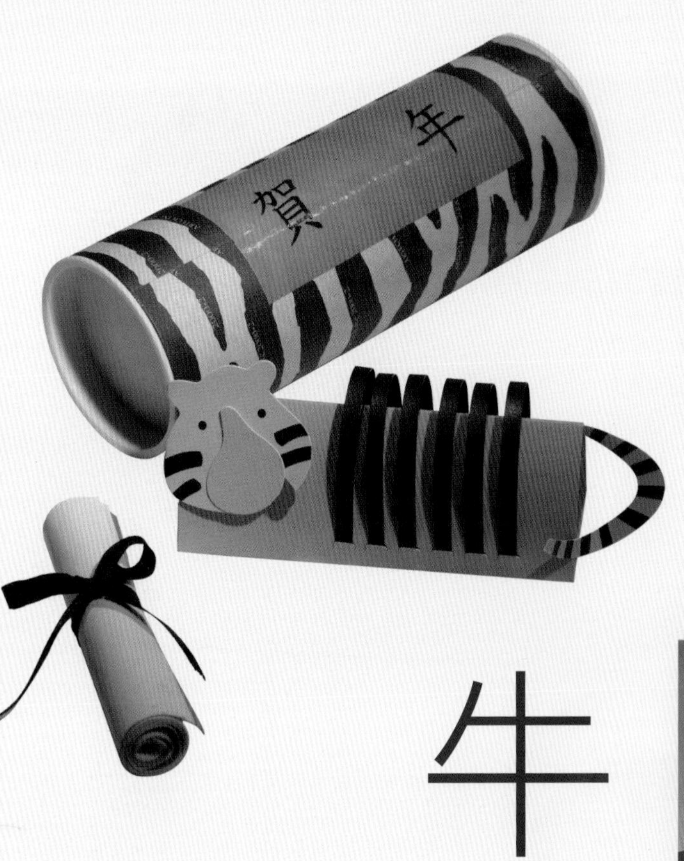

虎年利用虎紋的特點設計，信封是一個印有虎紋可再利用的小筒子。

牛

牛年則以乳牛與青草的色系，幫牛群們排了一齣戲，展現成一個小舞台。

鼠

鼠年是一個轉盤的設計，小白老鼠轉一下，就會出現以環保為主題的可愛圖示。

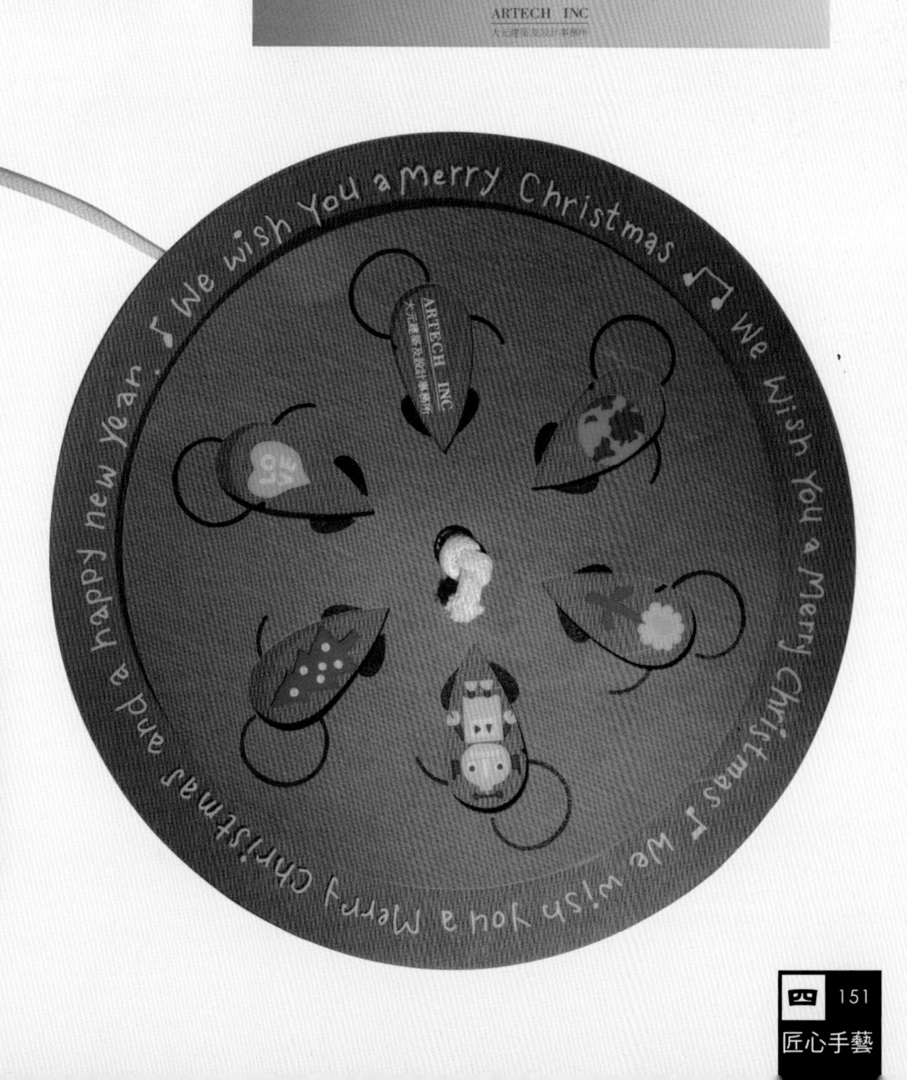

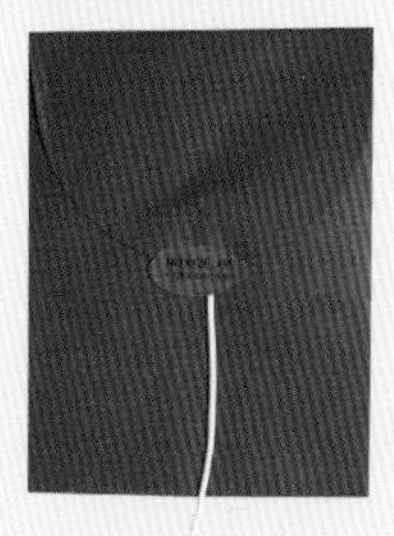

兔

兔年我把公司的眾生群相畫了出來，表現了一個建築師事務所紙張滿天飛的樣子。眾多人物中，你找得到我在哪嗎？

猴

猴年的卡片用建築師的圖紙為底，核准人欄位由聖誕老人簽字，這張卡片是立體的，猴子的鼻子可以站起來，還搭配了一張香蕉組成的聖誕樹繪圖。

馬

馬年利用絹印把黑白相間的色彩表現出來，再以黑絨緞帶繫個蝴蝶結。

蛇

蛇年造型，想要表現蛇捲曲的身段，於是採用夏天常用的蚊香為設計概念。

雞

雞年最好玩，公司每天請同事泡蛋蜜汁，把蛋殼收集起來染紅，放在一個正方形的盒子裡，上面再放一張正方形的「雞生蛋、蛋生雞，生意盎然」的卡片。

龍盒子：公元兩千年，既是千禧年又是龍年，我參考戰國時代龍的造型，再利用七巧板的原理，以上下兩個組合器變成一個可以摺疊的「龍的方盒子」，可以翻轉六次，還搭配了雙排的小抽屜。這是我們做過的卡片中最複雜的一個，每次翻轉間都要把一隻龍身從兩個盒子間左右對起來，最後的十一月、十二月則是一隻回過頭來的龍；一共九隻龍，更符合中國吉祥稱霸的涵意。這設計是由當時我們財務部的朱芳君小姐主持完成的，美工葉子明先生也是一個聰明人，數學幾何不好的我則多次想放棄，都是靠他們兩位救回來的。之後朱小姐問我要不要申請專利？我說七巧板是老祖宗的智慧，我們只算是拼湊而已，不算是發明人吧？

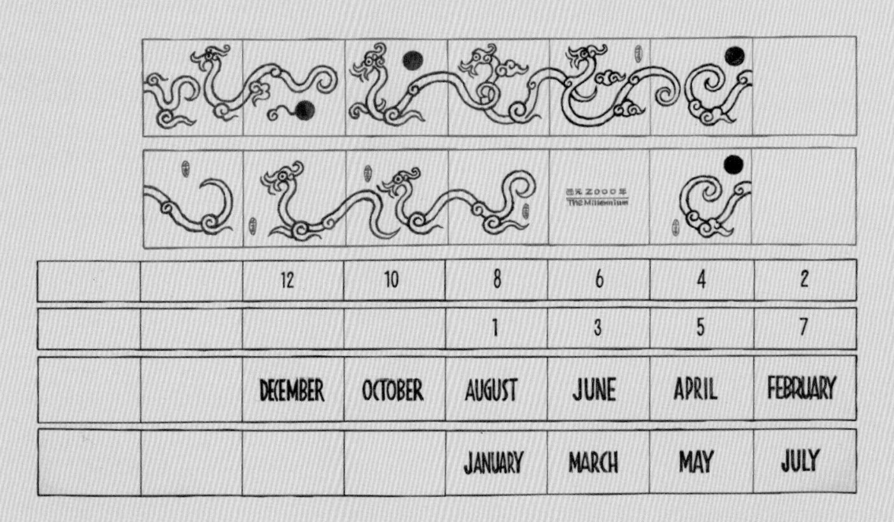

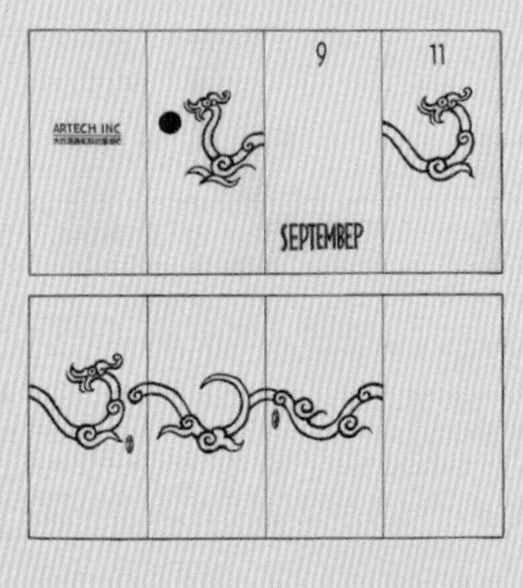

花花發發：設計時正逢年尾經濟大崩盤，人人都想發財，於是以「發發」為主題，這兩字的台灣國語諧音為「花花」，所以做了兩個花花戒指，以中國大紅為底色，以八種彩度的亮片與小珠子做成戒指，這些顏色，都是冬末春初的桃花杏花梨花梅花的顏色；另外也有一款是放上麻將的「發」字。

有魚人家：靈感來自《易經》上的「積善之家，必有餘慶」，以十二個月劃分魚身，讓這隻魚展現玲瓏活躍的生動姿態；盒蓋上有十二個月的日曆，下面則以一月是一條魚，到十二月是十二條魚，呈現一種豐盛的感覺。魚身是用厚紙雙面黏合後，挖槽線勾，串上鐵絲，再面對面予以膠合，是一組手工相當繁複的作品。「有魚人家」這四字的書法，是仁喜多年前寫的對聯，那時我請他寫「有餘人家」與「有魚人家」兩款，覺得都很好，真是難以抉擇，最後乾脆兩幅都放上去。

諸事開心：靈感來自曾經紅極一時的Beanie Baby。我在土耳其旅行時，又恰好看到一個很像豬鼻子的扣子，且在當地買到可以伸縮又不會脫線的布料，於是開始了這隻小豬的設計：緞帶上絹印著祝福的話語，綁在小豬腹部的中間，看起來很像一對翅膀，好似小豬快樂得要飛起來了。

環保樹：我們用各類廢棄材料繪製了一顆樹，並用半圓形的實心木材，絹印上地球的圖型，以此表達環境保護的議題。

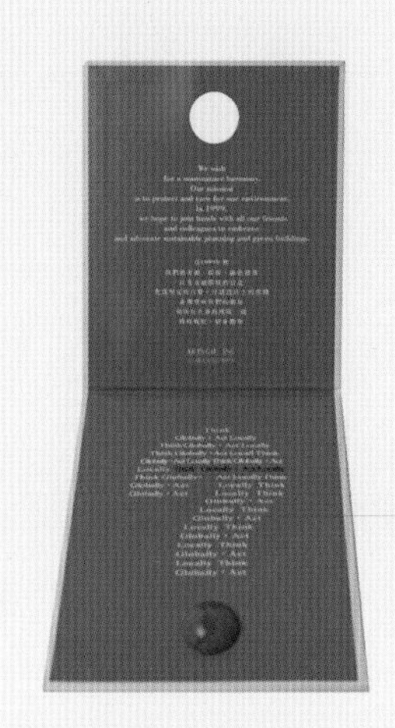

貓頭鷹：「貓頭鷹」是智慧的象徵，那一雙眼睛最為傳神。我每天沖澡時，看到我家沖涼室玻璃五金上的直紋螺絲，總覺得像眼睛，每天還會轉一下眼睛的方向來跟我聊天呢；設計貓頭鷹時，我就挪用那直紋螺絲的造型，十二個月的漸層則嘗試過各種方法，最後靠失敗的雷射效果呈現層次暈散的感覺。

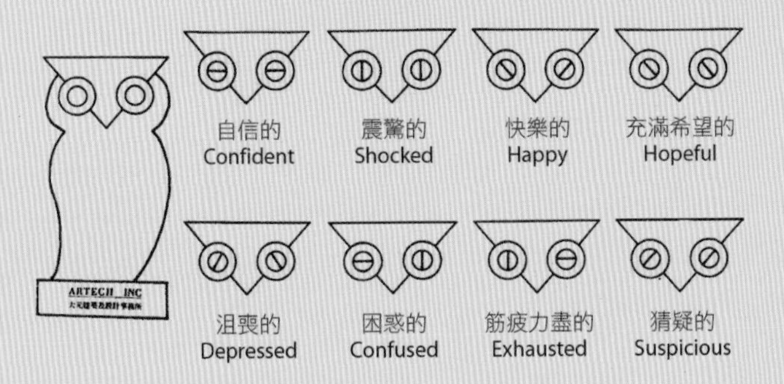

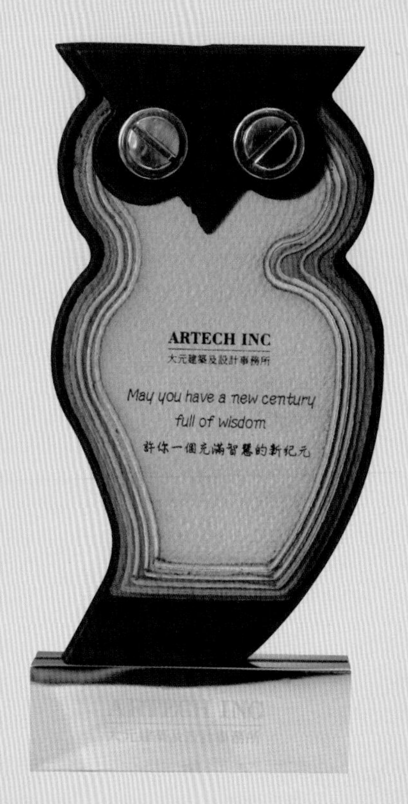

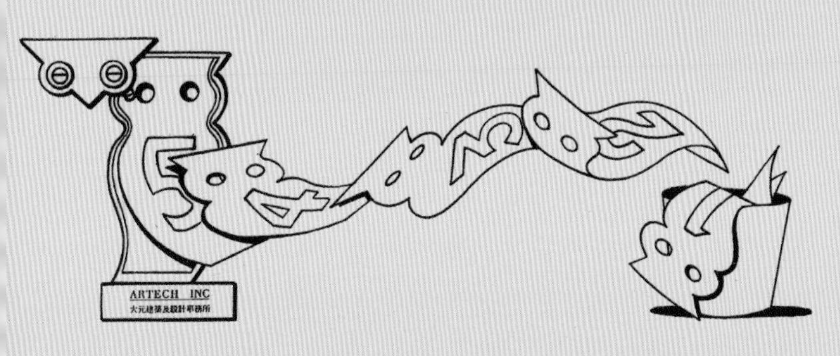

滿願樹：利用一個不鏽鋼的立料，以倒圓弧切了二十二個可以插上訊息的縫，把十二個月的圓滿月曆安上，十個祝福句子的樹葉插上，呈現一個樹葉茂盛的樹型，最頂上再用兔子的臉型，寫上「2011」，巧的是那「11」剛好寫在兔子的兩隻耳朵上。最後可讓收到的人自行做各種創意的使用。

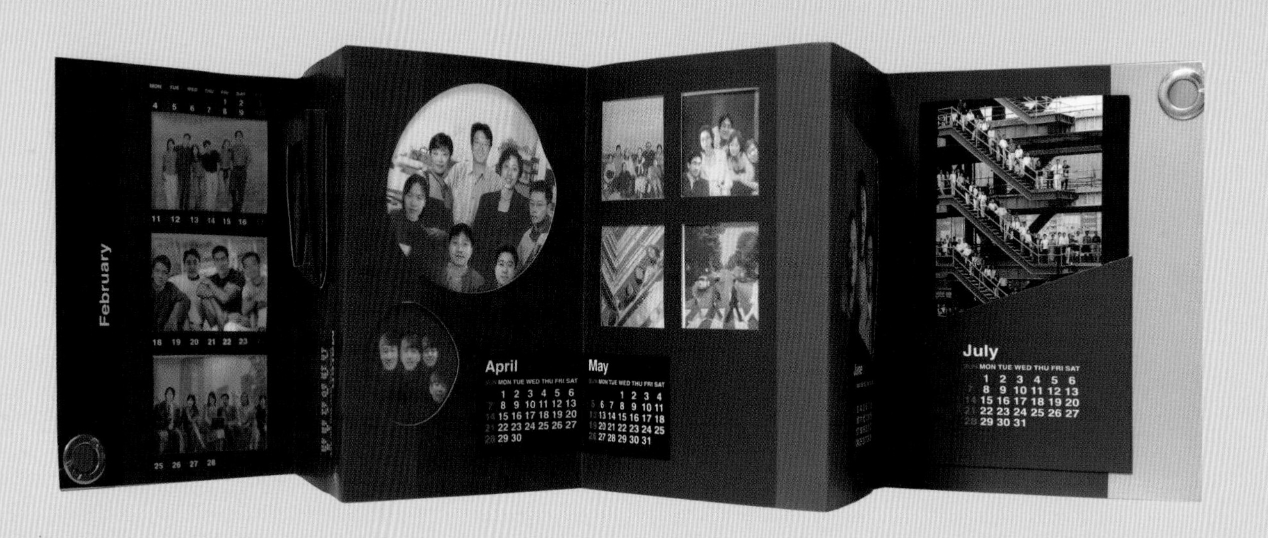

相框月曆：靈感來自一個好友，她生第一個孩子後，凡是與朋友聚會必從皮包拿出相本，讓大家看她的孩子多可愛，也分享她初為人母的喜悅。這激發我把日曆、相片、皮包結合在一起創作的想法。首先我把日曆做各種不同式樣的排列組合，完成時又覺得相本不該是空的，於是用Photoshop的「移花接木」法，以名模的身段與造型，換上我們同事的臉孔，看起來幾可亂真，文案我則寫著：「把我們的俊男美女換上你的美麗傳奇」；最後再加上一個小背包。這背包的袋子，是那年看到一款內衣的肩帶使用很炫麗的塑膠皮料，看起來大膽又性感，打聽後才知布料產自日本，於是排除萬難找到那種皮料，完成了這項女性背包的月曆。

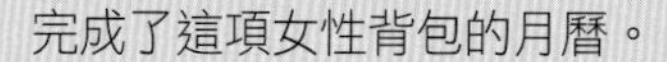

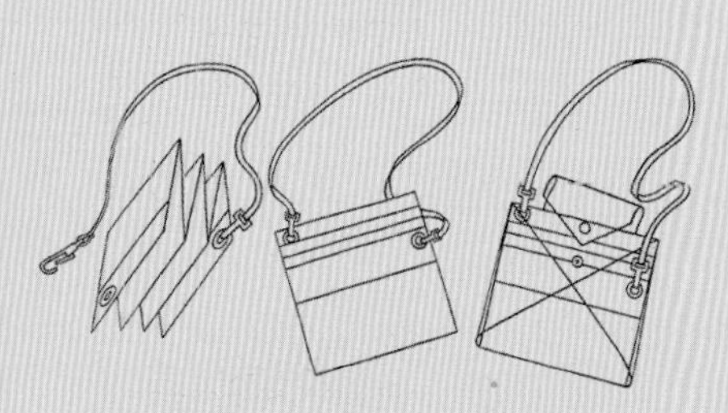

是好年：用紅色的不織布搭配邊飾的車縫，以十二個小窗戶放入月曆，與亮紅色的信封搭配，喜氣十足。

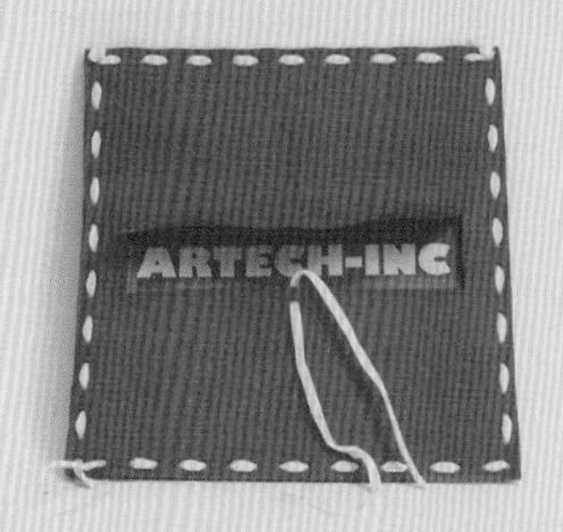

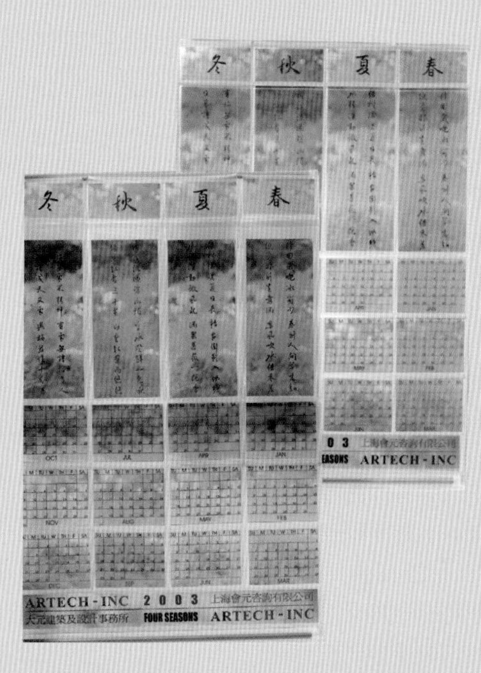

四季詩：以光線透過塑膠，產生亮質的氣氛，配上歌頌四季的詩詞。

魔戒：為了破除馬雅曆法預言二〇一二年是毀滅年，我設計了「魔戒」聖誕禮物，「2012 REST IN YOUR PALM」戒指，戒指在你掌中，意味著自己可以掌握一切的意思！這戒指板面上的「2012」數字可以拿下來，頓時可以變成一個綁圍巾的扣環，一物多用是我最喜歡用的手法。

換個角度看：新的視野迎接新的來年！「換個角度」看風景，「換個角度」看晴雨，「換個角度」看時事，「換個角度」看人生。設計了一個折射鏡，眼睛看入洞口，看到的是折射的影像。側面有可放相片的槽，可以抽換小照片。上端綁上緞帶或鍊子則變成具有個人風格的玩具。這次放入我們公司進行中作品小局部照片，分別是：蘭陽博物館、中鋼集團總部大樓、烏鎮劇院、農禪寺、故宮南院。

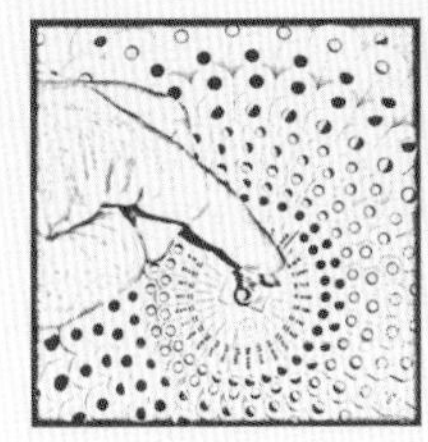
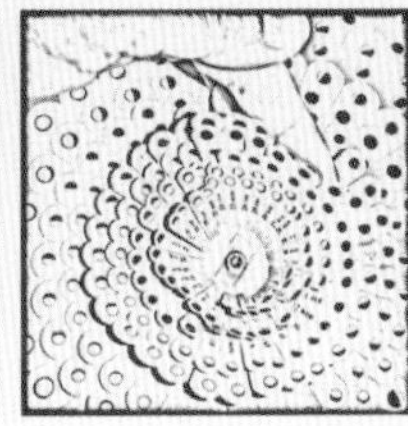
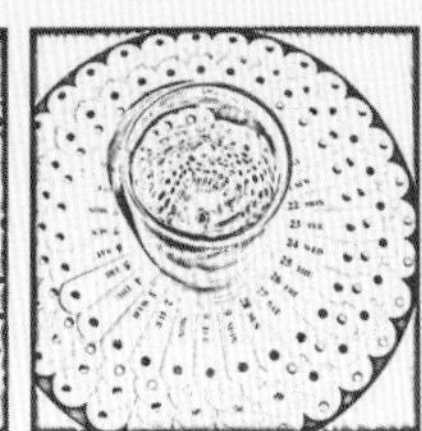
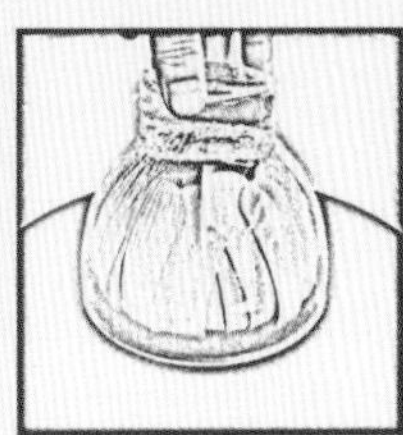

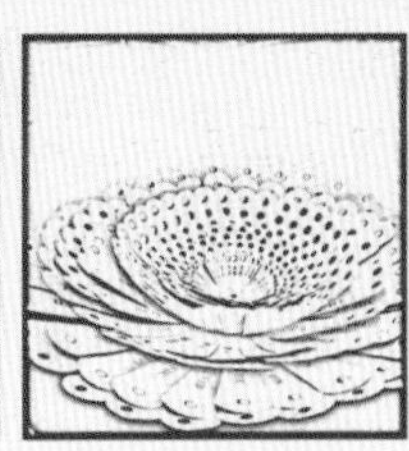

孔雀開屏：這一年是三百六十六天，我開了十二個月的模子，每天代表一片花瓣，把月亮的陰晴圓缺一個個畫上去，變成一朵平面的花。我教收到的人每天扳開一片花瓣，一年過去，這朵花就會呈現孔雀開屏一樣的姿態；而且後面有一首歌劇《Friends》那首〈Seasons of Love〉的歌詞，唱出該如何衡量每一天的一分一秒，非常感人；我希望每一片花瓣都可以是感人的一天。

齊家心語

恩愛夫妻

好友陳玲玉與洪三雄的愛女結婚前，玲玉擬幫女兒做一本《叮嚀與祝福》的書，邀請她的朋友中公認為「恩愛夫妻」的好友為新人寫幾句話。我在電話裡聽到她的邀約，立即笑著問她：「妳認為我們是恩愛夫妻？這是大家的錯覺怎麼辦？」玲玉機伶的說：「妳和Kris如果能夠讓大家產生一輩子的錯覺，也是最高的婚姻寶典啦！一定要寫啊，我需要妳的建言。」

盛情難卻，我於是寫了以下這一段給新人：

「由衷的恭喜你們！

在《浮生六記》裡，恩愛夫妻的定義是只求長相廝守，心相向，身相依，其餘世間事都看得很淡。

多年來，我本也秉持這樣的信念在修行的……。

但仁喜叔叔虔誠禮佛後，因佛法認為世事萬物皆無常，我受這個哲理影響而改變了生生世世長相廝守的夢想，追隨他虔誠禮佛。這是我『心相向』的一種抉擇！

And，it works！」

「心相向」，的確是夫妻間很重要的課題，也是我與仁喜共處二十五年來的相處之道；在日常生活中，不論曾經發生怎樣的爭執，我們的方向都是相同的。

外國人講Loving Couple，有愛有照顧的意思；恩愛夫妻，「恩」這個字，真是歷史悠久、經驗老道的中國人才發明得出來的字。現代人向西方取經，愛得死去活來，滿嘴甜心蜜糖的，卻忘掉老祖宗教導的這個「恩」字；它有感恩、報恩、恩德、恩惠的意思。

父母那一代共患難的夫妻，或是辛苦求生存的夫妻，他們的恩愛裡有淚水有汗水。我們這一代看瓊瑤小說長大的，小說中的情侶總要經歷波折或被迫分離，才能像牛郎織女那樣恩愛。我們沒有淚水汗水與波折，如何做恩愛夫妻呢？

我與仁喜結婚後，仁祿送了張桌子，我母親送了個冰箱，我們的兩人公司就開起來了。我們要自由快樂，不要小孩，每天在公司上班十四個小時，那時養的愛犬NORNOR在家常見不到人影。

當年的兩人公司，隨著時代與局勢起飛，如今已變成一百二十個人的公司。夫妻同在一個屋簷下工作，考驗的事可真多！累到快垮的時候，不是甚麼患難與共，而是沒完沒了的忙碌相共。雖然沒有汗水，卻有一盆盆我氣哭的淚水。瓊瑤寫的愛情子彈，絕對不足以應付我倆爭執的手榴彈。至於爭執的事情，從芝麻到大象，林林總總說不完，我的愛情積分經常是負數。……

兩個人的公司擴大成一百多人，兩個人的家庭也一樣由小變大啦！當年說不要生小孩，命中注定DO RE MI三個陸續來，愛情是負數也沒什麼關係啦，三個可愛的寶貝為小家庭帶來了嶄新的人生，我們忙著學習怎樣為人父母，每天都有新的進展和太多要共同面對的課題。

熱熱鬧鬧的二十五年，想想這個「恩」字在哪裡。恩就是要對對方好，儘管我們表達與接受的方式可能不一樣，但他喜歡看我融入我愛做的事情，我也喜歡看到他做出好設計的神情。

他吝於說好話，對我少有甜言蜜語，我已習以為常了。我喜歡愛的花束，很希望收到他送我一束浪漫的花，暗示了很多次後，有一天他說：「後車廂有一束花是要給妳的，下車時不要忘了拿。」

就算是那樣的方式，從後車廂拿起那束花，聞到花香從鼻子鑽入心底，我還是高興得差點流下淚來。

既然要求的浪漫情調不可得，我乾脆自己去買花來插，居然也插出了點名堂，可見我給自己買了多少花。他看李安執導的張愛玲小說《色戒》後，問我女主角王佳芝為什麼最後那麼笨？我告訴他：你就是不懂女人看到愛情的鑽戒會有的化學變化！那也使我記起我們認識不久後，他就引經據典的告訴我，「鑽石事實上是一種礦而已」。所以我從沒向他要過鑽石，買各種材料自己設計珠寶，居然也設計出點名堂，可見我是如何理療自己所需要的化學變化。不過我還是很感謝他幫我設計了一個實用的工作室，讓我可以把浪漫的材料分門別類放在一起，有空就鑽進去把想要的做給自己。有時他會在工作室門口跟我揮揮手，也不打擾我，這是我們兩人之間極大的恩惠。

相對於我的浪漫，他是比較務實的人，送我的東西也都比較實用。譬如我喜歡吃冰，就買一個傳統的大刨冰機給我，我喜歡插花，就買很棒的花瓶送我。知道我愛狗，有一年母親節買一隻我愛極了的哈士奇給我。……

其實我最愛他的才氣，最喜歡的禮物是外面買不到的，譬如他親手畫的素描，油畫，一手好的字……。

他也是說故事高手，以前孩子小的時候，總把他們逗得從床上滾下來。如果他看完一部我沒看的電影或小說，總會條理分明的跟我分享劇情與對話精華，讓我在最短的時間內好像跟他一起看完，這對我是很大的精神享受。我也喜歡他的幽默，有時半夜醒來上廁所，一不小心想到他講的笑話，還會一個人在廁所裡笑出聲來。他的才氣，幽默，會說故事，對我也都是極大的恩惠。

仁喜對孩子的好也是沒話說的。從小給他們畫卡通，編故事，沒有缺席過一場Parents Conference，每年寒暑假帶全家旅行，與孩子誠懇的對話，共議他們的未來。每個孩子入大學前，他都親自開車陪他們探看哪個學校合適，每次大約開二千英里不以為苦。當孩子收到很多學校的入學許可時，他又再度陪孩子走訪，確定那所學校是適合他們的。他也經常對孩子們說：「今天爸爸請客！」…這些對我更是無價的恩惠。

二十多年前，我娘家遭變故時，仁喜對我說：「不要擔心，我就是開計程車也一定會把妳照顧的好好的。」幾年後他又跟我說，把我母親接過來，由我們照顧她好不好？我大哥過世時，他去給我母親說佛法，帶著她與我走出傷痛；這又是何等的恩惠！

仁喜一向從容自定，不輕易流露脆弱的表情。有天半夜我們在誠品各自看書，約好一小時後門口見。那天我沒帶手機，低著頭坐在食譜區的角落地上看到忘了時間。兩個半小時後，忽見我阿姨與母親倉惶的跑到我面前，對遠遠的仁喜說：「找到了！找到了！」原來約定的時間到了，仁喜沒看到我，在誠品書店內找了一個多小時，竟沒發現埋首於角落的我，不禁聯想到各種最壞的狀況，急著打電話給我母親說：「任祥不見了！」母親與阿姨立即套上外衣直奔到書店，阿姨走得快，敏銳的往食譜區走，終於找到了我。那時，仁喜臉色蒼白的衝過來，頭髮都站起來了，用手直拍著胸口。一向我不準時會被他責罵的，但那時他沒罵我，一臉軟弱的說不出話來，我窩在角落也嚇得不知說什麼好。那時有個聲音在內心裡對自己說：

「我一定要好好活著，他脆弱時好脆弱啊！」

今年二月，我們忙於接送小孩去參加西洋情人節派對，他就近請我在永和豆漿吃晚飯，沒有玫瑰，蠟燭，因為只有那裏有停車位，停他的愛車。蒼白的日光燈，把我的白髮與他的老人斑照的雪亮。燒餅油條的口味從來沒有改變，但愛情的味道確實隨著我們的年齡改變了。記得剛結婚時，晚上明明睡在他身邊，有時半夜醒來卻擔心他有一天會不會不見了，竟然因此大哭起來呢。

這麼多年後，愛情的旋律被他的鼾聲與我的磨牙聲震走了調，我們需要的養分從維他命愛情變成維他命恩情，最在意的事也從愛情多少變成血脂肪多少。以前他出差，我會寫一張小小字的紙條「我愛你」塞在他的行李箱，現在則先在藥袋上寫下大大的字「緊急時吃一粒，含在舌下。」放進行李箱的最上層。以前會問愛情愛情在哪裡？現在會問廁所廁所在哪裡？愛情呀愛情，你真是靠不住的情人節大餐，抵不上永和豆漿的燒餅與油條。

仁喜很喜歡電影，一直想拍部電影，我也總想圓他的夢。但他的工作一年比一年忙碌，電影的夢想好像一年比一年遙遠。去年我們結婚紀念日，我做了一個很大的卡片送他，是電影導演拍片前用的剪接黑板，導演名字寫上他的，演員名字寫上我們兩人的，日期寫今年的結婚紀念日，片名「二十三年以後」，劇情則是「微量愛情元素年代」。

——等著看吧，也許二十三年後他有空拍電影；或者片名真的就叫「二十三年以後」。

今年結婚紀念日，我送他一個小包包，裡面有十張抵用卷。抵用卷的內容，前三張是初級艷舞一回，中級艷舞一回，高級艷舞一回，使用條件是每張間隔一個月到半年，終身抵用；另外七張則是按摩卷兩回，唸經迴向卷兩回，任祥生氣抵用卷三回。這看起來像不像高中生玩的遊戲？如果我能給仁喜什麼恩惠，大概就是這種保持著不要隨著愛情老去的生活態度吧！

即使愛情的態度沒有老去，我們的身體也是會老去的。現在也許只是膝蓋痛，以後可能要拄拐杖，坐輪椅，然後耳朵半聾了，講話要大聲嚷……。到了那時，相互的照顧是不是還可以保有年輕時的幽默？會不會有一天你到醫院來看我，一進病房就大聲問：「妳今天大了沒？」護士會對你說：「有啦，而且顏色很好哦，軟硬也剛好哦！」也許你會細心的走過去檢查，走回呆呆的我旁邊更大聲的吼道：「好耶，漂亮，顏色好漂亮！歲喲！」

也或許情況相反，我一早到醫院看你，第一句話就是：「你今天小了沒？」你點點頭，我又問道：「幾cc？」

愛情與恩情的對話，其實都是一條生命幻變的長路。那過程從凝視你的臉龐，握著你的手掌看你的生命線多長開始，然後細數你的白髮，關心你血脂肪的數據與舌下含片，再後來是互問大便有無與小便多少……。對於已過中年的我與仁喜來說，嚴厲的恩情考驗也許根本還沒開始呢！

然而，親愛的仁喜，有一天我不會說話時，並不表示我沒有感覺。如果你送花給我，我的心一定還會笑得像一朵怒放的花！同時，請記得我怕大聲，怕你不耐煩，要個好看一點的輪椅，不要小碎花的睡衣！

最後，我要告訴孩子們，恩愛的考驗是永遠的，有遞減的愛情元素，則有遞增的恩情元素，不要妄想超支姻緣簿上的總數字。在姻緣路上學著《浮生六記》的心相向，身相依，中國人所謂的「恩愛夫妻」，也就差可比擬了！

天下父母

雙人舞

二〇一〇這一年，是我人生中最忙碌的一年。老大姚姚在美國休士頓的Rice大學畢業，老二JJ也在同一所大學就讀，今年要過二十歲生日，卻遭遇了一場情感挫折；老三小元高中畢業，也即將去美國讀大學。我還必須加緊腳步趕著《傳家》問世；這套書是我與三個孩子之間一個重要的精神里程碑。

仁喜與我，也為著即將來臨的空巢期做心理準備。怡蓁跟我說，她孩子出國上大學後，她回到家，照例的喊著孩子的名字，空寂的回音，換來幾滴默默的眼淚。佳君說：「我會跑到孩子的床上，聞聞她枕頭上留下來的味道。」天下父母與孩子之間，是一場愛戀。而做父母的本能天職，就是擔心與選擇。

仁喜與我經歷了孩子們小時候該喝甚麼奶粉到長大了要選擇哪一所大學；從擔心他們的一個噴嚏到就業與前途；選了這椿以為好的，又擔心哪樁出現什麼問題……；父母的念頭，總是無時無刻在擔心，選擇，愛戀，不捨間打轉。

中國人有句老話：「兒孫自有兒孫福」，但有幾個父母能修到那個完全放下的境界呢？在教育孩子成長的過程中，父母各自扮演著不同的角色，站高一點來看，為人父母的藝術，有如一齣動感的舞蹈，心念一轉就像打開了音樂盒子，「雙人舞團」即隨之舞個不停。

小元是我們的老么，高中畢業前也收到幾所美國大學的入學通知，仁喜與我趁著去美國開會之便，也順道陪著小元一站站從美國西岸到東岸，選擇他未來四年要讀的大學。從老大姚姚開始，多年來我們以眼見為憑的方式，走過將近三十五所美國大學，利用這趟選擇之旅，儘可能的跟孩子對話，分析，把最後的選擇權留給他們自己。對仁喜與我而言，為人父母給予孩子的人生選擇建議，不外乎學校、職業與婚姻。一趟選擇大學的旅程，象徵著我倆十幾年來栽培一個孩子的期末考；對每一個孩子而言，則是勾選另外一個人生旅程的開始。

小元的個性十分固執，小時候帶他去玩具反斗城，他在前三個貨架上決定一個玩具後，就不改初衷的抱著那玩具；這期間我們若看到更適合他的玩具，就要費九牛二虎之力才能扭轉他的心意。因此對這趟他人生的選擇之旅，仁喜與我多了一層面對一條牛的壓力。預定的行程還沒開始，小元就已屬意一所我們也很喜歡的大學，幾乎覺得就是定案之選了，但「雙人舞團」執意機會教育，認為此乃人生重要決策，當看過所有可能的大學，再做決定也不遲。這趟旅程中，雙人舞團的腳步沉穩，進退有序的打開小元的眼界，讓他仔細的實地觀察與感受。值得安慰的是，這份心力起了作用。老實說，選擇哪一所大學，都錯不到哪裡去，也已經是其次的目的了，雙人舞團希望建立溝通的是他在面對「選擇權」這件事情上的認知。希望讓孩子體會被動選擇與主動選擇間的差異。人的一生，將面臨無數的選擇，有些人斤斤計較，有些人大而化之，過與不及都不是正確的。最重要的是要能夠在重要的事物上，學會分析與扭轉選擇權的技巧與方法。小元「以為」自己功課做足了，就妄下決定，事實上，玩具反斗城他只看了十分之一呀！

有一種人，會花下心力做開創的努力，有扭轉順逆境的「習慣」，把格局擴大；有些人則無所謂，沒有養成花這層心力的習慣，漸漸的就習於逆來順受。我以為，關鍵時刻，對於那種無所謂的個性、好脾氣個性的人，最好加強這個教育。平常我們忙於應付工作與生活瑣事，也沒有機會有這麼明顯結果的實證，所以透過這層天時地利人和的機會旅行，讓他親身經驗，學習訓練這個功夫與習慣，之後再去面對諸如學校、職業與婚姻三樣人生大事的選擇時，相信是可以減少錯誤，少走些冤枉路的。

今年三月，JJ在情感上遇到了挫折，因為失戀而傷心不已，雙人舞團也跟著一起挫折起來，緊張得暈頭轉向。當時仁喜在台北，我出差去上海，我倆與休士頓的JJ三地三方skype個不停。skype的同時，雙人舞團還不斷的偷發簡訊，協調你說什麼，我就接著說什麼，務求口徑一致。我們畫了一張好大好大的愛心卡片，在其中畫了一個好小好小的愛心，宣誓你失去那個小不叮噹的愛，但你擁有跟恆河沙一樣大的愛！我也分別打電話給在台北的母親，請她以奶奶的立場幫忙打電話到美國開導開導他；打給姚姚，請她用訓斥的口氣對弟弟說：「Be A Man！」打給小元，請他跟哥哥分析得失。雙人舞團頓時擴大了軍用的需求等級。事實上，已經不是在對付JJ失戀這一樁事了，戰況的現場是急需撫平天下父母自己的不捨罷了。

仁喜這位言詞精簡的父親，在百忙中提筆給JJ寫下千字勸世文，希望安慰他所面臨的挫折。勸世文開天闢地的引用各家格言從上寫，哲學論理從下寫，出世的從左寫，入世的從右寫，自然法則從中間切入，字字珠璣，嘔心瀝血，大意是：為父為母的，多年來在為他們創造一個牢固的城堡，希望他們在最美好的環境裡生長，不要受到打擊，但「Life is never easy」，人生一定會有失意的時刻，要勇於面對，並且要明白世間其實沒有所謂的百分之百的「美好」！信寄去之後，舞團當然從老大姚姚那邊打聽勸世文是否奏效？老大回答說，JJ收到了，JJ說他看懂爸爸勸世文的大意是：「大便總是會出現的!!」仁喜的千字文換取了這八個字，我們也就關上了音樂盒子，決定從此再也不要跟著這種不捨的念頭跳舞啦！

再談到為人父母的擔心，仁祿曾回憶母親似乎要有很多很多的擔心，才能換取她的安心。的確如此，為人父母最揮之不去的情緒就是擔心。

不過，從老大老二離家上大學到老三上大學，我與仁喜總算修練了一些經驗，不會那麼慌手慌腳窮擔心了。

回想四年前首次送姚姚到美國上大學，仁喜與我全副武裝，早早訂了休士頓Rice大學邊上的Holiday Inn，從台灣打包了像搬家一樣多的行李，準備搬到姚姚的宿舍去。報到的前一晚，仁喜幾乎沒睡，擔心姚姚要搬到宿舍的東西太多，第二天要送到車上可能很費時，而旅館也許沒有足夠的推車，所以他半夜四點半就下樓去找推車。但整個旅館大廳都沒有，只好逐層的找，果不其然，有幾個更高招的父母早已把推車「私藏」在自己的房門口。於是引發了仁喜的「搶先」作戰情懷，回來搖醒我，告訴我要快，因為他「偷」了推車，我也莫名其妙的感染了緊張的氣氛，捨不得叫醒沉睡的姚姚，兩人就把幾箱行李偷偷摸摸的先搬上車去。

報到的時間是早上八點。我平日並不是個準時的人，但為了姚姚，不但要準時，而且要提前，因為我家小姐東西這麼多，還是早早去幫她安頓好，免得被人家笑話。仁喜則想：一定要比室友先到，選個好風水的床位。於是我們三人七點十分就到達了學校門口。只見Rice大學已經依照不同的學院分好報到入口，我們經過其他學院找到姚姚的Will Rice College時，已經有比我們還緊張的父母在排隊了！哇，人家的車子更大，塞滿了箱子，還有人載著很高的冰箱或四層的檔案櫃呢；跟人家比起來，我們那四箱東西實在不算什麼大不了的！

在那等待的五十分鐘裡，我又對著姚姚碎碎念：如果快感冒，要吃哪個，如果過敏了，吃哪一個，如果想家，就怎樣；如果個沒完沒了。

八點一到，不知哪裡冒出來的音樂聲大作，從停車場的閘欄邊衝出三十幾個穿著Will Rice T恤的學生，對著我們又跳又叫，擺出最熱情的歡迎儀式。其中兩個來敲我們的車玻璃，我們一打開車窗，他們就直往姚姚臉上看，然後大叫「Joyce！！」接下來的十幾個孩子就一個一個叫「Joyce」，很像到日式餐廳一進門會有很多人鞠躬胡喊一陣，直到「負責」Joyce的兩個學生衝過來，把姚姚拉下車，又跳又抱的把她帶到前面去。

原來這些學生自願組成了新生訓練營，必須由新生申請大學時的照片與名字，認出新生本人，讓新生不會有初來乍到的陌生感。

仁喜與我不太適應那麼大聲的音樂與熱情，一陣錯愕後被引導去停車。一下車，學生們一擁而上，給我們擁抱與一堆自我介紹。我禮貌的回應著，心裡卻只擔心著車上那堆東西，該如何將之扛上宿舍呢？宿舍在哪兒？宿舍在哪兒？我的擔心與現實的熱情成了強烈的對比。我記不得這些學生的任何一個名字，只擔心著那行李中的藥粉再不拿出來會不會潮濕了？帶來的床單會不會太大了？墊子合不合尺寸？宿舍會不會髒亂？會不會碰到一個惡室友？她會不會氣喘發作？我帶來的醬油該偷放到哪裡？……

我的擔心，瀰漫在空氣中，與這群孩子的熱情，形成了一層隔閡。我當下的感覺只有責任，心裡只盤算著車上的行當該怎樣才能搬運得完？

我們被迎領到管理者Mark的家，Mark介紹完他的家人和他的兩隻狗，我們就被帶到早餐桌邊，喝點飲料，吃點東西，客氣的閒聊一下。我仍是恍惚的只想快快回到一個只有我們三人的空間，我還有很多事情沒對姚姚交代完呀，比如駕照到期日，銀行開戶，保險等等。我也開始想著，我該怎樣寄東西來？姚姚跟我之間的信箱在哪裡？我將會有很多信很多包裏出現在那裡。信箱要設密碼，她會用我們家慣用的密碼嗎？還有，最重要的，她住的宿舍在哪裡？……我現在不需要熱情，我需要跟姚姚單獨相處的時間；等一下我們分開前，一定要好好的告訴她很多自己生活該注意的細節。

終於有人要帶我們到她的宿舍了，我摩拳擦掌的等著看，我該如何分配她的櫃子，電腦的延長線夠不夠？光線夠不夠？書架夠不夠？

她的學長們先帶我們看未來四年姚姚將會出沒的餐廳，娛樂間，樹下有鞦韆，烤肉架，搖搖床，我幻想姚姚躺在上面，午後的陽光溫馴的照在她臉上；她可能正用手機打電話給我呢！

姚姚分配到的房間在二樓，幸好不是四樓，不然仁喜與我，腰不好，膝蓋不好，那些車上的箱子，搬二樓總比四樓省事多啦。而且我隨身包內準備了小刀，萬一扛不動，可以在車上先拆開，第一箱的最上層有一個帆布提袋，老鼠搬家也可以來回幾次把最重的一箱搬完吧？車上有個小摺疊推車，打開後也可以分梯次搬運完畢。在家打包的時候，我已經分好哪個給仁喜拿，哪樣給姚姚拿，只要照著我的順序開箱，一定可以很快就位的；就位後我們才有時間講講話呀。

學長帶我們到她的房間門口，門上已經畫了一堆歡迎的語彙，還有中國字哩！門上還有不知誰幫姚姚與她室友畫的畫像；那個室友的眼睛很長，也是東方人，應該比較愛乾淨吧？

門打開了，映入我眼睛的，居然就是我最擔心的車上行李！原來在我們訪問Mark的家時，那群孩子已經把姚姚的所有家當從我們的車上搬到房間來了！

姚姚與我及仁喜相互使了一個眼神，意思是：哇塞！Full Service！負責Joyce的學長指著窗戶，我們隨著看出去，優雅的校園，紅磚砌的拱型廊柱穿插在每一棟建築物，地上的紅磚有我走過的鞋子聲音，將來是姚姚穿梭於這美麗的建築物與古老的樹木間，像海綿一樣的吸收，她將會變得更有自信，更成熟。那學長並指著桌上的小魚缸，裡面有一隻藍色的魚，另外一個桌上是一些糖果。學長對姚姚說：妳與妳的室友決定看誰要養這條魚。他請我們整理一下，十一點集合，然後告辭而出。

為父最重要的時刻來了，仁喜迅速的看了一下小羅盤，選擇左邊的床，但要換個方向，我們三人就快速的搬好。因為要趕在室友來以前把東西安頓好，我再度發揮快速的歸位法。仁喜跟我都覺得房間的光線稍暗，得加盞燈，而櫃子沒有分隔，該加些層板。同時我與仁喜內心深處的第二層擔心也湧上心頭：這室友，不知道好不好相處？我們只知道她叫Donna。我雖然恍惚的下車，但把所有的女生都幻想成可能是Donna。這個太野，那個好兇，這個都不笑，那個還不錯，但旁邊的媽媽，好像跟我一樣煩哩！

在整理東西的這一段時間，仁喜與我都很專注與安靜，姚姚卻哼著歌，拿出一樣東西就會跟我開開玩笑，糗我說這也要帶！然後她拿起自己台北桌上的多格相框往書桌上一放，我看到其中一張是她五歲時穿著一襲黃色蝴蝶裝的照片，不禁眼眶一熱！

那是姚姚第一次上台表演跳舞。表演前，她就興奮的在家裡穿上這閃亮的衣服，像隻小蝴蝶，飛呀飛的，讓仁喜與我幻想著天鵝湖中的白天鵝在舞台上表演。正式表演當天，從阿公開始，全家浩浩蕩蕩九個人去搶位子；V8攝影機，拍立得，望遠鏡，裝備齊全。偉大的演出時刻來臨，布幕一拉開，一百多隻蝴蝶在台上飛舞，我們全都傻了眼。阿公指說第三行第四隻，姑姑說不對不對，好像是第五行第八隻；一變換隊形，仁喜說快快，在最左邊！我那V8的小孔鏡頭，一次只能捕捉兩隻，但她們飛呀飛的，熟悉的音樂已經接近尾聲，我們九人還沒有一個找到蝴蝶姚姚在哪裡。音樂結束，鼓掌響起，我們愣在那裡；帶去的重裝備，竟然一隻也沒拍到！──如今擺在桌上那張照片還是回家後補拍的呢！

這時候有人敲門，Donna與她父母來了。她是美國長大的ABC，從紐約來，父母會講中文，大家相互禮貌的介紹了一下。看到她，我整顆心放下來了。Donna混合著東方的禮教與西方的活潑，我們欣喜姚姚修來個好室友，深層的憂慮一掃而空。我們很大方的說，印表機共用；他們說冰箱共用；我說我這兒準備了很多備用藥與維他命，Donna如果不舒服也可以服用。又指著電鍋說，想吃米飯，可以自己煮。仁喜瞪我一眼，好像責備我只擔心生病與吃飯兩件事！

所有的客套都說了，就是沒有提到我們先

到先選床位這檔子事。這小小的房間，站了六個人，孩子有一搭沒一搭的閒談。家長相互客套，Donna媽媽說，希望姚姚能教Donna穿衣服，她嫌Donna太男性化了，不懂打扮。我則說聽說Donna是全校第一名畢業的，SAT考2360分，姚姚如果需要請教功課，希望Donna能夠指導一下。我們相互留下聯絡的電話，以防雙方家長「找不到人」時備用。

然後我們一起走向說明會的地點。Donna媽媽說，看行程表，大概午後一點我們就該離校了，我說，不會的，表大概那麼寫，我們訂的是後天晚上的飛機，還想多陪陪姚姚呀。

到了說明會場，Will Rice的學生齊聚一堂，由具有領導魅力的學生主持節目，內容都是衝著家長來的。學生會長極力安撫家長，千言萬語要家長們不要擔心！還說吃過中飯孩子們將會離開，開始他們的新生活動，家長們可以去禮堂聽演講。

然後學生們演出話劇，以話劇的方式告訴家長們，他們的孩子在未來一周新生訓練的生活概況。我們的許多疑問，都在演出的細節中獲得解答。那齣話劇透露的訊息是：我們的孩子將會很興奮，保證沒有空想家；為了建立整個Will Rice College的默契，他們會帶著我們的孩子玩到瘋！節目單裡還有一項活動是整晚不睡覺，穿著球鞋去溜冰！我心想，這是大學還是夏令營呀？

最重要的介紹，大概是選課規畫與社團選擇。面對密密麻麻的課程，看起來頗複雜呢！我又開始擔心，不知姚姚搞得懂嗎？

最後是Mark出場，說明各類相關的安全問題。最後他說，美國政府最近公布了一項法令，為了維護個人的隱私權，大學生的成績單不會寄回家給家長看；如果家長堅持要看，這裡有一份表格，學生必須簽署同意書。我睜大眼睛看向仁喜，他才意會過來，我則已經氣炸了！怎麼可能呢？有沒有搞錯呀？這成績單一直扮演著父母與兒女的臍帶，怎麼，怎麼連這一部分都要剪斷？不可能不可能，多年來，看管著成績單與兒女算帳，就是父母親的責任呀！這是天職呀！美國人美國人！只知道顧人權！這豈不是只顧孩子的隱私權而剝奪了家長的人權呢！？我心中有無限的怨氣與問號：我該不該讓姚姚簽署這份同意書呢？我該對她怎麼說呢？！於是又陷入一層失落與擔心。我想，等一下我們三人單獨相聚時，我可要跟姚姚算清楚，咱們中國人，臍帶絕對不可以斷呀！我們出錢讓妳唸大學，妳連個成績單也不給我們看，這成何體統？成何體統呀！

午餐之前，校方再次告訴家長，孩子們下午就要開始一連串的活動，請家長們準備好。這午餐具有交誼性質，姚姚生澀的看著陌生的同學，我們也沒有甚麼機會多說話。一點鐘一到，Mark

要我們擁抱孩子，因為他們將開始冗長的活動節目。我心想，那就等下課鐘響休息時間再說吧。仁喜與我面對著興奮的姚姚，給予一個長長深深的擁抱，然後說，手機打開，等下碰面再說！我愛你！我愛你！之後，姚姚跟一個小團體走到遠遠的一棵樹下，我看不清楚，就用相機的望遠鏡頭找這隻姚姚蝴蝶；小鏡頭中，看到戴著花布髮箍的姚姚，靦腆的跟著其他的學生在一起。

這時Mark又說話了：現在孩子已經跟你們分開了，請你們到大禮堂聽學校準備的演講。

演講的第一場是總校長，我雖然坐著聽，但腦海全是那相機望遠鏡頭中戴著花布髮箍的臉孔。第二場是一位母親，她說自己是一位平凡的家庭主婦，但她顯然非常有經驗，以幽默且有心理學疏導的方式，道出在場父母離開孩子這一刻的心聲。只見母親們紛紛拿出紙巾，輕輕的擦淚，仁喜的眼睛也紅了，有一位母親甚至壓抑不住，嚎啕大哭起來。演說的母親極力的請家長們放下擔心與盼望，並且冷酷的告訴我們：孩子只有在走到很遠的教室的那段十分鐘的路程，才可能有空打電話回家；而且他們的第一句話與最後一句都是「我很忙，你們不要擔心！」真的，他們很忙，請你們不要擔心！

第三場演講是一位應屆畢業生，她以過來人的心情告訴家長，為什麼你們不需要擔心：因為他們面對一個嶄新的生活，會有一段調適期，請家長給他們一點時間，面對應對上的問題。她並再三的強調，孩子們有多麼感激與恩愛他們的父母辛苦的培育，讓他們能夠到這樣一所完善的大學度過未來的四年，沉浸在人文與專業的學習領域，他們對父母的用心充滿感恩，幸福與快樂；請父母們千萬不要擔心。

可能是時差與一夜沒有睡好，仁喜與我都需要喘口氣，聽完演講就無言的回到旅館，走過一堆已經沒有人要用的行李推車。進了房間，想睡又睡不著，就這麼昏昏的，慌慌的躺著。我們試圖打姚姚的手機，卻一直收到沒有開機的訊息。仁喜又說起姚姚宿舍的燈光太暗了，我又說衣櫃需要加些層板，走，去買呀。

美國買家具，全都是要自己組裝的，雖只買了三樣東西，包裝盒卻又大又笨，我倆像卓別林電影中的笨蛋工人，手腳很不俐落，又忘記買工具，在租來的車上翻來翻去，好不容易找到個十字螺絲起子，慌慌張張的來來回回好幾次，才把東西都搬到宿舍門前。宿舍很安靜，好像沒有人，而且上了鎖，進不去。我們在外面繞了繞，終於有個人出來，我們於是趁機溜進姚姚房間，開始偷偷摸摸的開箱組裝櫃子的層板，鞋架和書櫃。最後剩下一個燈要組裝時，我迅速的先把一大堆紙箱拿到外面的大垃圾箱去丟。等我回到房間時，看到仁喜的手對著空氣一上一下的抓著，不知道他在抓甚麼，但那樣子好滑稽啊！我低頭一看，原來組裝燈的包裝用的是輕質粒狀保麗龍小球包住的，一打開來，小球到處飛，如果不去處理，可能會漫得到處都是，別説給Donna看到，就是給姚姚看到，大概不免又被奚落一頓。於是我也趕緊加入仁喜的滑稽行列，把飄到半空中的小球抓下來。這玩意輕飄飄的還真不好抓，抓下來後必須設法壓住，免得它又飄起來。仁喜兩手兩腳並用，我找不到掃把，只好爬在地上用手掌當掃把不停的掃。這兩個默片裡的笨蛋工人，一個向空中揮舞，一個向地上揮舞，活像正在彩排一齣現代舞，我從穿衣鏡中看到兩人的狼狽模樣，忍不住哈哈大笑起來。真希望能把這段滑稽的「天下父母雙人舞」錄影起來，播放給我們公司的同事看；看看那不容許犯錯的老闆，居然也有此荒唐落難的一幕呀！

更妙的是，那時姚姚突然回來了，看著我倆的舞蹈，露出一臉的驚訝。搞清楚怎麼回事後，她也大笑了起來，並請我們千萬不要再幫她整理了，晚上回來她會自己整理的。我心急的直問：妳好不好？同學好不好？有沒有壞小孩？但她急著換球鞋，要趕回下一場去報到。那時我才明白，學校説明書上寫的下午一點以後請家長自行離開是真的，我們耗在這裡也看不到她了。這個擁抱之後，可要五個月後才能再看得到她啊！我忍住眼淚，叮嚀她不要想家，不要哭，因為妳在這一頭哭，我一定感受得到的，要記得吃維他命，過敏藥……，仁喜則一句話也説不出來，只深深的擁抱心愛的女兒。

女兒離開後，我倆像洩了氣的皮球，全身軟趴趴的，我的耳邊還不斷傳來仁喜的嘆氣。我倆提前離開美國，沒魂似的回到台灣。

這只是三段陪孩子選擇、不捨於孩子所受的挫折與送孩子上大學的心情記錄。我相信每一個孩子的成長，都讓天下父母面臨各種程度不一的選擇、擔心、愛戀與不捨。佛家有云：「一切的情緒都是苦」；的確，好苦，真是苦！話雖如此，天下為人父母的，又有幾個出離得了這甘願受苦的輪迴？大多數的父母，仍然持續的打開痴念的音樂盒子，轉著停不下來的「天下父母雙人舞」！

叮嚀與祝福

「叮嚀與祝福」是一本書的名字，編著者與出版者是好友洪三雄與陳玲玉夫婦。他倆於女兒結婚前夕，用心良苦的廣邀好友為女兒女婿撰寫婚姻經營寶典，集結成這本情意深厚，內容珍貴的書，作為送給小倆口的結婚禮物。全書七十六篇婚姻故事，作者從結婚五年到五十年以上，每一篇婚姻的甘苦談，都深深的喚起我的同感。仔細分析這本具有創意而又內容真實的婚姻寶典，六十多對恩愛夫妻提到最多的字，不外乎「愛」，「忍」，「敬」，「諒」，「心」，「惜」，「信」；我稱這為「婚姻的七字箴言」。

身邊朋友的婚姻，也並非都如《叮嚀與祝福》裡的夫妻；幾位朋友的離婚故事其實都是「冰凍三尺非一日之寒」，分析起來，不外就是少了上述的「愛」，「忍」，「敬」，「諒」，「心」，「惜」，「信」這「婚姻的七字箴言」。有些甚至還多了致命傷害的「懶」字與「偷」字。希望孩子們切記這幾個字，婚姻才不至於變了調。

前行政院經濟建設委員會主委何美玥女士，在書中提出婚姻裡的金錢態度，尤其值得參考。她說：「夫妻最不值得爭吵的事是金錢，因此我在結婚的那一刻就與我先生就金錢的使用訂定處理原則，非常簡單，但可明確執行。亦即我先生賺的錢歸他自己用，但每個月拿出一定的金額作為家用，他家裡的財產及對他家親人及親戚的財務相關事情由他自己處理及支付；買房子我付頭款他付分期付款；買汽車我先生自己付（因為大部份是他用）；小孩子的費用我支付；其他的都是小錢，誰想買誰就付。」我覺得，她這一番話，講到了婚姻經營的重點。的確，百分之九十的怨偶，起因都與金錢的有關。金錢與生活的價值觀是一體的兩面，一切海誓山盟的美好氣氛，都可能因為金錢而從浪漫劇情變成仇恨劇情。

有次我參加一個聚會，見到一個熟識的朋友嘴角烏青，大家都關心的問他發生了什麼事，我們才知道一齣浪漫劇變成仇恨劇的劇情。他說，太太嫁給他後辭去工作，先後生了三個孩子，專心在家養育孩子。他的事業順暢時，股票在高潮期，太太也自先生處拿點錢做做股票，日子相安無事。後來他的工作不順暢，太太的股票也虧光了，太太就開始計算她從帶孩子開始就沒向先生領過薪水，這一對外表恩愛浪漫的夫妻竟由爭執到大打出手，演變成一場仇恨不歸路。

這一類的劇情，其實經常出現在我們生活的周遭，只是程度不同罷了。何主委文章裡的話，也道出了女性要有經濟自主的能力。時代不同了，女性還是要有一份自我的生活空間與經濟來源比較穩當。

價值觀念的異同，會影響人的交往與相處。夫妻間的價值觀念最好能夠相近，才能在教導下一代上，減少歧異與摩擦；這是可以透過溝通與對話將距離拉近的。此外，很多人以「條件」作為選擇婚姻的一把尺，但過度的以此為依據，會讓單純的感情蒙上陰霾的色彩。有個朋友幾年前請我給他兒子介紹女友，居然大言不慚的跟我說，最好的行業是護士，並說最好不要某省的省籍，我只好由衷的祝福他了。隔幾年，那位兒子主動找我介紹，我就真的安排了一次晚宴。幾年不見，他的身材已經變得有點臃腫，頭髮也少了，失去了帥氣與天真。我介紹給他的是一位在投資銀行工作的女孩子，過了一周，他打電話給我：「謝謝阿姨，王小姐很好！謝謝！但不適合我，我想跟阿姨說，我其實要求的不高，真的不高，我只要一個可以幫我在家把家管好，把孩子帶好，看好小孩的功課，讓我可以放心工作的一個乖乖的女孩子就好，不需要有家庭的背景，阿姨妳一定認識很多這樣的女孩，還有，她家裡不要有黑道的背景，不要欠著債，其實就這麼簡單，阿姨，妳身邊一定認識很多這樣容易找的女孩！」他的婚姻態度裡，除了沒有見到那七字箴言外，更沒有看到平等的對待。我回答他：「真的不難，你可以到仲介找一個幫傭或找位家庭教師，馬上可以成婚的！」

我有個小學同學從小就說一定要嫁給住別墅的男人，有一個說要嫁給坐頭等艙的男人，有個男生說女生腿沒有幾公分是不娶的……；婚姻在第一時間就有條件說，那條路會很辛苦的，而這樣的心態也是不可愛更不值得鼓勵的。

上海的一個公園的樹上，貼滿了父母幫子女的徵婚啟事，那些都是「一胎化」下的王子與公主。必須雙方家長先看對眼了，再安排下一代見面，進行配對前奏曲。可見即使在上海這個繁華現代的大都會，很多婚姻大事還是要父母親張羅的。本書中的「中國人的生命禮節」，可以看到婚姻這樁人生大事所佔據人生長軸的比例，也可以看到繁複的禮節所取悅的對象，其實是一大家子人；因為婚姻關係有很大一部分不只是兩個人的事，是兩個家族的事。做人若沒有成熟到能照顧圓滿兩個家族，可能就會有雜音；除了培養肚量、改進與忍耐之外，也必須認清這個事實的重要性。婚姻中的雜音，就如花園中的雜草，自己要懂得整理拔除，而且花下的心力一定不能少。在浪漫的愛情篇章中，這個認知常常會被漏掉，我特別提出來供孩子們參考。

花園需要灌溉，婚姻需要經營，要撥出生活中既定的時間與心力來灌溉與經營，完全沒有別的便捷之路。祝福孩子們與全天下的有情人，都能管理好自己人生中最重要的一片花園。

爸爸的答案

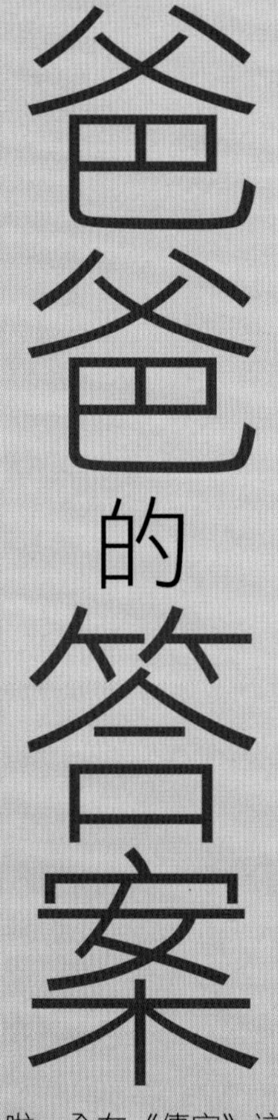

二〇〇八年夏天，有天我們一家一起吃飯，三個孩子聯合提出一個問題：「爸爸媽媽，有沒有什麼特別的事是你們想要我們學會，但我們還沒有學會的？」

我毫不思索的回答：「有呀！可多啦，全在《傳家》這套書裡呀！」

仁喜則沉穩的說：「讓我想想看！」

二〇〇九年夏天，姚姚與JJ從美國回台北小聚，暑假將結束要再赴美的前一晚，仁喜叫我和三個孩子到他書房。他佈置了五個人的位置，我們一一坐下。仁喜難得這麼「形式化」，我們以為有什麼大事要宣布，結果是給每人一個信封；打開來一看，信紙上寫著「回覆你們的問題：靜坐的練習」。——原來仁喜想這個問題想了一年呀！

然後仁喜說了一段開場白：

「這不是一個宗教活動，我要你們學會的是建立讓自己靜下來的習慣。你們出門在外，每天紛紛擾擾的忙碌，永遠處在生活的漩渦中，久了就不容易看清自己的心緒，很多人因而無法面對獨處與孤寂，一定要跟著別人轉才認知自己的存在；漸漸的，你可能變成自己與情緒的奴隸而不自知。爸爸不能一直陪在你們身邊，卻時刻會擔心你們，我由衷的希望教會你們這一門簡單但需要持續的好習慣，請你們每天都要花一點時間做靜坐的練習。」

仁喜的信上寫著：

奢摩他（SHAMATHA），其字義是「安住」

一. 為何要安住：因為我們的心，散亂於各處。

二. 它有何作用：讓我們的覺知銳利，思惟清晰。

三. 怎麼做：最好將它養成一個習慣；每次短暫而持續，約3～5分鐘。

七個重點

一. 雙腿盤坐。

二. 腰背挺直。

三. 雙肩張開。

四. 雙手置於膝上或交疊。

五. 視線沿著鼻尖下望。

六. 舌尖頂住上顎。

七. 下巴微收。

仁喜還當場要我們坐下來照著做，檢查我們每個人的姿勢，並且再三交代：剛開始靜坐的當下，心緒紛亂是正常的；如果能察覺自己心緒紛亂，已經是一個好的開始。

這等了一年的答案，其實是一份極為難得的禮物。

我們的俗世生活，確實常處於紛亂之中，像一杯水不停的被攪和旋轉，難得一刻真實的靜，更不用說止。

我們確實需要不時的暫停旋轉，沉澱心情，才能回歸清淨，返見本我。

謝謝仁喜。對我們的孩子，這是獨一無二的人生好禮。——對我亦是如此！

漢
(~220AD)

政治軍事家
劉秀
6BC~57AD
班超
32~102
孔融
153~208
孫堅
155~191
呂布
不詳~199
劉表
不詳~208
董卓
不詳~192
袁紹
不詳~202
孫策
175~200
漢獻帝
181~234

科學家
張衡
78~139

醫學家
華陀

社會科學家
班昭
45~117

發明家
蔡倫
63~121

戲劇人物
姚期
草橋關

蔡伯喈
趙五娘
琵琶記

董永
天仙配

劉蘭芝
焦仲卿
孔雀東南飛

小說人物
司馬徽
徐庶
三國演義

三國
(220~265AD)

政治軍事家
曹操
155~220
劉備
161~223
周瑜
175~210
孫權
182~252
趙雲
不詳~229
諸葛亮
181~234
關羽
不詳~220
張飛
不詳~221
曹丕
187~226
曹植
192~232

戲劇人物
陳宮
捉放曹

甄宓
洛神賦

喬玄
吳國太
喬福
賈化
孫尚香
甘露寺

蔣幹
黃蓋
魯肅
群英會

韓玄
黃忠
魏延
戰長沙

馬謖
王平
失街亭

馬岱
姜維
李福
七星燈

貂嬋
三國演義

西晉
(265~316AD)

政治軍事家
司馬炎
236~290

戲劇人物
綠珠
石崇
孫秀
綠珠墜樓

東晉
(317~420AD)

政治軍事家
晉元帝
276~323
齊高帝
427~482
梁武帝
464~549

十六國
(304~439AD)

宗教哲學思想教育家
法顯
337~422
菩提達摩
不詳~535

藝術創作家
王羲之
303~361
王徽之
338~386
顧愷之
344~405

戲劇人物
梁山伯
祝英台
梁山伯與祝英台

南朝/北朝
(420~589AD/386~581AD)

政治軍事家
高歡
496~547

戲劇人物
花木蘭
花木蘭

隋
(581~618AD)

政治軍事家
隋文帝
541~604

小說人物
李靖
紅拂女
虬髯客
楊素
虬髯客傳

唐
(618~907AD)

政治軍事家
唐高祖
565~635
房玄齡
579~648
魏徵
580~643
杜如晦
585~630
唐太宗
599~649
武則天
624~705
唐高宗
628~683
唐明皇
(唐玄宗)
685~762
安祿山
703~757
唐代宗
726~779
黃巢
820~884

宗教哲學思想教育家
玄奘
602~664

藝術創作家
張旭
658~747
顏真卿
709~785
懷素
725~785

神話人物
孫悟空
豬八戒
沙悟淨
西遊記

戲劇人物
秦瓊
王伯黨
王老好
秦瓊賣馬

東方氏
紅霓關

薛仁貴
柳迎春
薛丁山
樊梨花
薛金蓮
樊江關

薛平貴
王寶釧
王允
代戰公主
紅鬃烈馬

尉遲恭
薛禮嘆月

薛應龍
蘆花河

升平公主
郭子儀
郭曖
打金枝

張君瑞
西廂記

崔護
杜宜春
人面桃花

楊貴妃
高力士
裴力士
貴妃醉酒

李益
霍小玉
紫釵記

小說人物
史幽探
紀沉魚
言錦心
謝文錦
師蘭言
林書香
章蘭英
陽墨香
酈錦春
田舜英
廉錦楓
鏡花緣

鄭元和
李娃
李娃傳

王月英
七世夫妻

其他/和親公主
文成公主
623~680

其他/后妃
蕭淑妃
不詳~655

遼
(916~1125AD)

政治軍事家
遼太宗
902~947

舊石器時代

神話人物

女媧
倉頡
伏羲
神農
炎帝
黃帝
嫘祖
顓頊
帝嚳
少昊
堯
舜
杜康

夏 (2205~1600BC)

政治軍事家

大禹 2205~2105BC
夏桀

商 (1600~1045BC)

政治軍事家

商紂王
比干
箕子
微子
商湯 不詳~1646BC

神話人物

妲己

西周 (1045~770BC)

政治軍事家

姜子牙
周文王 1152~1056BC
周武王 1087~1043BC
周公

神話人物

哪吒
褒姒
牛郎
織女

東周 春秋(770~476BC)

政治軍事家

周幽王 795~771BC
管仲 725~645BC
鮑叔牙 不詳~644BC
伍子胥 不詳~484BC
勾踐 496~464BC
夫差 不詳~473BC
范蠡

宗教哲學思想教育家

孔子 551~497BC

音樂家

伯牙

建築工程水利機械家

魯班 507~444BC

戲劇人物

西施
文種 西施
申包胥 文昭關
趙盾
屠岸賈
程嬰
趙武 趙氏孤兒

戰國(475~221BC)

政治軍事家

商鞅 395~338BC
孫臏 不詳~316BC
張儀 不詳~310BC
蘇秦 不詳~284BC
龐涓
魏惠王
呂不韋 292~235BC
孟嘗君 不詳~279BC
藺相如
廉頗

宗教哲學思想教育家

墨子 479~381BC
申不害 420~337BC
孟子 372~289BC
莊子 369~286BC

建築工程水利機械家

李冰

戲劇人物

田氏 大劈棺
孟母 孟母三遷

秦 (221~206BC)

政治軍事家

子嬰 不詳~206BC
蒙恬 不詳~210BC
項羽 232~202BC
秦始皇 259~210BC

宗教哲學思想教育家

李斯 280~208BC

戲劇人物

孟姜女 孟姜女哭長城
虞姬 霸王別姬
趙高 宇宙鋒

西漢 (206BC~9AD)

政治軍事家

蕭何 257~193BC
劉邦 256~195BC
韓信 不詳~196BC
張良 不詳~186BC
李廣 不詳~119BC
霍去病 140~117BC
張騫 不詳~114BC
衛青 不詳~106BC
李敢
漢武帝 156~87BC
董仲舒 179~104BC
司馬遷 145~86BC
蘇武 140~80BC
漢宣帝 91~49BC
霍光 不詳~68BC
李廣利 不詳~88BC
漢元帝 76~33BC

戲劇人物

許平君
霍成君
霍顯 漢宮怨
朱買臣 朱買臣休妻
衛子夫
李壽 秋風辭
王昭君
毛延壽
呼韓邪單 漢宮秋
夏侯嬰 蕭何月下追韓

其他/后妃

趙飛燕 32~1BC

新莽 (9~25AD)

政治軍事家

王莽 45BC~23AD

戲劇人物

吳漢
王蘭英
馬成 斬經堂

1 政治軍事家、2 宗教哲學思想教育家、3 經濟實業家、4 科學家、5 醫學家、6 社會科學家、7 人文科學家、8 藝術創作家、9 音樂家、10 電影戲劇藝術家、11 建築工程水利機械家、12 發明家、13 小說人物、14 神話人物、15 戲劇人物、16 其他

民族人物

年代久遠的民族，總有一個龐大的人物資料庫。當我們從中認識任何一個人，搭配其歷史背景的對照，都可由他的思想、故事，或者豐功偉業或者錯誤行徑等等，或多或少學習到做人的根本信念。

春天、秋天兩冊，已分別介紹過作家與詩人，本冊則將民族人物分成十六大類：1. 政治軍事家；2. 宗教哲學思想教育家；3. 經濟實業家；4. 科學家；5. 醫學家；6. 社會科學家；7. 人文科學家；8. 藝術創作家；9. 音樂家；10. 電影戲劇藝術家；11. 建築工程水利機械家；12. 發明家；13. 小說人物；14. 神話人物；15. 戲劇人物；16. 其他。

這十六類人物，在人類的歷史各有其特殊貢獻，都很值得我們認識。

多加研讀這些民族人物的傳記，神交他們的宏偉思想與開闊心靈，你在人生的歷程上將會適時適地的發現，生命是不寂寞的，本表僅列出歷史上較常見的名字。

清 (1644~1911AD)

政治軍事家

施琅 1621~1696
順治皇帝 1638~1661
康熙皇帝 1654~1722
雍正皇帝 1678~1735
年羹堯 1679~1726
乾隆皇帝 1711~1799
劉墉 1719~1805
紀曉嵐 1724~1805
和珅 1750~1799
林則徐 1785~1850
曾國藩 1811~1872
左宗棠 1812~1885
洪秀全 1814~1864
李鴻章 1823~1901
慈禧太后 1835~1908
洪鈞 1839~1893
光緒皇帝 1871~1908
秋瑾 1875~1907

宗教哲學思想教育家

康有為 1858~1927

經濟實業家

胡雪巖 1823~1885

社會科學家

章學誠 1738~1801

小說人物

賈寶玉
林黛玉
薛寶釵
賈元春
賈探春
史湘雲
妙玉
賈迎春
賈惜春
王熙鳳
賈巧姐
李紈
秦可卿
賈母
劉姥姥
香菱
平兒
晴雯
襲人
紫鵑
鴛鴦
薛寶琴
紅樓夢

程靈素
袁紫衣
苗人鳳
飛狐外傳

韋小寶
鄭克塽
鹿鼎記

陳家洛
霍青桐
書劍恩仇錄

曹西巧
金鎖記

其他/后妃

孝莊皇后 1613~1688
董鄂妃 1639~1660

其他

賽金花 1870~1936

1911AD~

政治軍事家

袁世凱 1859~1916
黎元洪 1864~1928
段祺瑞 1865~1936
孫中山 1866~1925
梁啟超 1873~1929
宋教仁 1882~1913
蔣百里 1882~1938
蔣介石 1887~1975
宋慶齡 1893~1981
毛澤東 1893~1976
宋美齡 1897~2003
周恩來 1898~1976
陳誠 1898~1965
李國鼎 1901~2001
尹仲容 1903~1963
吳國楨 1903~1984
鄧小平 1904~1997
溥儀 1906~1967
蔣經國 1910~1988
任顯群 1912~1975
江青 1914~1991

宗教哲學思想教育家

蔡元培 1868~1940
胡適 1891~1962
陶行知 1891~1946
晏陽初 1893~1990
錢穆 1895~1990

科學家

吳大猷 1907~2000
錢學森 1911~2009
楊振寧 1922~
李振聲 1931~
李政道 1926~
李遠哲 1936~

社會科學家

陳寅恪 1890~1969
余英時 1930~

人文科學家

趙元任 1892~1982

藝術創作家

齊白石 1864~1957
于右任 1879~1964
李叔同 1880~1942
徐悲鴻 1895~1953
陳澄波 1895~1947
劉海粟 1896~1994
溥儒 1896~1963
黃君璧 1898~1991
余承堯 1898~1993
豐子愷 1898~1975
張大千 1899~1983
林風眠 1900~1991
李梅樹 1902~1983
藍蔭鼎 1903~1979
傅抱石 1904~1965
李可染 1907~1989

藝術創作家

楊三郎 1907~1995
洪瑞麟 1912~1996
吳冠中 1919~2010
程十髮 1921~2007
趙無極 1921~
黃永玉 1924~
江兆申 1925~1996
楊英風 1926~1997
朱銘 1938~
范曾 1938~
高行健 1940~

音樂家

鄧雨賢 1906~1944
江文也 1910~1983
聶耳 1912~1935
黃友棣 1912~2010
馬思聰 1912~1987
洪一峰 1927~2010
紫薇 1930~1989
鄧麗君 1953~1995

建築工程水利機械家

梁思成 1901~1972

電影戲劇藝術家

田漢 1893~1968
梅蘭芳 1894~1961
麒麟童 1895~1975

電影戲劇藝術家

尚小雲 1900~1976
荀慧生 1900~1968
夏衍 1900~1995
俞振飛 1902~1993
程硯秋 1904~1958
費穆 1906~1951
邵逸夫 1907~
張善琨 1907~1957
胡蝶 1908~1989
周傳瑛 1912~1988
桑弧 1916~2004
鍾惦棐 1919~1987
白楊 1920~1996
白光 1921~1999
蔡瑞月 1921~2005
謝晉 1923~2008
李麗華 1924~
李翰祥 1926~1996
慎芝 1928~1988
顧正秋 1929~
宋存壽 1930~2008
李行 1930~
林黛 1934~1964
樂蒂 1937~1968
吳貽弓 1938~
楊麗花 1944~

宋
0~1127AD)

政治軍事家
趙匡胤
927~976
宋太宗
939~997
宋真宗
968~1022
包拯
999~1062
宋仁宗
1010~1063
司馬光
1019~1086
王安石
1021~1086
宋徽宗
1082~1135
宋高宗
1107~1187

宗教哲學思想教育家
林默娘

建築工程水利機械家
李誡
1035~1110

戲劇人物
趙京娘
趙匡胤送京娘

展昭
柳青
白玉堂
七俠五義

李宸妃
陳林
郭槐
狸貓換太子

陳世美
秦香蓮
韓琪
鍘美案

狄青
孫秀
萬花樓

戲劇人物
寇準
楊令公
佘太君
楊延定
楊延安
楊延輝
楊延德
楊延昭
楊延嗣
楊延順
楊宗保
穆桂英
焦贊
孟良
楊文廣
楊金花
蕭天佐
楊家將

韓玉娘
程鵬舉
張萬戶
生死恨

小說人物
李師師
宋江
林沖
李逵
魯智深
武松
李逵
楊雄
石秀
魏定國
孔亮
水滸傳

西門慶
潘金蓮
武松
李瓶兒
金瓶梅

南宋
(1127~1279AD)

政治軍事家
秦檜
1090~1155
岳飛
1103~1142
文天祥
1236~1283
陸秀夫
1237~1279

宗教哲學思想教育家
濟公活佛
1130~1209
陸九淵
1139~1193

音樂家
姜夔
1155~1221

神話人物
白素貞
許仙
小青
法海和尚
白蛇傳

戲劇人物
王魁
焦桂英
王魁負桂英

柳夢梅
杜麗娘
牡丹亭

陸遊
唐婉
陸遊與唐婉

王瑞蘭
蔣世隆
蔣瑞蓮
拜月亭

錢玉蓮
王十朋
荊釵記

小說人物
喬峰
段譽
阿朱
阿紫
阿碧
慕容復
王語嫣
木婉清
鍾靈
段正淳
段正明
段延慶
岳老三
雲中鶴
柯百歲
崔百泉
天龍八部

郭靖
黃蓉
黃藥師
一燈大師
楊康
射鵰英雄傳

楊過
小龍女
李莫愁
郭襄
耶律齊
耶律燕
陸無雙
神雕俠侶

元
(1271~1368AD)

政治軍事家
成吉思汗
1155~1227
忽必烈
1215~1294
伯顏
1236~1294
陳友諒
1320~1363

戲劇人物
孟麗君
皇甫少華
孟麗君

竇娥
竇娥冤

小說人物
張無忌
韋一笑
徐達
張三丰
滅絕師太
倚天屠龍記

明
(1368~1644AD)

政治軍事家
劉伯溫
1311~1375
朱元璋
1328~1398
明成祖
1360~1424
鄭和
1371~1433
建文帝
1377~不詳
戚繼光
1528~1588
熊廷弼
1569~1625
袁崇煥
1584~1630
李自成
1606~1645
吳三桂
1612~1678
鄭成功
1624~1662

宗教哲學思想教育家
王守仁
1472~1528
利瑪竇
1552~1610

醫學家
李時珍
1518~1593

藝術創作家
沈周
1427~1509
祝枝山
1460~1526
文徵明
1470~1559
唐伯虎
1470~1524
仇英
1509~1551
徐文長
1521~1593

戲劇人物
商琳
秦雪梅
秦雪梅吊孝

戲劇人物
蘇三
崇公道
劉秉義
潘必正
玉堂春

李相國
春草闖堂

薛保
王春娥
薛廣
三娘教子

李香君
桃花扇

李鳳
遊龍戲鳳

傅朋
孫玉姣
拾玉鐲

程浦
程雪雁
程雪娥
穆居易
鳳還巢

韋燕春
賈玉珍
李奎元
七世夫妻

小說人物
令狐沖
任盈盈
東方不敗
左冷禪
任我行
向問天
笑傲江湖

石破天
石中玉
張三
李四
俠客行

袁承志
夏青青
何鐵手
碧血劍

其他
陳圓圓
1624~1681

富而好禮
談禮節
禮記

2 落檻

3 奉茶

3 新人拜別女方父母

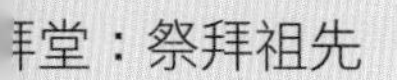

拜堂：祭拜祖先

9 坐庫：新人坐上覆蓋有新郎長褲的椅子象徵新人共存榮

文定禮儀

1 媒婆提親

嫁娶禮儀

1 女方家長替新娘蓋頭紗

2 新娘父將新娘交予新郎

7 入門：要跨過火盆並破瓦片象徵避邪與踩碎過去種種厄運

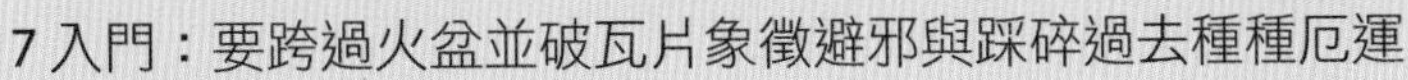

生命的禮節

1 出生

本篇章為「生命的禮節」，我參考各式禮節儀式的資料，把一個人從出生到死亡，幾十年間會遇到的民間習俗，以剪紙的方式繪製出來。各地的風俗、民情不一，我是以我生長的台灣看到的大多數案例為底稿，將人的出生、抓揪（也稱抓周）、婚姻、成家、立業、功成名就與死亡的諸多禮節，以剪紙與繪圖方式一一呈現。人生的大事，雖然每個階段不同，綜合起來也不外就是這些，該有的禮節與禮數，應該要懂，才不愧是一個禮儀之邦的人。

2 抓周

3 成長

4 入學

5 成人禮

6 登科狀元

7 初戀

8 情投意合

6賓宴

5 潑水：祝福新婚姻不再重來

6斷根：新娘轎離時將扇子丟出轎外由女方母親撿回

圓紅棗茶

12入洞房

4 交信物

5 回禮

4 迎娶：雙頂轎

10 掀頭紗

11 交杯酒：新人合巹酒

1 麒麟送子

2 加官晉祿 事業有成

3 子孫滿堂

8 守鋪

9 親友慰問

10 誦經助念

12 殯喪入殮

13 啟靈送喪

享晚年 福壽雙全

6 子孫在側

終關懷

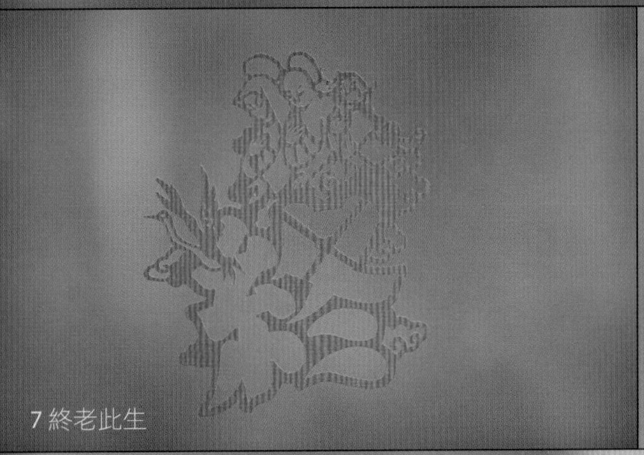

7 終老此生

11 舉行告別式

安葬

15 緬懷先人

對

❸提稱

❹啟事

❺敬語

❽啟封

伯父

伯父
大人

姪/姪女

問候語：敬請 崇安、敬頌 崇祺
末啟詞：謹上、拜上

緘封詞：緘

父親

父親
大人

男/女/(或兒

提稱語：膝下、膝前
啟事敬詞：敬稟者、謹稟者
敬語：耑肅、肅此

啟封詞：安啟

弟

○
弟

姊/兄

問候語：順頌 時祺、即頌 近佳
末啟詞：手書、手啟

緘封詞：緘

嫂

○
嫂

妹/弟

提稱語：尊鑒、賜鑒
啟事敬詞：敬啟者、謹啟者
敬語：敬此、謹此

啟封詞：大啟、台啟

兄

○
兄

妹/弟

問候語：敬請 崇安、敬頌 崇祺
末啟詞：謹上、敬上

緘封詞：緘

妻

○○ 吾妻
○○ 妹

夫/兄

提稱語：惠鑒、雅鑒
啟事敬詞：敬啟者、謹啟者
敬語：耑此、特此
問候語：順請 妝安、順請 閫安
末啟詞：頓首、再拜

啟封詞：大啟、台啟　緘封詞：緘

姪

○○
賢姪

伯(叔)/
伯(叔)母

姪女

○○
賢姪女

伯(叔)/
伯(叔)母

提稱語：青鑒、青覽
啟事敬詞：敬啟者、謹啟者
敬語：手此、草此

問候語：即問 近安、順問 近祺
末啟詞：手書、手泐

啟封詞：收啟

緘封詞：緘

媳婦

賢媳

愚母/愚父

提稱語：如晤、英覽
啟事敬詞：敬啟者、謹啟者
敬語：手此、草此
問候語：即問 近安、順問 近祺
末啟詞：手書、手啟

啟封詞：收啟　緘封詞：緘

兒

○○
吾兒

母/父

提稱語：知之、收悉
啟事敬詞：敬啟者、謹啟者
敬語：此諭
問候語：順請 妝安、順請 閫安
末啟詞：字、示

啟封詞：收啟　緘封詞：

孫

○○
吾孫

祖母/祖

孫女

○○
孫女

祖母/祖

提稱語：知悉、收悉
啟事敬詞：敬啟者、謹啟者
敬語：此諭

末啟詞：字、示

啟封詞：收啟

緘封詞：緘

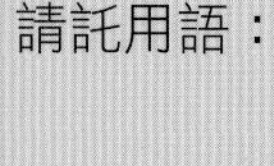

請託用語：

自己	對象	用語
長輩	長輩的長輩	（敬請○○世伯　面陳/**塵、呈**）
長輩	長輩	（敬請○○世伯　袖交）
長輩	平輩	（敬請○○世伯　擲交）
長輩	晚輩	（敬請○○世伯　擲交）
平輩	長輩	（敬請　面陳/**塵、呈**）
平輩	平輩	（敬請　面交）
平輩	晚輩	（敬請　擲交）
晚輩	長輩	（敬請　面陳/**塵、呈**）
晚輩	平輩	（敬請　面陳/**塵、呈**）
晚輩	晚輩	（敬請　面交）

收件詞：託帶封通常不封口，所以不能用啟封詞，只能用收件詞。如果有附件，則收件詞用「檢收」、「查收」；沒有附件，那麼對長輩用「賜收」，平輩用「台收」，晚輩用「收」。

提稱語：膝下、膝前	問候語：敬請 福安、敬請 金
啟事敬詞：敬稟者、謹稟者	末啟詞：謹稟、叩上
敬語：耑肅、肅此	
啟封詞：福啟	緘封詞：緘

提稱語：尊前、尊右	問候語：敬請 崇安、敬頌 崇祺
啟事敬詞：敬肅者、謹肅者	末啟詞：拜上、敬上
敬語：肅此、敬此	
啟封詞：安啟	緘封詞：緘

提稱語：尊鑒、賜鑒	問候語：敬請 崇安、敬頌 崇祺
啟事敬詞：敬肅者、謹肅者	末啟詞：謹上、拜上
敬語：肅此、敬此	
啟封詞：安啟	緘封詞：緘

提稱語：尊
啟事敬詞：
敬語：肅此
啟封詞：安

提稱語：臺鑒、大鑒	問候語：敬請 台安、順頌 時祺
啟事敬詞：敬啟者、謹啟者	末啟詞：拜啟、頓首
敬語：耑此、特此	
啟封詞：大啟、台啟	緘封詞：緘

(堂)兄/弟
○○
吾兄(弟)
弟(兄)

提稱語：臺鑒、大鑒	問候語：敬請 台安、順頌 時祺
啟事敬詞：敬啟者、謹啟者	末啟詞：再拜、頓首
敬語：耑此、特此	
啟封詞：大啟、台啟	緘封詞：緘

提稱語：惠鑒
啟事敬詞：茲
敬語：耑此、
啟封詞：大啟

※啟封詞用在給全家時，以全福代之。

範例：(堂弟妹→堂兄姐)

淑凡姐臺鑒：
分別至今已近三載，思念之情與日俱增，近年家中事務繁忙，久未請安聯繫深以為歉，待瑣事稍定盼能一見，書不盡意，餘言后敘。
耑此，敬請
台安
妹
姚任祥再拜
二〇一〇年八月六日

一般中式直寫信封：

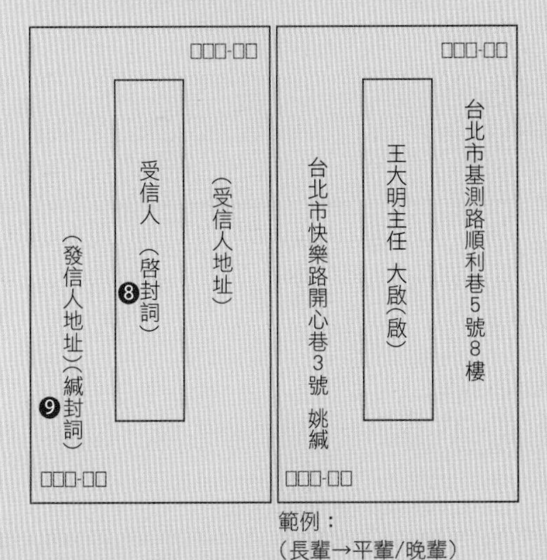

範例：
(長輩→平輩/晚輩)

出家人中式直寫信封：

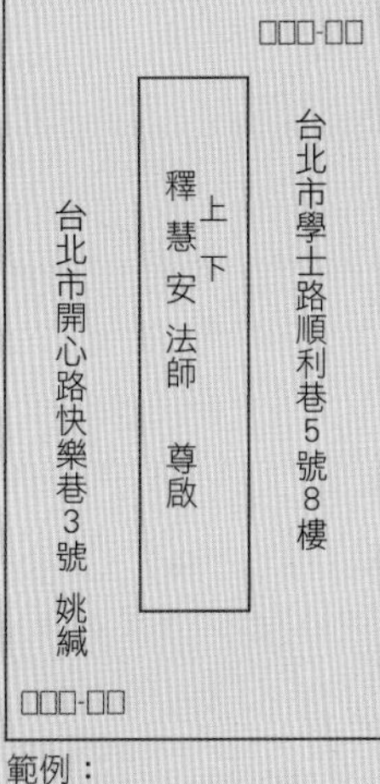

範例：
(○○→出家人)

請託用語範例：

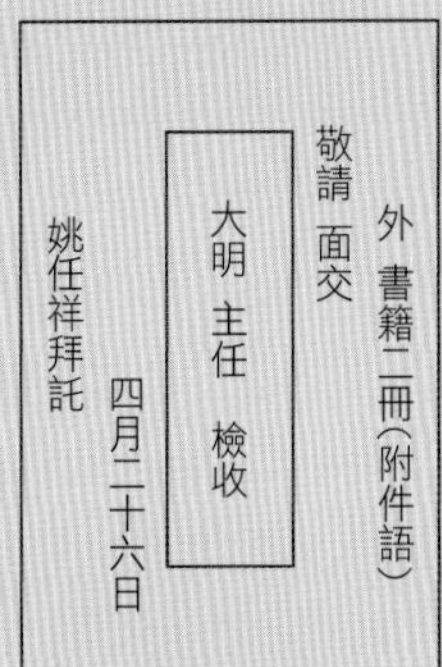

拜託平輩(晚輩)轉交給平輩(晚輩)

○○世伯 擲交
大明 先生 夫人 台收
四月二十六日
姚任祥拜託

請託長輩轉交給平輩(晚輩)

書信禮節

稱謂用語

以前的書信稱為「尺牘」，坊間有些教導書信寫法的尺牘，是很有用的工具書，還有些尺牘分成女子與小孩的呢！但那些古代的用詞，已不適用於現代，我整理了一張家族表，把最簡單的書信格式、收信者正確的稱呼，寫信者的落款與行文表述等，具體的列表出來，並請韓介光老師幫我校正，希望網路世代的孩子有一天要用時，還有個大約的方向可以查詢。這些資料，用現在的眼光看來可能覺得十分生疏，譬如稱自己的丈夫為「夫君」，感覺好像在唱戲；又譬如我給仁喜寫信用「再拜」兩字，他一定會以為我有甚麼要脅的目的。但近二十多年開始流行的「老公」、「老婆」，我則覺得有點輕率、肉麻而刺耳。我最喜歡的是台灣話「牽手」，每次聽到人家説：「這是阮的牽手」，都覺得親切而感動；這個富有感情的名詞是值得流傳的。整理這些資料，只是要給孩子們一個參考，寫信最重要的還是對人表達誠心誠意。總之，提筆寫一封信，永遠會讓收信者感動與欣喜的。

親屬稱謂

稱對方家族：	稱己方家族：	稱對方親戚：	稱己方親戚：
令祖父/令祖母	家祖父/家祖母	令外祖父/令外祖母	家外祖父/家外祖母
令尊、令嚴/令堂、令慈	家父、家嚴/家母、家慈	令姑丈/令姑母	家姑丈/家姑母
令伯(叔)/令伯(叔)母	家伯(叔)/家伯(叔)母	令母舅/令舅母	家母母舅/家母舅母
令兄/令嫂	家兄/家嫂	令姨家丈/令姨家母	家姨丈/家姨母
令弟/令弟婦	舍弟/舍弟婦	令岳/令岳母	家岳/家岳母
令姊/令妹	家姊/舍妹	令姊丈	家姊丈
令夫君、某某先生	外子	令妹丈	舍妹丈
尊夫人、嫂夫人	內子/內人	令表兄/令表嫂	家表兄/家表嫂
令郎、令公子/令媛、令嬡、令千金	小兒、小犬/小女	令表弟/令表弟婦	舍表弟/舍表弟婦
令媳	小媳	令內兄/令內弟	敝內兄/敝內弟
令孫/令孫女	小孫/小孫女	令襟兄/令襟弟	敝襟兄/敝襟弟
令姪/令姪女	舍姪/舍姪女	令親	舍親
令舅/令姑	家舅/家姑	令內姪/令內姪女	舍內姪/舍內姪女
		令外孫 /令外孫女	舍外孫/舍外孫女
		令甥/令甥女	舍甥/舍甥女
		令婿、令東床	小婿
		令表姪/令表姪女	舍表姪/舍表姪女

師友稱謂

稱人：	自稱：	稱對方師友世交：	稱己方師友世交：
太夫子/太師母	門下、晚生	令太夫子/令太師母	敝太夫子/敝太師母
老師/師母	受業、學生	令業師/令師母	敝業師/敝師母
世伯(叔)父/世伯(叔)母	世姪/世姪女	令世伯(叔)父/令世伯(叔)母	敝世伯(叔)父/敝世伯(叔)母
學長(兄/姊)	學弟/妹	貴同學	敝同學
同學	小兄/愚姊	令高足	敝門人
世兄、世台	愚	令世姪	敝世姪

宗教稱謂

稱人：

對出家人的稱謂：先師/法師/師父/〇〇大和尚/〇〇老師太(師太)
對德高望重的出家人稱謂：先法師/大師/上人/〇〇法師/〇〇大德
僧人出家前的妻子：故本二/故故二
對天主教神職人員稱謂：長老、牧師、執事、傳道、都祭司、祭司
對基督教神職人員稱謂：教宗、教皇、(樞機、宗、首席、總)主教、神父、司鐸、修女、修士

僧人自稱：	一般人自稱：
弟子/貧道/拙僧/晚學	白衣〇〇/弟子〇〇/學人〇〇/戒和尚/阿耆黎/上師/禪師
方外	方外

書信遣詞

收到來信

頒來手示，誦悉一切
承賜教言，十分感激
忽得蘭言，欣喜若狂
大札拜讀，敬佩之至
茲蒙惠書，無限感激
昨接雲朵，聆悉一切
得聆教益，如坐春風
得書之喜，喜不自勝

傾訴思念

別來良久，甚以為懷
握別以來，深感寂寞
一別累月，思何可支
海天在望，不盡依依
一日不見，如隔三秋
海天相望，思念切切
離情別緒，耿耿于懷
秋水伊人，懷念不已

祝福詞語

順時納祜，福體增綏
春風藹吉，道履綏和
筆花獻瑞，文祺增榮
威望振隆，動定戩穀
起居叶吉，諸事咸亨
勛聲卓著，輿望崇隆
興居安燕，諸事順適
百務順遂，時祉財祺

謝(餽)贈語詞

拜領之際，感激莫名
承賜厚貺，至感盛情
諄諄忠告，銘感五衷
承賜嘉惠，至深感篆
承贈厚貺，彌切銘感
蒙賜大作，感激不盡
謹奉薄禮，聊表敬忱
謹具菲儀，藉申賀敬

時間飛逝

白駒過隙，寒暑三度
光陰似箭，日月如梭
光陰荏苒，時序頻遷
時光流水，日月飛梭
歲月不居，時節如流
人間歲改，天上星回
歲月易逝，十載一瞬
物換星移，春秋三度

道歉請諒

抱歉之情，莫可言表
多承過獎，不勝慚愧
久未請安，深以為歉
滿腔歉意，寤寐難安
久疏問候，抱歉良深
屢未奉答，歉甚愧甚
夙夜撫懷，殊深歉仄
未能踐約，抱歉良深

禮貌用語

二人見面稱：「你好」、「您好」 （回稱：「你好」、「您好」）
初次見面稱：「久仰」、「幸會」、「如雷貫耳」 （回稱：「久仰」、「幸會」）
久別重逢稱：「久違」 （回稱：「久違」、「好久不見」）
看望他人稱：「拜訪」 （回稱：「別客氣」）
客人到來稱：「歡迎」、「請進」 （回稱：「打擾」）
客人進門稱：「請進」 （回稱：「謝謝」）
敬茶待客稱：「請用茶」 （回稱：「謝謝」）
招待遠客稱：「洗塵」、「接風」 （回稱：「不必」）
望客親臨稱：「蓬壁生輝」 （回稱：「遵命」）
囑客親至稱：「歡迎光臨」、「惠然肯來」 （回稱：「從命」）
陪同客人稱：「奉陪」 （回稱：「不客氣」）
中途退走稱：「失陪」 （回稱：「請便」）
客人歸去稱：「告辭」 （回稱：「怠慢」、「對不起」）
送客出門稱：「慢走」、「走好」 （回稱：「留步」）
與客握別稱：「再見」、「有空多來」 （回稱：「再見」）
受人之賜稱：「謝謝」、「敬謝厚賜」 （回稱：「不謝」）
受人深恩稱：「感恩」 （回稱：「不敢當」）
感救命恩稱：「再造」、「沒齒不忘」 （回稱：「應該做的」）
感德難忘稱：「銘心鏤骨」 （回稱：「不必」）
請人看稿稱：「閱示」、「閱批」 （回稱：「拜讀」）
請人改稿稱：「斧正」 （回稱：「班門弄斧」）
請人評論稱：「指教」、「指點」 （回稱：「互相學習」）
受人益言稱：「受教」 （回稱：「過獎」）
求人辦事稱：「拜託」、「鼎助」 （回稱：「應該」、「照辦」）
請求解難稱：「懇求」、「懇請」 （回稱：「盡力」、「效勞」）
請人回信稱：「敬祈賜覆」 （回稱：「遵囑」）
央人協助稱：「麻煩」 （回稱：「不麻煩」）
麻煩他人稱：「打擾」 （回稱：「沒打擾」）
請人原諒稱：「包涵」、「海涵」 （回稱：「好說」）
望人恕罪稱：「得罪了」、「負荊請罪」 （回稱：「好說」）
謝人致問稱：「多蒙寄聲」 （回稱：「應該」）
贊襄其事稱：「功德圓滿」 （回稱：「辦得不周」）
託人事稱：「借重鼎言」 （回稱：「過獎」）
賀人榮歸稱：「錦旋」 （回稱：「過獎」）
稱人生日稱：「生日快樂」 （回稱：「何勞掛齒」）
獻人年高稱：「齒德俱尊」 （回稱：「年老無用」）
賀人喜慶稱：「恭喜」 （回稱：「謝謝關心」）
自謙禮少稱：「禮數不周」、「不成敬意」 （回稱：「哪裡，哪裡」）
物歸原主稱：「完璧歸趙」 （回稱：「非常感謝」）
借物歸還稱：「奉還」 （回稱：「領收」）
請人解惑稱：「指導」、「賜教」 （回稱：「共商」）
受人教導稱：「茅塞頓開」 （回稱：「過獎」、「哪裡，哪裡」）
請人指路稱：「請問」、「借問」 （回稱：「請講」）
受人稱讚稱：「承蒙垂愛」、「繆承過獎」 （回稱：「哪裡」）
求給方便稱：「借光」 （回稱：「請便」）
自提意見稱：「淺見」、「膚見」 （回稱：「高見」）
詢問籍貫稱：「閣下府上是哪裡」、「祖籍」、「故鄉」、「家鄉」、「老家」
詢問姓名稱：「貴姓」、「請問尊姓大名」、「芳名」(詢問女士)
詢問年齡稱：「貴庚」、「芳齡」(詢問年輕女子年齡)
詢問對方工作：「不知閣下在哪裏高就」、「仁兄目前在何處得意」

外祖父

外祖父
大人

外孫女/外孫

外祖母

外祖母
大人

外孫女/外孫

提稱語：尊前、膝下
啟事敬詞：敬肅者、謹肅者
敬語：肅此、敬此
問候語：敬請 福安、敬頌 福綏
末啟詞：叩稟、敬稟
啟封詞：福啟　緘封詞：緘

輩
叔)
母
姪女

者

請　鈞安

緘封詞：緘

舅父

舅父大人

甥女/甥

舅母

舅母大人

甥女/甥

提稱語：尊前、尊右
啟事敬詞：敬肅者、謹肅者
敬語：肅此、敬此
問候語：敬請 崇安、敬頌 崇祺
末啟詞：拜上、敬上
啟封詞：安啟　緘封詞：緘

姨母

姨母大人

姨甥女/姨甥

姨父

姨父大人

姨甥女/姨甥

提稱語：尊前、尊右
啟事敬詞：敬肅者、謹肅者
敬語：肅此、敬此
問候語：敬請 崇安、敬頌 崇祺
末啟詞：拜上、敬上
啟封詞：安啟　緘封詞：緘

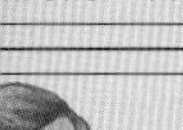

妹夫

妹丈
(妹倩)

姨姊/內兄

：台鑒、大鑒
詞：敬啟者、謹啟者
耑此、謹此
：敬請 台安、順頌　時祺
：頓首、拜啟
緘封詞：緘

朋友

○○
仁兄/姊

妹/弟

提稱語：大鑒、臺鑒
啟事敬詞：敬啟者、謹啟者
敬語：耑此、特此
問候語：敬請 台安、順頌　時祺
末啟詞：再拜、頓首
啟封詞：大啟、台啟　緘封詞：緘

(表)兄/弟

○○
吾兄(弟)

弟(兄)

(表)姊/妹

○○
吾姊(妹)

妹(姊)

提稱語：臺鑒、大鑒
啟事敬詞：敬啟者、謹啟者
敬語：耑此、特此
問候語：敬請 台安、順頌 時祺
末啟詞：拜啟、頓首
啟封詞：大啟、台啟　緘封詞：緘

式：

祖母大人：

孫女自六月八日離台赴美，於九日抵達休士頓，轉眼至今已經一個月了，甚是想念您。目前我已辦妥各項入學手續，一切均安，請勿掛念。遠離家鄉不克在旁晨昏定省。敬 祈

福體康安。

外孫女
姚姚叩稟
二〇一〇年八月六日

範例：
(孫子女→外祖父母)

介光老師函丈：

日子過得真快，一轉眼之間，學生畢業已經兩年，現在是快樂的上班族。在此兩年中，無時無刻不想念到　老師。

老師近來身體好嗎？如今，我已覺察到　老師當年為我們設想的實在是非常周到，至今深覺受用，真令我感懷於心。肅此奉候，

敬請教安

學生
姚任祥敬上
二〇一〇年八月六日

範例：
(學生→師長)

師父尊鑒：

有些人聽老法師講經，認為只念一句佛號，什麼教理都可以不學；瞋心習性很重，沒有堅強的出離心。請開示要如何生起出離心、發菩提心，求生西方淨土？肅此，恭請

福慧無量

弟子
姚任祥頂禮
二〇一〇年八月六日

範例：
(在家佛教徒寫信給出家法師)

母親大人膝下(**稱謂提稱語**)：

敬稟者(**啟事敬詞**)，自拜別　慈顏，思念之情，與日增加，唯願福體安泰。兒五月四日乘車北上，於未時抵達台北，第二日即辦妥各項入學手續，一切均安，請勿掛念。遠離家鄉不克在旁晨昏定省。敬 祈福體康安(**正文**)。肅此奉稟(**敬語**)，敬請

福安(**問候語**)

兒(**自稱**)
姚任祥叩上(**署名末啟詞**)
二〇一〇年八月六日(**日期**)

範例：
(子女→父母)

❶稱謂提稱語：
❸
❹啟事敬詞

稱謂
自稱

問候語
末啟詞

緘封詞

母親

母親
大人

男/女/(或兒)

候語：敬請 福安、敬請 金安
啟詞：謹稟、叩上

封詞：緘

提稱語：
啟事敬詞
敬語：肅
問候語：
末啟詞：

啟封詞：

夫

○○ 夫君
○○ 夫子

妻/妹

提稱語：大鑒、偉鑒
啟事敬詞：敬啟者、謹啟者
敬語：耑此、特此
問候語：敬請 台安、敬頌 時祺
末啟詞：頓首、再拜

啟封詞：敬啟、拜啟 緘封詞：緘

姊

○
姊

妹/弟

提稱語：尊鑒、賜鑒
啟事敬詞：敬啟者、謹啟者
敬語：敬此、謹此
問候語：敬請 崇安、順頌 時綏
末啟詞：謹上、敬上

姊夫

姊丈
(姊倩)

姨妹/內弟

提稱語：台鑒、大鑒
啟事敬詞：敬啟者、謹啟者
敬語：耑此、謹此
問候語：敬請 台安、順頌 時祺
末啟詞：頓首、拜啟

啟封詞：大啟、台啟 緘封詞：緘

妹

○
妹

姊/兄

提稱語：惠鑒、雅鑒
啟事敬詞：茲啟者、啟者
敬語：耑此、草此
問候語：即頌 近好、順頌 時
末啟詞：手書、手啟

啟封詞：大啟、台啟

女

○○
吾女

母/父

稱語：知之、收悉
事敬詞：敬啟者、謹啟者
語：此諭
候語：順請 妝安、順請 閫安
啟詞：字、示

封詞：收啟 緘封詞：緘

女婿

賢婿

岳母/愚岳

提稱語：青覽、青鑒
啟事敬詞：敬啟者、謹啟者
敬語：手此、草此
問候語：即問 近好、順問 近佳
末啟詞：手啟、手書

啟封詞：啟 緘封詞：緘

甥

○○
賢甥

愚舅母/愚舅

甥女

○○
賢甥女

愚舅母/愚舅

提稱語：青鑒、青覽
啟事敬詞：敬啟者、謹啟者
敬語：手此、草此
問候語：即問 近好、順問 近佳
末啟詞：手啟、手書

啟封詞：收啟 緘封詞：緘

中式「直

外孫

○○
賢外孫

外祖母/外祖

外孫女

○○
賢外孫女

外祖母/外祖

提稱語：青鑒、青覽
啟事敬詞：敬啟者、謹啟者
敬語：手此、草此
問候語：即問 近好、順問 近佳
末啟詞：手啟、手書

啟封詞：收啟 緘封詞：緘

簡易感謝函範例：

感謝您熱情參與本公司新產品上市發表會，承蒙高軒莅賀祝福或寵賜厚；尤以高齡長官、長輩、至親、老友，不辭勞累，恭親莅臨，廣添福澤，雲情高誼，至深感篆，謹肅蕪箋，敬申謝悃。
耑此並頌

闔府康泰　平安喜樂

姚 任 祥　謹啟
二〇一〇年八月六日

❷自稱
署名末啟詞
❼日期

生活札記

冬天菜園

探索奇妙的生態密碼

從春天到冬天，我完成了「空中樓閣、酒箱菜園」的夢想。這個夢想的背後，有不少幫手，美珠無疑是最重要的人。她早年曾在我們家幫忙，後來在自己家鄉苗栗「從根做起」經營來來種苗場，做得有聲有色。我開始實驗有機種菜後，每一季都慎重其事的開車到苗栗找美珠，載回一盆盆的嬌嫩幼苗，依著她指導的方法種入我的紅酒木箱中。就是靠著她育好的種苗，我才能完成夢想，享受收成之樂。

一年四季之中，冬季的蟲害最少，蔬菜的種類也最多，十一月開始的一整個月，都適合種植冬季蔬菜，美珠幫我準備了四十多種菜苗：蔥、韭菜、青芹、白芹、西洋菜、菜心、小結頭菜、包心白、大結頭菜、福山萵苣、仙桃牌高麗菜、青牛皮菜、萵苣、蘿蔓萵苣、青花椰菜、白花椰菜、大青花椰菜、高腳芥菜、包心芥菜、大芥菜、毛白、西生菜、芥藍、高麗菜、油菜、山東白菜、圓葉茼、黑芥藍、鳳京白、茼蒿、白蘿蔔、大梅花、青江白菜、香菜、菠菜、紅蘿蔔……。這些菜陸續種下，可以一直吃到過年後呢！

我的冬季菜園，當然還是堅決不用化學肥料與殺蟲劑。我也已經了解，跟著時令種的蔬菜，蟲子其實不多，只有香菜容易被蟲吃光，其他十字花科類「就分給蟲子們吃一點也無妨」，快樂的與牠們共存；就算菜葉被吃了幾個小小洞，心裡也有與眾生共享的滿足。而透過雙手接觸土壤，照顧著菜看著它們成長，那種心情好比重修一堂自然與健康的生活課程。

雖然報章雜誌不斷的報導蔬菜的農藥問題，但能親手種植，實際跟蟲蟲作戰，觀念才能更根深蒂固。所有農作物的天敵，除了氣候就是蟲害，蔬菜因為葉子嫩，蟲害的情況更嚴重；現在我們買到的各類蔬菜，菜農的心力與成本可能有百分之五十以上都是用於抵抗蟲害。以前我好喜歡美麗的蝴蝶，親自種菜後才知道，牠們的幼蟲原來都藏在菜園裡吃嫩葉。種了菜後我也會反問自己：在人類的生活裡，真的能完全避開農藥與化肥的種植嗎？很悲哀的是，很少有人幸運的每天只為自己吃下去的東西把關，難怪上帝創造人類時，身上某些器官必須用於排毒！我們必須好好保護這些器官，不要過分增加它們的負擔，免得不堪負荷而失去運作功能。所以，菜買回來一定要勤加沖洗，也要盡量回家吃飯，因為外面的餐館沒有人會幫你仔仔細細的洗掉農藥。我甚至跟孩子說，如果必須在外面吃飯，點菜的原則是情願少點蔬菜。

「有機」兩個字，定義可大可小，每個國家的定義也不完全一樣；像美國那樣發達的國家，連「微生物殺蟲法」也列在有機範圍呢！相較之下，台灣的有機農業認定是不允許使用合成化學物質，當然更不能使用任何藥物，尺度比美國還嚴格。

蔬菜的選購，當然以有機農業生產的最為安全，但三年的休耕、輪作、只用生物防治法與使用有機堆肥等等，耗費的成本不是一般人可以消費得起，不容易成為市場主流。農人為了殺蟲，不得已要用農藥，但有良心的農人，會遵守政府規定，於噴灑多天後採收，經檢測單位認證後才上市，所以我建議孩子們買菜時最好能採買有政府定期檢測的蔬菜。台灣的認證單位很多，MOA、TOAF、TOPA等是有機認證，CAS則是農委會認證的優良農產品。

台灣政府的農業單位，在農藥把關方面做得很成功。東南亞各國之中，我相信台灣的農產品是最值得信賴的，因為其他地方不像我們有定期抽檢的機制；如果查出過多的農藥殘餘，甚至可以查出是哪位農民種的。這種管理機制，主因之一是台灣自一九五三年開始施行耕者有其田政策後即為小農制，農民種菜的面積大多只有兩、三分地，跟美國十個人管理兩百公頃的蘋果園大不相同。就因農地小且教育普及，台灣的農民都很會種菜，把自己的菜園當幼稚園一樣的細心照顧。但是憑良心說，台灣的蔬菜價格比起其他的生活必需品而言，價錢的確不高，要農民有更高的意願生產有良心的蔬菜，需要整個社會的民眾明白其中的困難度，肯定農民的辛苦才行。

台灣各地的農會，在教育與行銷方面扮演著重要的角色，才能將這個複雜的產銷機制管理得這麼好。再加上台灣農民吃苦耐勞、精於研發的精神，發展出少見的「精耕」農業，早年就有許多農耕團到其他國家協助種稻種菜種水果。尤其是許多非洲國家土壤貧瘠，無法種出作物，台灣的農業改良人員不但能教導當地農民改善土質，並能參考當地的溫度溼度，教導他們栽培適合生長的植物。這種農業外交，也讓台灣的農業技術舉世聞名。

台灣農業還有一個很特殊的寶，即成立於一九七一年的「亞蔬——世界蔬菜中心」；是一個非營利性的世界組織，位於南台灣的台南市善化區。這個無國界組織是全球的公共財產，專門研究與開發各類蔬菜，並致力於協助開發中國家進行蔬菜生產、消費與飲食教育。根據該組織的調查統計，世界上有十一億人屬於營養過剩，有八億三千萬人處於飢餓狀態，二十到三十五億人則營養不良；更令人難過的是，每天有四千個小孩死於微量元素不足；蔬菜就是微量元素的主要來源。一個人一天需要二百四十克蔬菜，也就是常聽到的三至五份蔬菜量。「亞蔬」多年來致力於品種的研發與種系的保存，成績最為卓著的是蕃茄種系的研發。台灣目前有十四種蕃茄，出自「亞蔬」研發的即有十一種，且能分別在不一樣的氣溫下生長。其中的黃金蕃茄，營養價值高於一般蕃茄的三到六倍，造福農民與百姓，學術研究的成積令人振奮。

同時，由於地球氣溫的改變，有環保概念的人都意識到人類可能面臨植物滅絕的危機，遂於一九八三年成立了Svalbard Global Seed Vault，在挪威的北極地區挖了一個四百米的地下隧道，作為保存種籽之用。而在最初埋放的七千三百類種籽中，有四分之一來自我們善化的「亞蔬」。世界上極少這樣重要的研究組織，「亞蔬」實是台灣人的驕傲。

我去參觀「亞蔬」時，當然也請教他們如何與蟲蟲作戰。他們的方法之一是利用黃昏昆蟲交配的時間大量澆水，以減少牠們產卵的數量；之二是以Sex Pheromone 法控制昆蟲產量；之三是利用顏色吸引蟲子到黏膠板上或利用亮度讓蟲子不喜歡靠近；此外還有搭建網室、利用強風吹走植物上的幼蟲等等方法。在「亞蔬」的很多研究中，有些還一定要農藥才能進行呢。我也發現，除了Sex Pheromone方法不甚熟悉，其他的方法和我對付蟲蟲的方式其實差不多。台灣位處亞熱帶，病蟲害的種類眾多且繁殖快速，對抗蟲蟲是人類要持續面對的，也真是一個沒完沒了的修行呀！

「亞蔬」的實驗中，還包括保存土壤養分的方法。他們踏實的利用輪耕制，以一年稻米或豆類的輪植，保存土地自空氣中吸收的氮，並利用堆肥的方法，得到天然的磷與鉀；這三樣都是增進土壤肥沃的基本養分。不過，有機的除蟲與保存氮磷鉀的原則說來簡單，真要徹底執行則仍有很多困難。主要是消費者已經慣於多重選擇，農人面對市場的需求很難兩全，也因此土地無法輪耕休息，久而久之土壤逐漸貧瘠，只好階段性的施用化肥增加產量。

此外，基因改良作物也是最近幾年大家很關切的問題。在台灣，我們雖然沒有吃到什麼本地生產的基因改良作物，但為了預防有朝一日糧食不足，GMO的基因改造仍然必須提早研究與建置，因而「亞蔬」也致力於蕃茄與青花菜的基因研究。我參觀了重重隔絕，成立了五年的基因改良專區，不得不憂心人類不知何時會真的面臨糧食不足的險境！

其實，我們現在已經每天攝取很多基因改良的進口食物而不自知；譬如玉米與大豆，我們完全仰賴美國大宗進口，其中約百分之八十都是基因改良品；它們變成我們的炒菜油，也變成我們的畜牧業飼料。不過我們也不必聞基因而色變，因為GMO的技術已有很多安全方法，應該不致危害人體。我想，一個人除非住在山裡自給自足，否則，跟農藥一樣，我們很難不吃到基因改良的食品。

參觀「亞蔬」之後，我更體會了中國人有著得天獨厚的飲食傳承。西方人吃蔬菜只會當成生菜吃，非洲人則把蔬菜搗成泥沾麵包吃，但我們多麼幸運，有種類繁多的蔬菜，也有各種口味的料理方式。就以我小小的有機菜園來說，春天種了三十種蔬菜，夏天種了十種，秋天的芽菜十五種，冬天更多達四十二種，加起來有近百種之多。種植經過雙手與土壤的對話，你可能探索出一個奇妙的生態密碼，從而得到正確的採購與飲食的新概念。

十字花科的栽培——芥菜、菜心、結頭菜

冬天的十字花科菜中，芥菜類與菜心等，是中國人最擅長處理的，比如：

芥菜

芥菜栽培。芥菜分成葉用芥菜、莖用芥菜（如榨菜）和根用芥菜（如大頭菜）三大類。莖用的我種過，但因為氣候不對，沒長成功。根用的我沒有土地嘗試，所以我只能對葉用芥菜提出我的經驗。

葉用芥菜等於刈菜，因為加工的與新鮮的長年都可吃到，所以又名長年菜。

我種過四種葉用芥菜，這些成熟後都可以炒來吃，或是跟湯一起煮。如果不先汆燙會有苦味，但我們家有些菜要的就是這種苦味。談到要醃製，一律用鹽來醃製，各地的醃製菜都靠溫度與時間，發酵或不發酵，濕的或乾的成為傳承的來源。這些芥菜之間，還是有些特定的分別：

高腳芥菜：這品種葉子多，梗不多，適合做成梅乾菜。收成後曬一下，用鹽搓一下，放到容器中蓋起來，到溫度比較熱的地方，等顏色變黃了，就可以拿起來等有太陽的時候曝曬，最後捆起來，就是梅乾菜。因為葉子多的特性，特別可以跟有油的肉類一起煮。梅菜扣肉、三層肉等都是自古以來的最佳搭擋。

大湖芥菜：這品種梗多，也可以稱為肉多，可以經的起跟水久煮，所以最常是用來煮湯，煮越久越好吃。收成後曬過，灑鹽，用石頭壓，看溫度，溫度熱一點，變黃的快一些。變黃後等有太陽的時候曝曬，曬的七八分乾，塞入瓶子，不留一點點空隙保存，這是全世界少見的保存方式，可存放一兩年，是客家人的保存方式。要吃用鐵勾勾出來。最有名的菜是卦菜雞。

小芥菜：又叫雪裡蕻，這種菜是直接撒種子，不會有育苗的過程，長出八九公分，就摘下來，用鹽輕輕按摩，放入容器，可以用重的東西壓一下，一天就可以吃。吃的時候用煮過的水洗去多餘的鹽味。這不是可以長久存放的，我自己大約一周會吃完。最有名的菜是雪菜百頁、雪菜毛豆，加點辣椒，吃起來提味，下飯。（台灣很多人會用油菜或是葉蘿蔔做一樣的醃製法，也稱為雪裡蕻）

包芥：顧名思義，此種芥菜會包起來，有心，肉又厚，因為有心，肉很厚，抹鹽放缸裡面，會變酸，不用曬是濕的。放久了水上會有些霉菌。我們家也會把包芥汆燙，與干貝一起炒。台灣有一句諺語：「六月芥菜，假有心」，講的就是夏天收成的包芥，雖外表豐碩，菜的中央內心不會像冬天收成的有芥菜心。聽老家人說，早年沒有甚麼品種之分，芥菜收成後曬了就醃，即成鹹菜或酸菜，若再清洗放稻草上曬，再醃並不停的翻覆，七八分乾入瓶，等一陣子就成了福菜（覆菜），不完整的葉片才去曬成梅乾菜。

菜心

菜心並不是指某一種菜的心，我問半天，才知道在台灣這個菜的名字就叫菜心。這種菜分成三部分在市場上賣，很少看到全株的。這個菜只有冬天有。

上段，會開黃色的花，把接近黃色花的那部分，帶一點點葉子摘下來，這部分叫衝菜（嗆菜）。乾的鍋子抹一點點麻油，把切碎的衝菜放下去，快炒一下，不熟也沒有關係，立刻裝入罐子裡，我們還會把罐子顛倒放，都不要開蓋子，放冷，再放冰箱，兩天打開來，就成了衝嗆到頭頂的衝菜，可放一陣子。吃的時候可以加一點點糖，醬油，醋，一旦加了糖，馬上就不衝了，變成配飯配麵配稀飯的極品。

中段，有人拿來煮湯，我們家會做成㸆菜，汆燙後，放入醬油、冰糖、白醋，浸一下，然後用大火煮開後改以小火悶煮，收乾水分的意思，這菜是吃冷的。很多人在過年期間，會吃這段一部分，又叫長壽菜。

下段的莖部，把外面的皮削掉，切成一塊一塊的，用鹽抓一下，用煮過的水洗去鹽，瀝乾。把對等比例的米酒、醬油、白醋、糖在火上煮滾，待全部冷卻後，拌入，即可裝罐放冰箱，這就是市面上看得到的菜心醬瓜。

結頭菜

這菜是涼拌用的，靠切的刀工來表達脆爽的口感。有切滾刀塊的，有切或削成薄片的，可以用鹽抓一下，用煮過的水洗，瀝乾水分。涼拌依個人喜好，可放入大蒜、薑、蔥、辣椒、糖、黑醋、香油等涼拌，最後放上一點香菜。

2005
CONCHA y TORO
2005
2005
CONCHA y TORO
2005
2005
2005

2005

我的廚房

灶神

灶神俗稱「灶君」，其全銜是「東廚司命九靈元王定福神君」，又稱為「護宅天尊」。相傳「灶神」是上天派到每一戶人家，專司記錄每一家的善惡行為，並且於農曆的十二月二十四日要離開人間，返回天庭向玉皇大帝述職，所以這一天要「謝灶」，我記得我們家並沒有隆重的儀式，但會把蜂蜜或糖水塗到爐口上，希望「灶神」能向玉皇大帝說些甜蜜的好話。此外又有「官三民四旦家五」，這是說做官的人會選在十二月二十三日謝灶，要比平民提早一日向灶君說盡好話；平民百姓在十二月二十四日、水上人家則選擇在十二月二十五日做謝灶儀式。相傳灶神每年的正月初四會再回到人間，所以這一天為「接灶神」的日子。

鍋碗瓢盆爐

《呂氏春秋》品味篇云：「凡味之本，水為最始，五味三材，九沸九變，火為之紀，時疾時徐，滅腥去燥除羶，必以其勝，無失其理。」中國人並把柴米油鹽醬醋茶列為開門七件事，位居第一的柴就是火；學會掌控火候，離會燒菜就不遠了。

我們用火煮食的方法繁多，古時稱的炮即為燒、炙即為烤，還有燴、燉、灼、爛、炊、熗、炒、烘、烙、炸、煨、燜、焗，以及加了水的燙與煮、滷、燻、蒸等。火的大小快慢，造就了烹調食物的藝術。

中國菜一定要用火，近十餘年國外一家家的廚具店在台灣開張，動輒上百萬的廚房，我總很遺憾沒有一口對的中國火；什麼電爐、電磁爐，用起來就覺得彆扭。早年台灣廚房的主要燃料是木柴、木炭、煤炭，幾口大小不一的灶與爐，就能燒出一桌好菜，甚至在婚宴或大拜拜時辦桌請人吃流水席。現在的瓦斯爐、棒棒爐、快速爐用煤氣，且都分成不同孔口的爐火，當然比以前方便得多。我那位很會燒菜的阿姨，她的廚房就兩口對的火，也從不用微波爐。這些實證告訴我們，燒菜煮飯，最重要的就是要用對的火！

我非常喜歡不一樣的爐火，總有可以端上好菜的預兆。圖片中的炭窯，是講究傳統食法的天罈餐廳老闆研發的；台灣早期的鍋爐，是特別請鐵工師傅打出的迷你模型；燒柴的灶則是稍做改良以水泥灌出來的。有一種氣鍋砂鍋，專門燉湯用的，只需要加一點點水，卻可以燉出一鍋的湯來呢。

圖片中還有各種鍋碗瓢盆與做糕點的印模，有些是向朋友借來拍攝，有些則是旅行到各地，向當地老婆婆借來拍的，很多都是古董了。我拍的時候沒有時間多撫摸與細看，回家看到照片後才想起，老婆婆的廚房裡一定有不少有趣的故事呀，我怎麼忘了多問問呢！

碗

用

盤

瓢

糕餅模

冬
火鍋宴

冬天最快樂的事就是跟一群好友們吃火鍋，我安排了一場別開生面的火鍋宴，在梅花與蠟燭的光影下，讓這個熱鬧的聚會，變得優雅、盡興與美麗。

温泉藥浴

人的身體出現痠痛，一定要設法紓緩，泡澡無疑是其中的好辦法。歷史上有很多有名的浴池，如唐朝楊貴妃的華清池，羅馬浴池，都是靠著熱水改善身體的血液循環。

温泉是自地下湧出的泉水，温度在特定的範圍內，水質必須符合温泉水質的標準；洗温泉可以促進血液循環，也可治療身體疾病。台灣北部的北投、陽明山地區，南部台南市的關子嶺地區，南部屏東縣的四重溪地區，東部台東縣的知本温泉，是最有名的五大温泉區。根據統計，台灣全島的温泉大大小小超過一百二十多處，洗温泉可説是我們的生活文化之一。

温泉的水質，主要分成氯化物泉、碳酸氫鹽泉與硫酸鹽泉。温泉池的設計，一定要有窗戶，一方面方便空氣對流，另方面也可於浸泡時欣賞戶外的庭院景緻或遠處山色，體會怡情養性與寧靜之美。有一位常泡温泉的長輩告訴我，洗完澡後，不要一下子跳進温泉池，要先泡至膝蓋以下，再逐漸泡到腹部，最後泡到肩膀；而且不可以泡太久，需要讓氣休息一下。此外，泡温泉最好不要講話，以靜態的身心浸泡，效果會很好。

中國自古以來常用藥浴治療身體，即在泉水中加入中藥，更可改善身體不適的現象。此外，熱敷的效果也很好。譬如治療痔瘡，有一帖辛大夫的藥方：銀花（三錢）黃芩（三錢）大生地（四錢）連翹（三錢）敗醬草（三錢）川芎（三錢）當歸（三錢）地榆（二錢）可分成十次用；比如治療腳踝扭傷，也有一帖有效的藥方：透骨草（一兩五錢）伸筋草（一兩五錢）千年健（一兩五錢）紅花（一兩）桃仁（一兩）兒茶（一兩）川椒（一兩）大青鹽（三兩）川芎（一兩）可分成十次用，這種泡腳的台灣檜木桶，常在台灣的家庭看得到。這兩帖都是針對患處浸泡，也算是一種藥浴。曬乾的艾草可以水煎成洗劑，或取多量磨碎裝入紗袋丟入熱水中浸泡，艾草具有排毒的功能，對於皮膚類疾病有效，老人家説還可以驅邪與害蟲呢。還有一種是在熱水中加入一瓶米酒，加速身體血液循環，藉著大量出汗排除體內的酸性物質，達到去除疲勞的效果。不過浸泡時最好有家人在，以免有些人的體質反應過度，造成心臟不堪負荷的意外。

中國人也喜歡用薑、蝦夷蔥、竹葉、麻黃、荷葉與一些辛辣如胡椒的食材泡澡，無非都是利用刺激的原理促進血液循環。肌肉出現痠痛時，通常是表示過勞，需要休息，不管泡的內容物是什麼，泡澡的確是讓肌肉鬆弛的最好方式。

放藥的櫃子，幾乎每個家庭都有，從小到大開開關關那個櫃子，也讓我們學會在什麼時候要用什麼藥。就算長大出國，一些常用的備藥，也一定會隨身攜帶。台灣早期有一種個人藥局的服務，在偏僻的鄉村或山裡的人家掛個藥袋子，裡面放著退燒藥，腸胃藥，以及治療外傷的膏藥等等，而且還會到每一家定期檢察，看看藥物是否過期，予以更換或增補。看起來，這真是一個很有人情味的服務呢！

我向「森CASA」家具公司借了他們牆上的櫃子，擺放上的是一些典型中國人常用的備用藥品，拍攝了這一張藥櫃子照片，其中有很多成分不明的藥物被台灣當局列為禁藥，但好像從上一代用到這一代，一直不加思索的繼續用下去。譬如雲南白藥，成分有田七、冰片、散瘀草、白牛膽、穿山龍、淮山、苦良薑、老鸛草，可能某些藥物的成分有毒，殊不知它也很有效；我可是用那一粒小紅藥丸，救回被車子撞到失血過多的狗兒呢。—— 有時候，在成分不明與歷史悠久間，我還是相信後者呢。

中醫認為經脈絡脈為氣血循環五臟六腑、四肢百骸的路徑，我把最常聽到的任督二脈與十二經脈、氣血注入經脈的時間表、五行對應等一併繪出來，可以配合時段安養內臟。有一首歌訣可以幫助背誦：「肺寅大卯胃辰宮，脾巳心午小未中，申膀酉腎心包戌，亥焦子膽丑肝通。」若能活用中國人的陰陽五行説，

瞭解相生相剋的道理，應用於食物的五色五味等營養學，配合中醫的建議，可以為自己設計一套合于時宜的養身生活法則。

運動，這是現代社會最時興的話題。凡是人，就要動，如果持續一個姿勢不動，久了一定會出問題的。每次我去看醫生，醫生像開了錄音機一樣的，不斷的警告我要動，要動！年輕的時候，沒有停下來的動，很少去想這個動該怎麼動。大概七八年前，有一天我送孩子上學，半途需要到個店去拿東西，因為交通混亂，時間又很緊迫，我把車停在五百公尺外，心想跑過去就可以。誰知心裡急，又想使勁的快跑，兩條腿突然不聽使喚，膝蓋竟然軟下來，跌在地上啦！

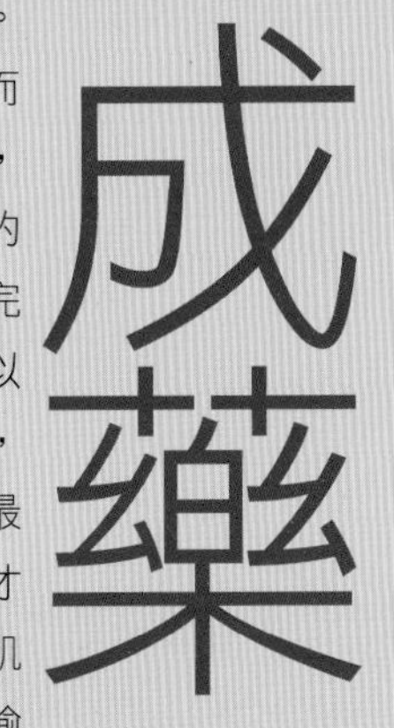

我不相信自己已面臨不聽使喚的窘境，遂發奮圖強，決定要「動」，於是開始游泳。但也只在瑣碎的時間內進出泳池，而且沒先暖身就像趕集一樣的跳下去，僵著身子游。又因為生活緊張，游的時候不斷的思考往下必須進行的，完成的種種事情……。幾年下來，自以為動到就好啦，但是動的方法不對，對於肌肉，無疑又添上一層疲憊。最後花了很長的時間進行各種療法，才漸漸恢復。我於是明白，每個人的肌肉結構是不一樣的，不能看別人的瑜伽能做大貓式，自己也跟著做；說不定最後會傷到自己變成一隻臥貓呢。不過，一旦上過類似瑜伽的課程，則不能停止，一定要持續做下去。此外，要明白肌肉佔全身最大的面積，當肌肉僵硬，壓到神經，那種痛是跟人叫苦也沒有人救得了的。中醫也一再強調，人老從腳開始，如果長期坐著，不但腳會先出現毛病，坐著坐著還會胸口突然悶悶的，頭重重的；對於這一切，醫生都只能搖頭說：要動，要動呀！

但是要動也要循序漸進，不能讓自己跟雜誌上的體育健將相比，必須理解自己各部分肌肉是否協調，從柔軟的慢動作開始；不要像我那樣以為僵著肉游泳就算動到了。

翻開我們老祖宗的運動建言，都是緩慢持續才不會傷身。比如最簡單的配合提肛收腹動作的「蹲馬步」或是「甩手功」等，都是安全且效果良好普及於民間的養身運動。我參考了《太極拳道詮真》、《四十二式太極拳》、《中國太極推手》、《太極推手技擊傳真》、《四庫全書養身術》等書，繪製了「八段錦」、「太極導引」、「綜合太極拳」、「立功」、「坐功」、「臥功」、「導引按摩」與主要穴位的圖說，這些可都是源自於我們的老祖宗。不要以為緩慢不見力道，正確的做一趟下來，流的汗跟跑步一樣多。這些拳術或武術，除了讓人流汗，也講究配合呼吸的吐納法及氣功的運用；各類導引之術也已跳脫了簡單的運動，進而達到預防醫學的層次。中國歷代文獻對氣功與養身有太多值得參考的論述，舉例如「丹田呼吸」、「九節佛風」的保健或是「六字訣」治病的記錄，「六字訣」在治病時很管用，以口輕唸，不要發出聲音，並要儘量一次次延長唸字的時間，隋代高僧智大法師所著《修習止觀坐禪法要》書寫道：「但觀心想，用六種氣治病者，即是觀能治病。何謂六種氣，一吹、二呼、三嘻、四呵、五噓、六呬。此六種息皆於唇口中，想心方便，轉側而坐，綿微而用。」「六字訣」的歌訣是：「心配屬呵腎屬吹，脾呼肺呬聖皆知，肝臟熱來噓字治，三焦壅處但言嘻。」明代著名醫學養生家龔廷賢所著《壽世保元》中載道：「以呼法而自瀉去臟腑之毒氣，以吸氣而自采天地之清氣補氣……吸則一而已。呼有六者，以呵字治心氣，以呼字治脾氣，以呬字治肺氣，以噓字治籲氣，以吹字治腎氣，以嘻字治膽氣。此六字訣，分主五臟六腑也。」我們在練習的時候，咬字要注意，比如噓字氣要從唇出，嘻字氣則從舌出。以鼻呼氣要注意深、慢、細、長、勻的法則，這些簡易的氣功運動，自古一直流傳到今天，是很多人的保健治病的方法。想想看，幾千年前的養身方法，到今天仍然適用，老祖宗教我們的是隨時隨地，由內而外的動，根本不需要繳月費上健身房吹冷氣做運動。

不要懷疑，持之以恆，中國人最好的東西就在自己家裡呀！

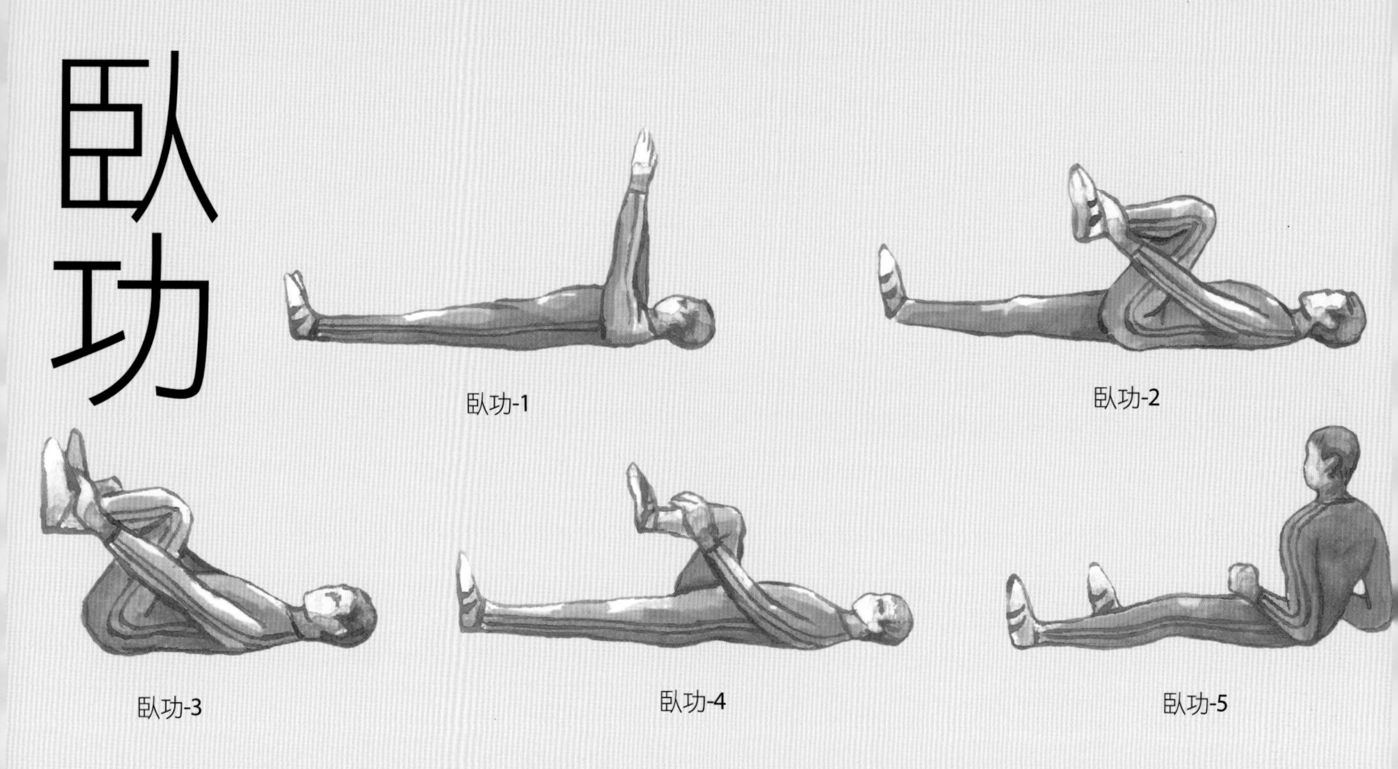
臥功
臥功-1
臥功-2
臥功-3
臥功-4
臥功-5

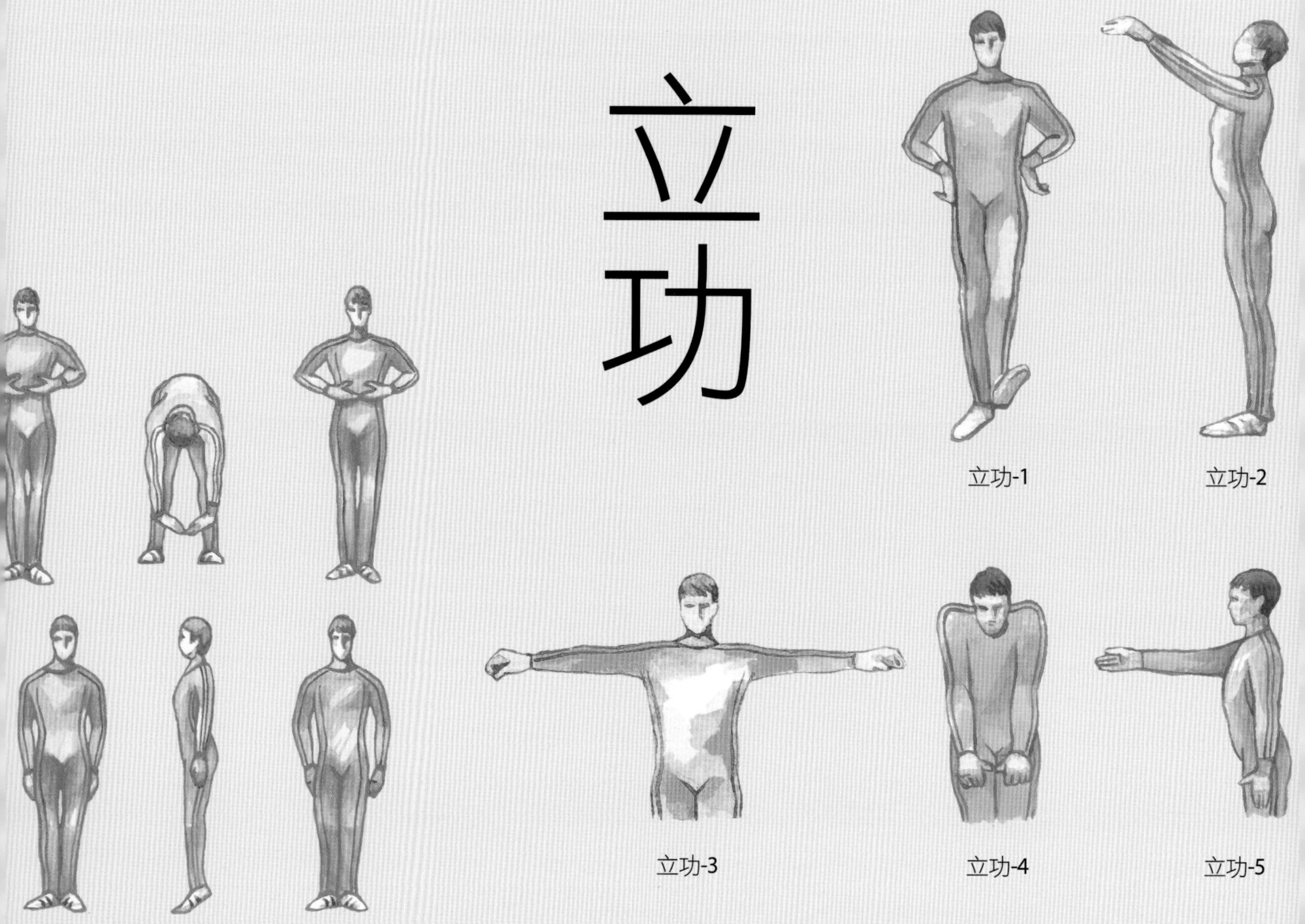
立功
立功-1
立功-2
立功-3
立功-4
立功-5

八段錦

1 五勞七傷往後瞧

2 兩手托天理三焦

3 調理脾胃單臂舉

4 左右開弓似射鵰

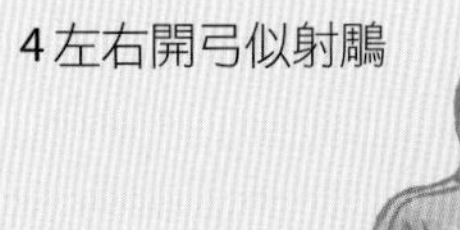

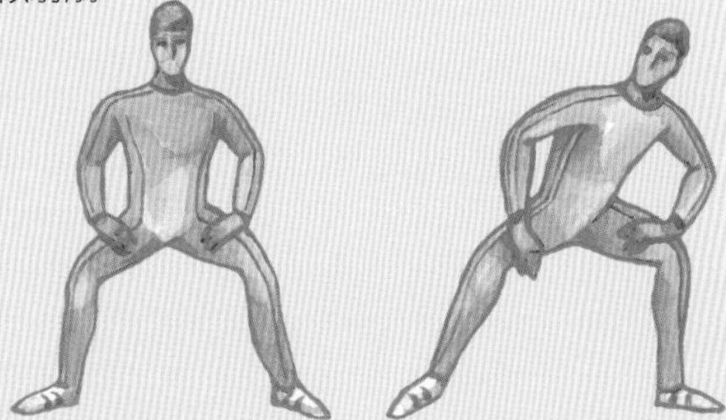

5 搖頭擺尾去心火

6 兩手攀足固

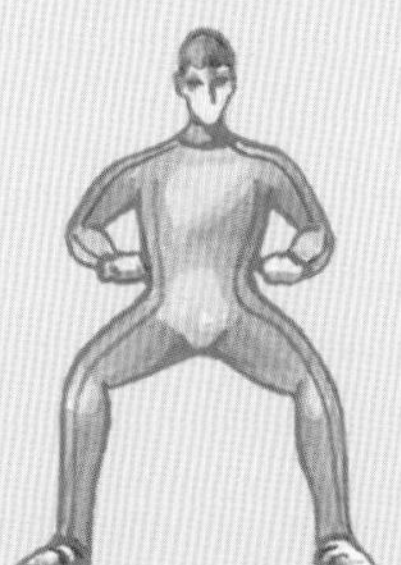

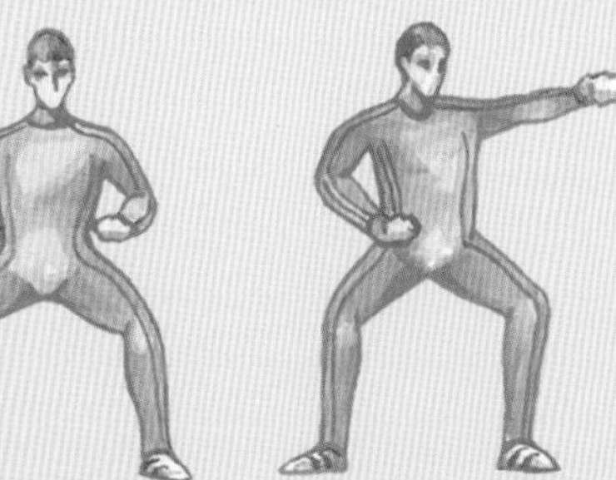

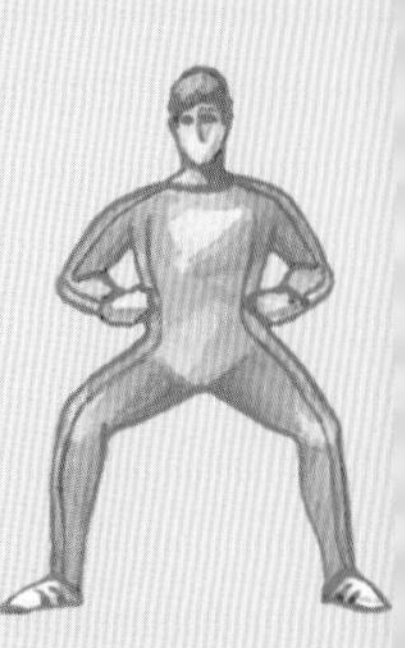

7 攢拳怒目增氣力

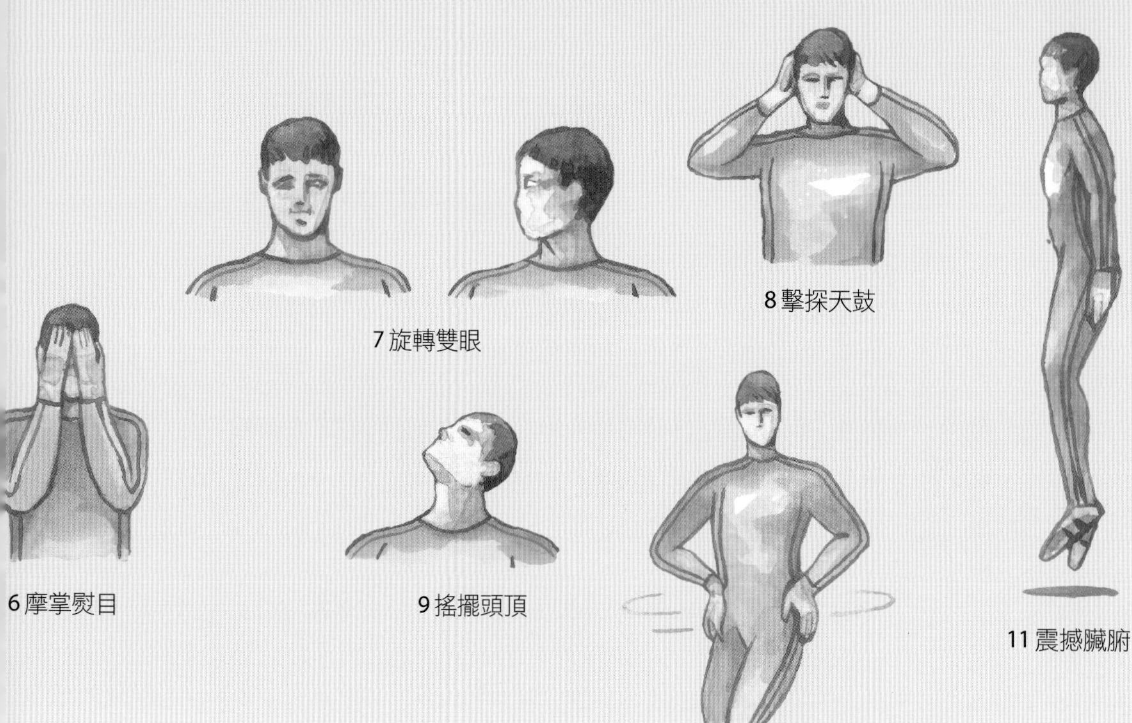
6 摩掌熨目
7 旋轉雙眼
8 擊探天鼓
9 搖擺頭頂
10 環轉帶脉
11 震撼臟腑

鑒真 吐納術

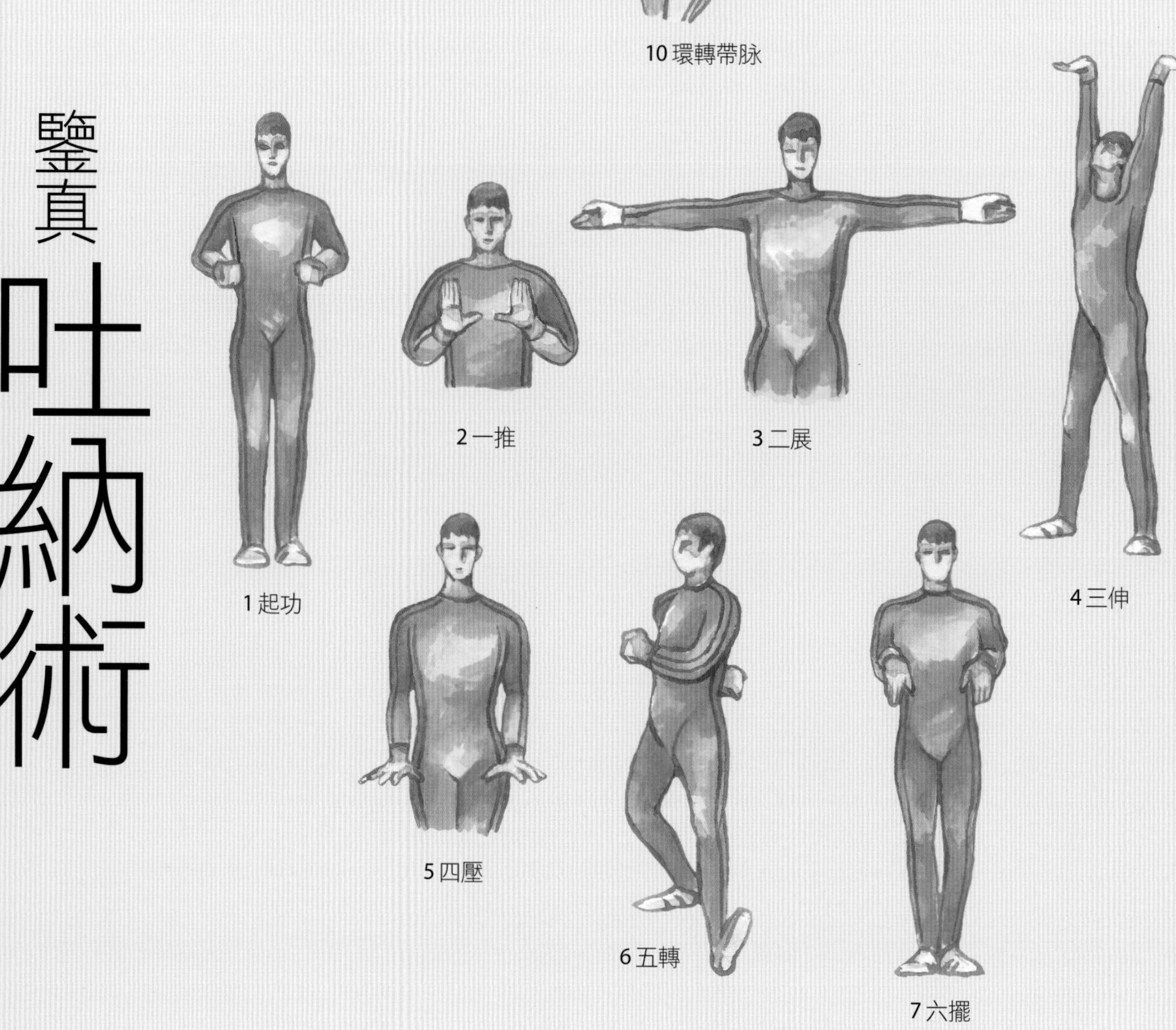
1 起功
2 一推
3 二展
4 三伸
5 四壓
6 五轉
7 六擺

導引按摩法

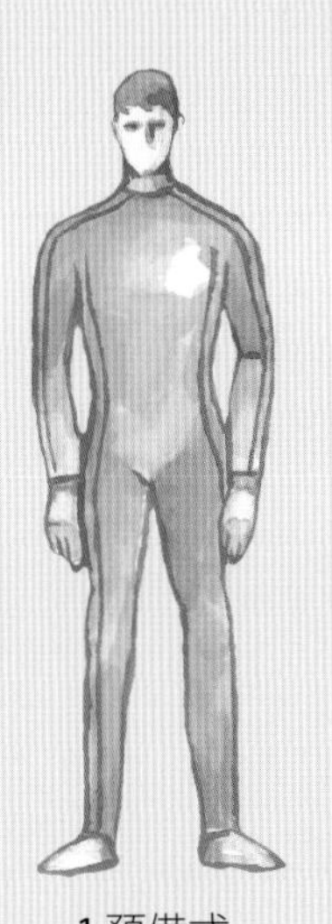
1 預備式

2 搓手浴面

3 擦胸揉腹

4 按摩腎俞

5 手浴肢體

坐功-1

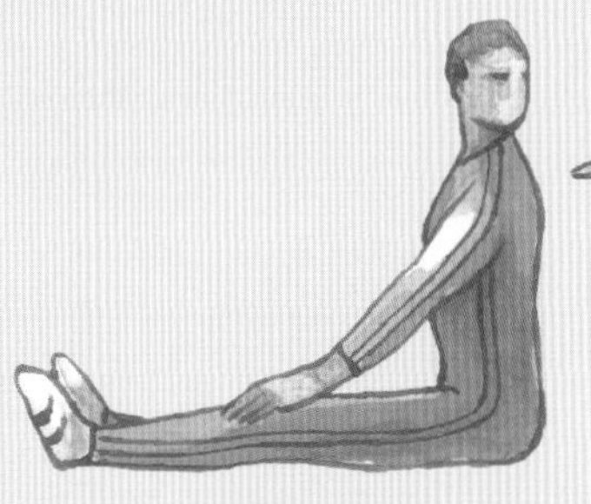
坐功-2

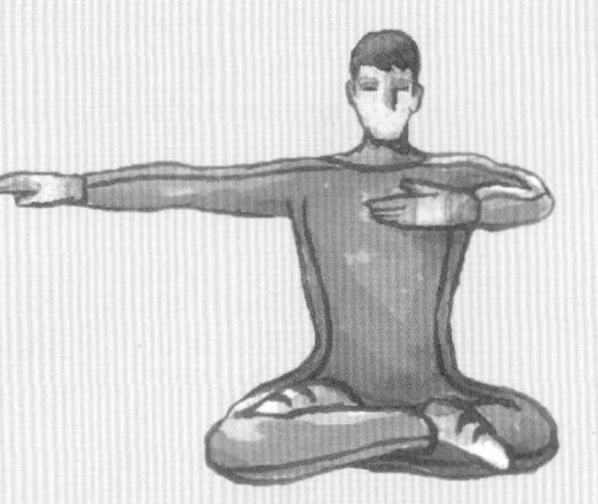
坐功-3

坐功-4

坐功-5

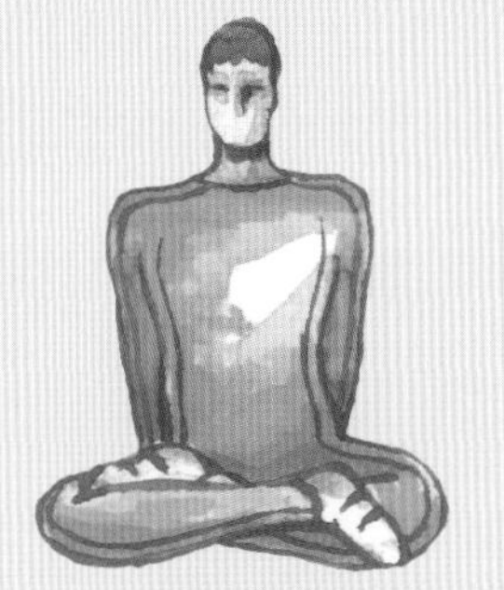
坐功-6

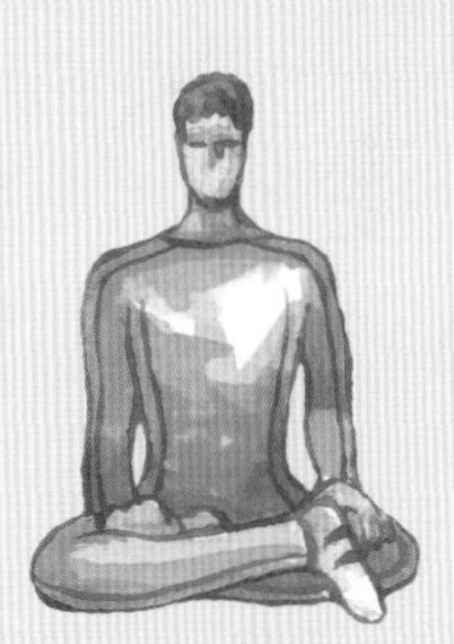
坐功-7

坐功-8

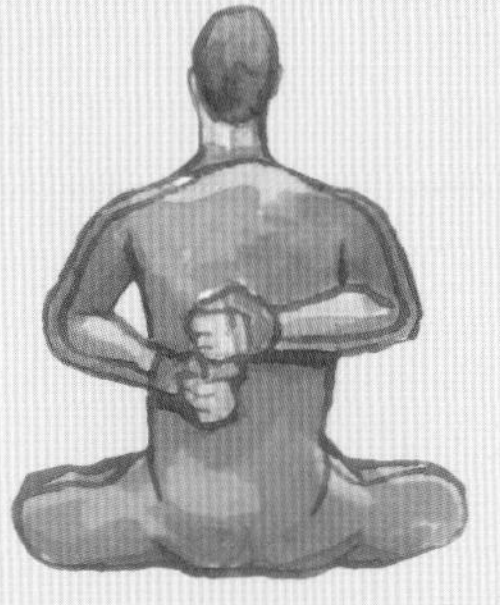
坐功-9

坐功-10

坐功

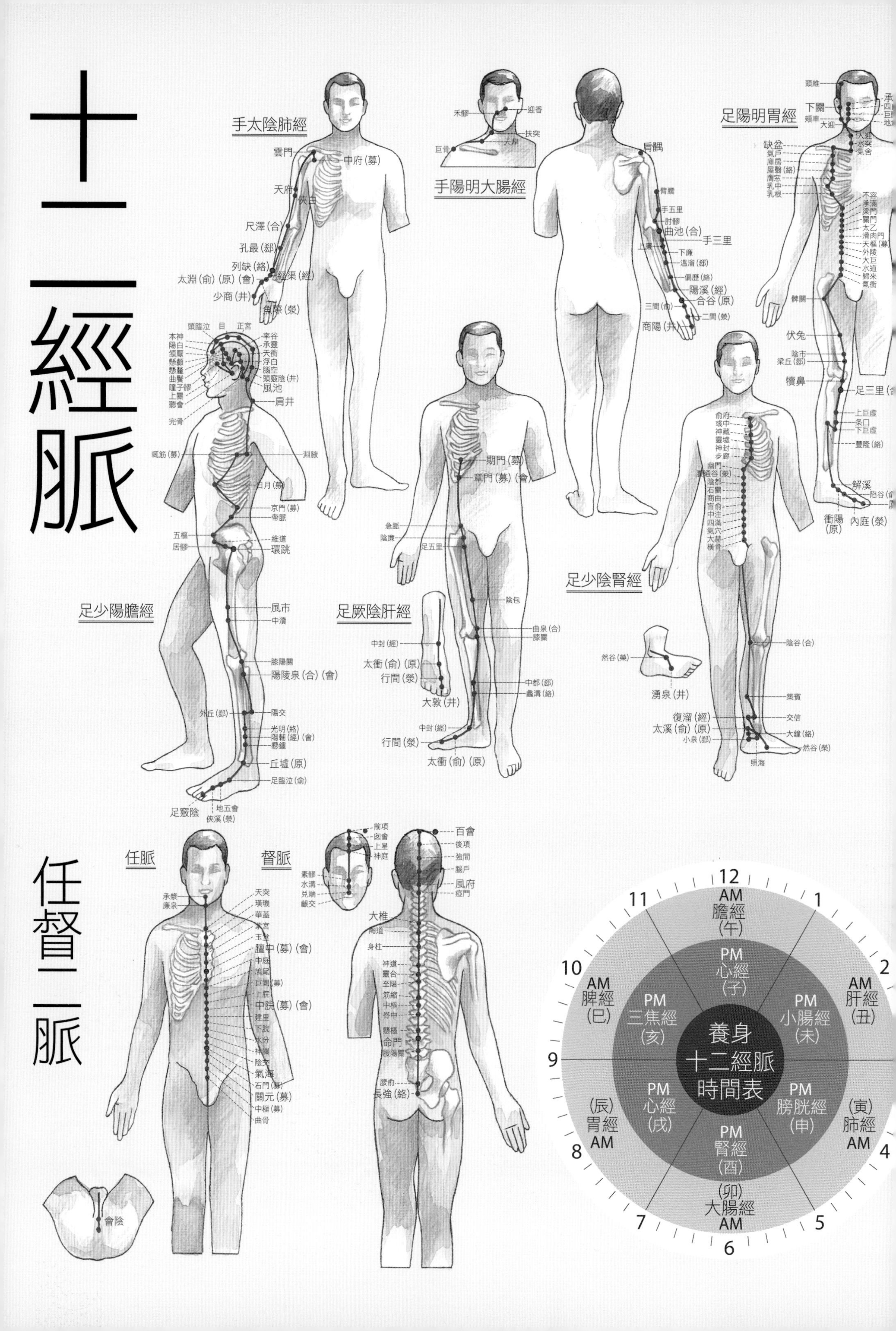

十二經脈
手太陰肺經
雲門
中府(募)
天府
俠白
尺澤(合)
孔最(郄)
列缺(絡)
太淵(俞)(原)(會)
經渠(經)
少商(井)
魚際(滎)
手陽明大腸經
迎香
禾髎
扶突
天鼎
巨骨
肩髃
臂臑
手五里
肘髎
曲池(合)
手三里
上廉
下廉
溫溜(郄)
偏歷(絡)
陽溪(經)
合谷(原)
三間(俞)
二間(滎)
商陽(井)
足陽明胃經
頭維
下關
頰車
大迎
人迎
水突
氣舍
缺盆
氣戶
庫房
屋翳(絡)
膺窗
乳中
乳根
不容
承滿
梁門
關門
太乙
滑肉門
天樞(募)
外陵
大巨
水道
歸來
氣衝
髀關
伏兔
陰市
梁丘(郄)
犢鼻
足三里
上巨虛
條口
下巨虛
豐隆(絡)
解溪
陷谷
衝陽(原)
內庭(滎)
頭臨泣
目
正宮
本神
陽白
頷厭
懸顱
懸釐
曲鬢
瞳子髎
上關
聽會
完骨
率谷
承靈
天衝
浮白
腦空
頭竅陰(井)
風池
肩井
輒筋(募)
淵腋
日月(募)
京門(募)
帶脈
五樞
維道
居髎
環跳
足少陽膽經
風市
中瀆
膝陽關
陽陵泉(合)(會)
外丘(郄)
陽交
光明(絡)
陽輔(經)(會)
懸鐘
丘墟(原)
足臨泣(俞)
足竅陰
地五會
俠溪(滎)
期門(募)
章門(募)(會)
急脈
陰廉
足五里
陰包
曲泉(合)
膝關
中都(郄)
蠡溝(絡)
足厥陰肝經
中封(經)
太衝(俞)(原)
行間(滎)
大敦(井)
中封(經)
行間(滎)
太衝(俞)(原)
俞府
彧中
神藏
靈墟
神封
步廊
幽門
腹通谷(滎)
陰都
石關
商曲
肓俞
中注
四滿
氣穴
大赫
橫骨
足少陰腎經
然谷(滎)
湧泉(井)
陰谷(合)
築賓
交信
復溜(經)
太溪(俞)(原)
大鐘(絡)
小泉(郄)
然谷(滎)
照海
任督二脈
任脈
督脈
承漿
廉泉
天突
璇璣
華蓋
紫宮
玉堂
膻中(募)(會)
中庭
鳩尾
巨闕(募)
上脘
中脘(募)(會)
建里
下脘
水分
神闕
陰交
氣海
石門(募)
關元(募)
中極(募)
曲骨
會陰
前項
囪會
上星
神庭
素髎
水溝
兌端
齦交
百會
後項
強間
腦戶
風府
瘂門
大椎
陶道
身柱
神道
靈台
至陽
筋縮
中樞
脊中
懸樞
命門
腰陽關
腰俞
長強(絡)
12
AM
膽經
(午)
1
AM
肝經
(丑)
2
(寅)
肺經
AM
4
5
(卯)
大腸經
AM
6
7
8
(辰)
胃經
AM
9
10
AM
脾經
(巳)
11
PM
心經
(子)
PM
小腸經
(未)
PM
膀胱經
(申)
PM
腎經
(酉)
PM
心經
(戌)
PM
三焦經
(亥)
養身
十二經脈
時間表

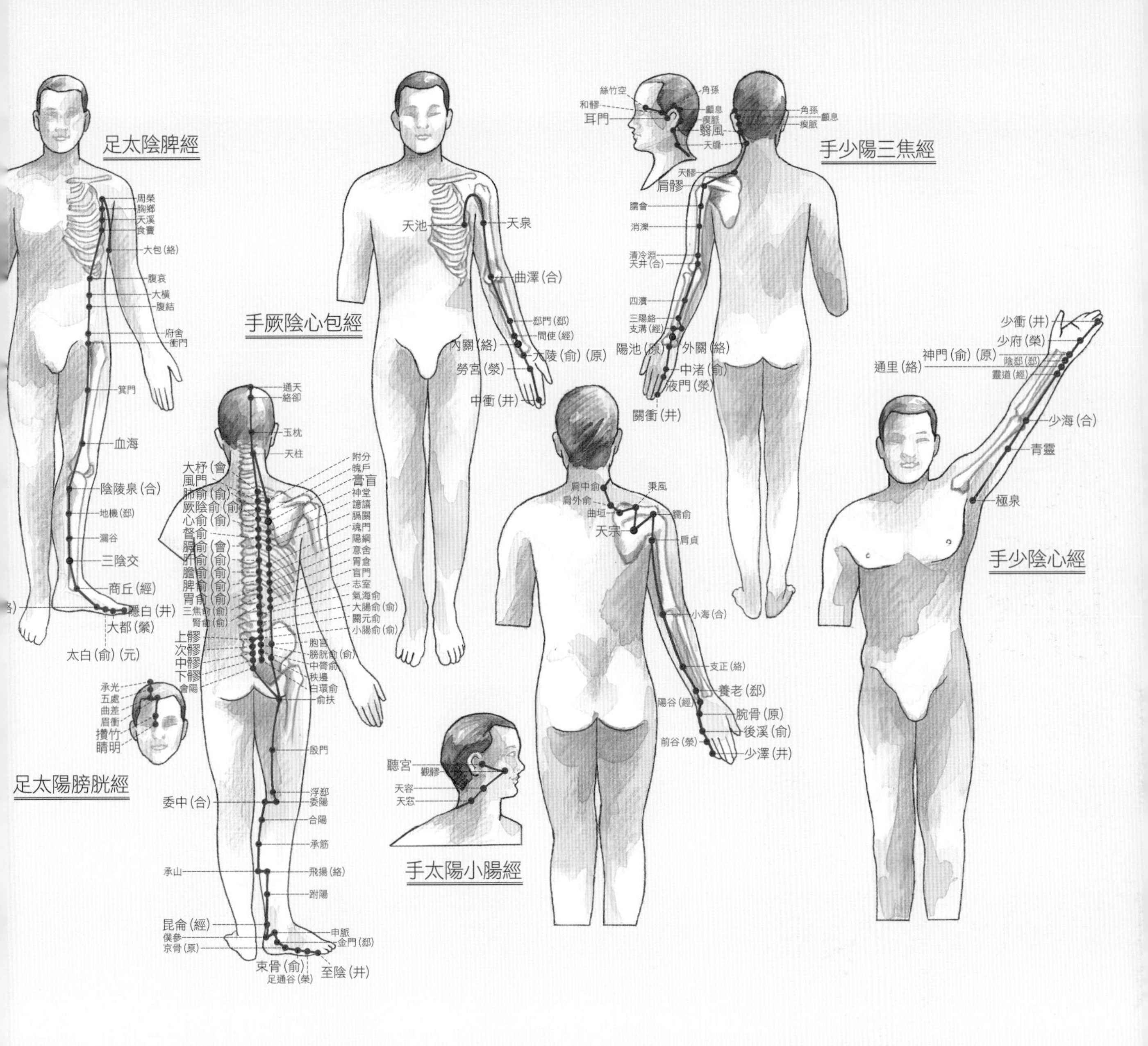
足太陰脾經
周榮
胸鄉
天溪
食竇
大包(絡)
腹哀
大橫
腹結
府舍
衝門
箕門
血海
陰陵泉(合)
地機(郄)
漏谷
三陰交
商丘(經)
隱白(井)
大都(滎)
太白(俞)(元)
手厥陰心包經
天池
天泉
曲澤(合)
郄門(郄)
間使(經)
內關(絡)
大陵(俞)(原)
勞宮(滎)
中衝(井)
手少陽三焦經
絲竹空
和髎
耳門
角孫
顱息
瘈脈
翳風
天牖
天髎
肩髎
臑會
消濼
清冷淵
天井(合)
四瀆
三陽絡
支溝(經)
陽池(原)
外關(絡)
中渚(俞)
液門(滎)
關衝(井)
手少陰心經
少衝(井)
少府(滎)
神門(俞)(原)
通里(絡)
陰郄(郄)
靈道(經)
少海(合)
青靈
極泉
足太陽膀胱經
通天
絡卻
玉枕
天柱
大杼(會)
風門
肺俞(俞)
厥陰俞(俞)
心俞(俞)
督俞
膈俞(會)
肝俞(俞)
膽俞(俞)
脾俞(俞)
胃俞(俞)
三焦俞(俞)
腎俞(俞)
附分
魄戶
膏肓
神堂
譩譆
膈關
魂門
陽綱
意舍
胃倉
肓門
志室
氣海俞
大腸俞(俞)
關元俞
小腸俞(俞)
上髎
次髎
中髎
下髎
會陽
胞肓
膀胱俞(俞)
中膂俞
秩邊
白環俞
承扶
殷門
浮郄
委陽
委中(合)
合陽
承筋
承山
飛揚(絡)
跗陽
昆侖(經)
僕參
京骨(原)
申脈
金門(郄)
束骨(俞)
足通谷(滎)
至陰(井)
承光
五處
曲差
眉衝
攢竹
睛明
手太陽小腸經
聽宮
顴髎
天容
天窗
肩中俞
肩外俞
曲垣
秉風
天宗
臑俞
肩貞
小海(合)
支正(絡)
養老(郄)
陽谷(經)
腕骨(原)
後溪(俞)
前谷(滎)
少澤(井)

五行

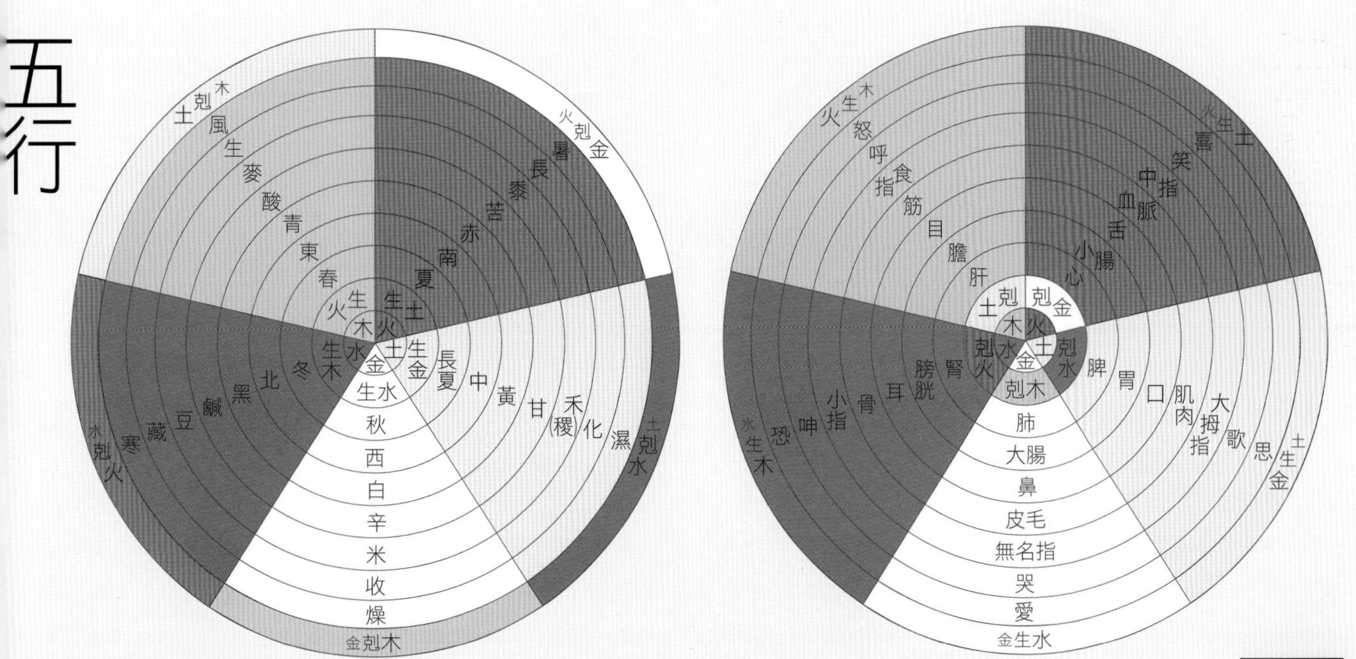
木剋土
風
生
麥
酸
青
東
春
火剋金
暑
長
黍
苦
赤
南
夏
土剋水
濕
化
禾
稷
甘
黃
中
長夏
金剋木
燥
收
米
辛
白
西
秋
水剋火
寒
藏
豆
鹹
黑
北
冬
生火
生土
生金
生水
生木
木
火
土
金
水
木生火
怒
呼
食指
筋
目
膽
肝
火生土
喜
笑
中指
血脈
舌
小腸
心
土生金
思
歌
大拇指
肌肉
口
胃
脾
金生水
愛
哭
無名指
皮毛
鼻
大腸
肺
水生木
恐
呻
小指
骨
耳
膀胱
腎
剋土
剋金
剋水
剋木
剋火

3 左單鞭

4 提手

10 如封似閉

11 開合手

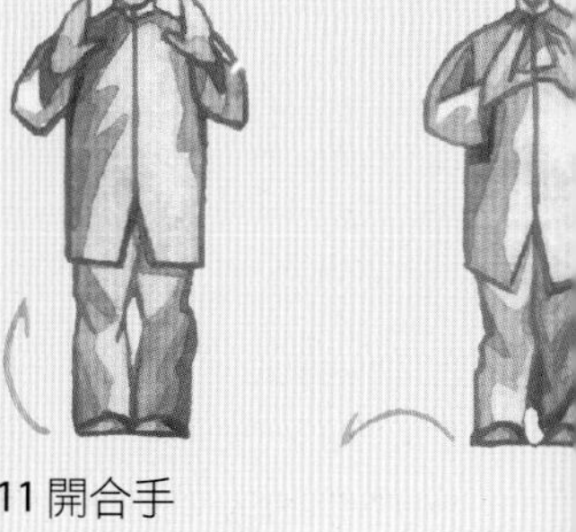

手肱捶

18 野馬分鬃

25 進步栽捶

26 斜飛勢

掌下勢

36 上步七星

37 退步跨虎

38 轉身擺蓮

四十二式太極拳

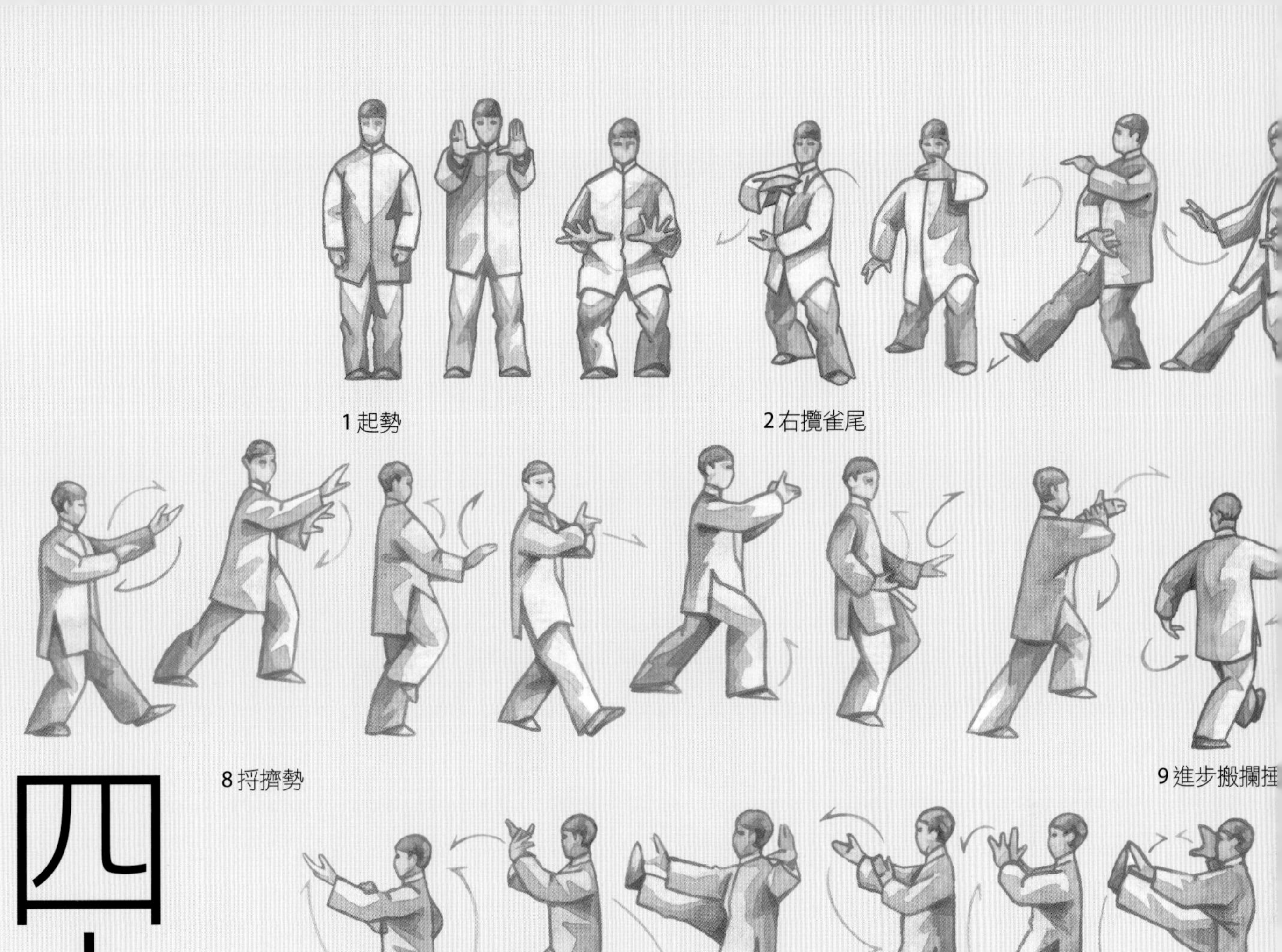

1 起勢

2 右攬雀尾

8 捋擠勢

9 進步搬攔捶

16 右左蹬腳

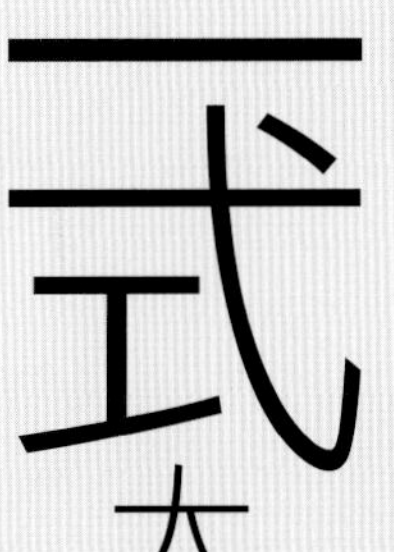

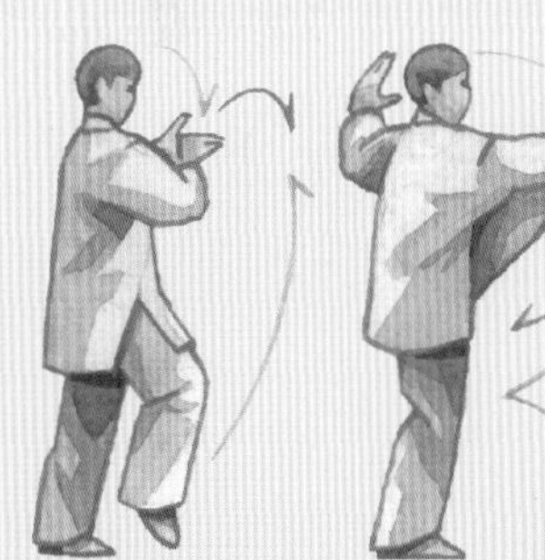

23 左分腳

24 轉身拍腳

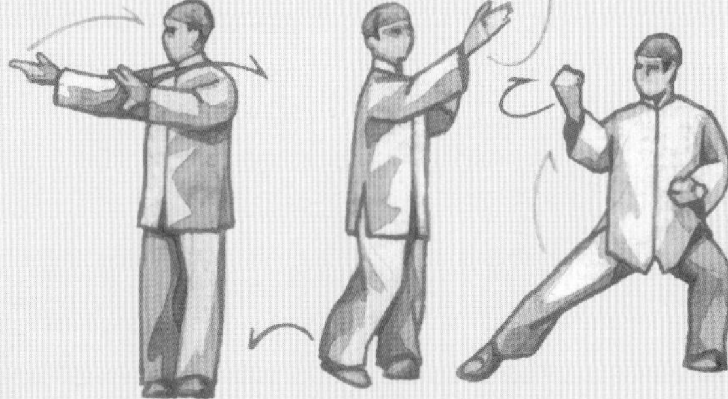

33 轉身大捋

34 歇步擒打

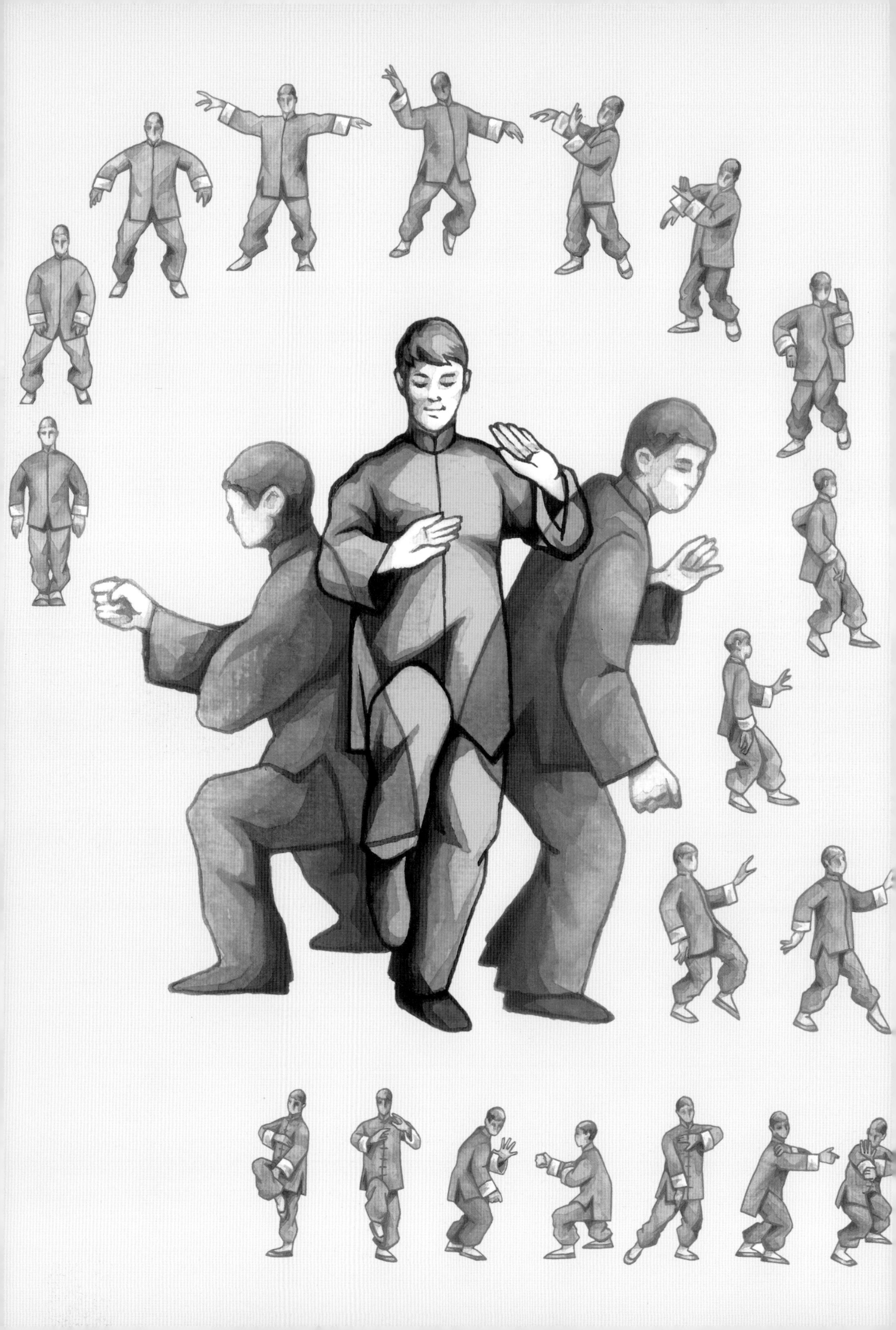

太極導引

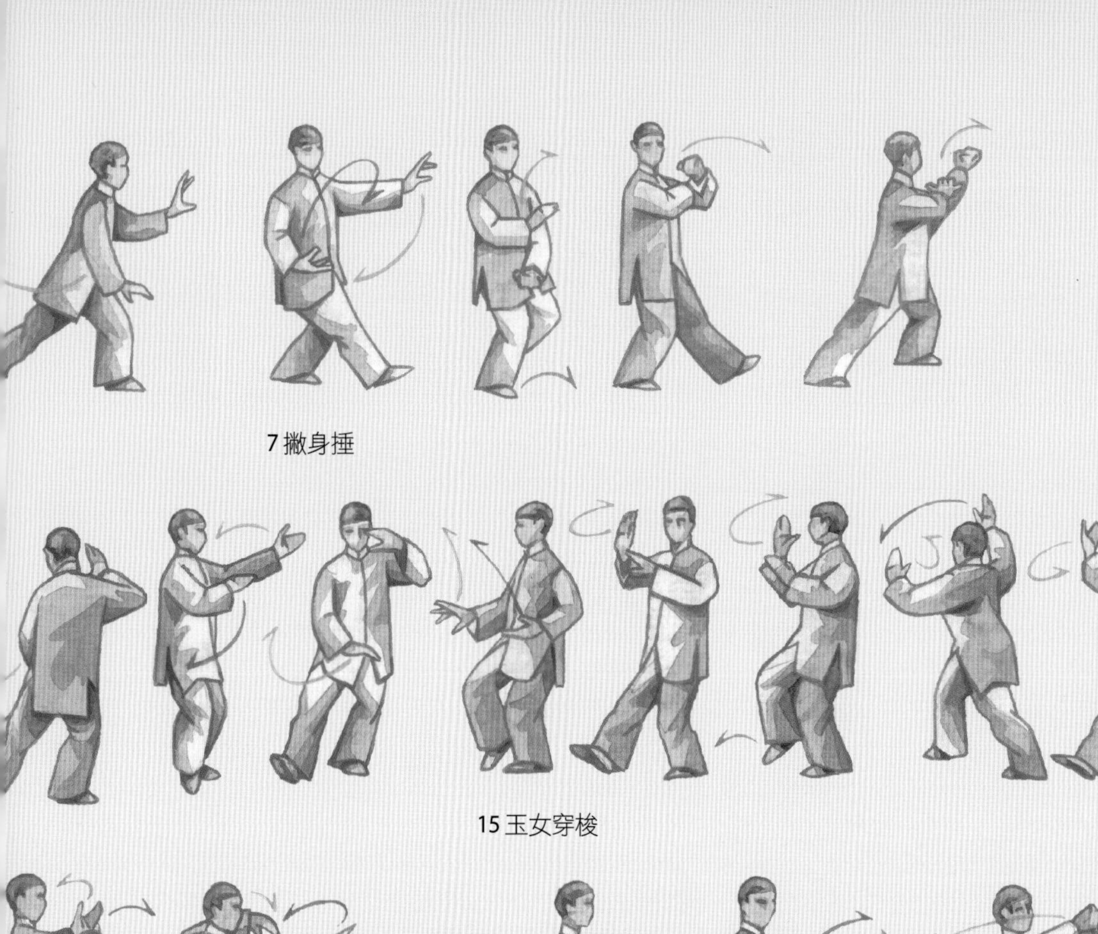

7 撇身捶

15 玉女穿梭

右分腳

22 雙峰貫耳

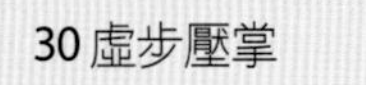

30 虛步壓掌

31 獨立托掌

32 馬步靠

41 十字手

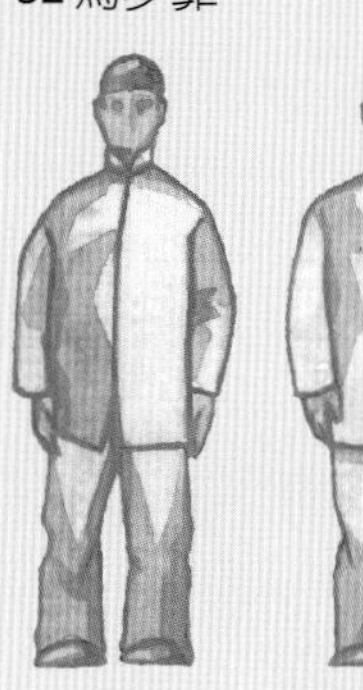

42 收勢

5 白鶴亮翅

6 摟膝拗步

右單鞭

13 肘底捶

14 轉身推掌

19 雲手

20 獨立打虎

27 單鞭下勢

28 金雞獨立

29 退步穿掌

39 彎弓射虎

40 左攬雀尾

家計

國文
課本
翰林出版
教育部審定
國中自然與生活科技
1上
康軒文教事業
1下
2下
2上
自然與生活科技
課本
數學
課本
社會
課本
國中英語
3上
3下
普通高級中學
數學1
數學3
數學2
數學4
龍騰文化
選修數學
選修數學 II
選修歷史
上冊
下冊
南一書局
歷史
歷史2
康熹文化
高級中學
歷史
第三冊
古偉瀛
王世宗
編著
三民
普通高級中學
歷史4
基礎化學

家庭教育與學校教育

現代社會型態分工多元，我認為教育也應如此。我們送孩子去學校，主要目的除了學識與知識的學習，當然也包括學習為人處世應對進退的道理。孩子回到家之後，則應當接受家庭教育。學校教育與家庭教育，內容應該有所不同，才能造就氣質不一樣的孩子。然而我們的教育制度，長期以升學考試為重，讓教育只停留在應付考試的關卡上，以致於家庭與學校的教育未能清楚分工；學校要管到孩子的家庭，家庭要管到學校的教學，終極的關注目標都只有升學競爭。結果是，很多孩子可能學會解答考題，但解不了心緒的浮躁與空虛；回到家裡，又因忙著趕作業或準備考試，與家人之間的對話也越來越少。我們的孩子與家長，受到的壓力確實高於其他國家。而且不但中國學校如此，台灣的國際學校也一樣；我的孩子下課後打來第一通電話，我總會習慣的先問一句：「今天有沒有發考卷？」

這些壓力，除了來自升學制度，當然也來自父母對子女的期望。對子女有高遠的期望並沒什麼不對，但作為父母也要記住一個原則：不要忽視學識以外的教育。孩子回到家以後，最好讓他們學習生活的技巧，對美的欣賞與領悟，培養個人的興趣和專注的習慣，也要適時的讓他們玩耍，放鬆一下情緒。如果能夠這樣，既可紓解孩子的壓力，也能彌補現代教育的缺失，達到與學校分工合作的效果。

現代社會流行人本主義，提倡不要體罰孩子，在我看來，那是一個少見的理想境界，不太容易完全做到。孩子還小，過分的體罰當然不應該，但也因孩子還小，很多規矩你一說再說他還是不懂，需要用另外的方法點醒或阻止。我的朋友安妮脾氣好又有愛心，有一次無奈的對我說：「沒辦法！教孩子，好說歹說，時間耗盡，最後打一下就見效了！」我的孩子幼小時，遇到有些狀況說不聽，可能妨礙他人或我的耐心快崩潰時，我也會用體罰的方式教育孩子。後來他們大一點時，我則是打他一下，也打我自己一下，讓他明白我的心有多痛！有時在公共場合見到別人的孩子不停哭鬧，根本不知那樣會妨礙別人，他們的父母也無法控制場面，顯然平時沒教導孩子在外哭鬧會干擾別人，遇到那種情況，我總是替那些父母著急與尷尬。更令人難過的是，有些父母覺得孩子小，不懂事沒關係，那種心態更是讓人扼腕。《三字經》云：「養不教、父之過；教不嚴、師之惰」，教導孩子，確實需要軟硬兼施，隨時看狀況調整；既是你的孩子，你就得負起教導的責任。

最近幾年，新聞報導常有家長因為子女在學校受到體罰，拿著「人本」的白布條去向學校抗告，甚至告到立法委員那裡召開記者會，不但新聞記者大肆報導，學者專家也出來發表高見。有一次一個家長打電話邀我去「圍堵」校長，硬要校長針對某位老師做出處罰的承諾。我總是很想勸告這類型家長：你可能不是在保護你的孩子；你也可能在做一個不良示範。一個學校有那麼多學生，為什麼只有你的孩子被體罰？是否要先檢討自己？即使現在學校換掉你不滿意的老師，孩子以後可能還會遇到你所不滿意的老師，若要常常依你的願望換老師，你的孩子將來怎麼去適應這個大千世界呢？

姚姚的成績一直在中上程度，十一年級上學期有天下課後打電話給我，竟然哭了！她說，老師發考卷，她和班上很多人都得了零分！我問她怎麼回事？她才解釋說，前幾天考試時，他們忘了老師曾經提醒的抄襲問題，在文章中引用了別人的一大段話；「老師認為那是抄襲，就給我們零分了！」

那次的考試，是中學中極為重要的一次；零分當然也讓學生的學期總平均拉低分數，聽說有些家長要去找那位老師理論。我與仁喜雖知道事態嚴重，但也只有盡力的安慰姚姚，並且告訴她，我們是不會去跟老師理論的。由此也可見，不可抄襲的觀念，是極需加強教育的；透過一次失血的學習經驗，相信她一輩子都不會忘記的。至於那些去找老師理論的家長，當然也要不回什麼分數，但卻讓那個漣漪激盪了好久，才能讓孩子與家長平靜下來。

家長對孩子的教育當有「不要護短」的態度。有位家長在閒談間說「我家志傑呀！甚麼都好，就是不愛做功課！」或者該禮貌的應對卻沒有表達時，父母就先說在前面：「他就是害羞啦！」這種護短的做法，仔細分析的話，其實是做父母的在替自己解圍，這樣非但沒有幫上孩子，還讓孩子以為有個靠山，長期以來當然沒有抵擋壓力的能量。就因父母大多疼愛自己的孩子，中國古代教育有一種「易子而教」的方法，更能針對孩子的缺點予以糾正。可惜這種方法現在行不通了。

要讓孩子接受生命中一定會有各類的崎嶇與不公平，才能讓他們學習、鍛鍊應對的本能。我家小元考最重要的SAT考試時，主考官的手錶壞了，提前七分鐘要全班交卷。我們對那關鍵的七分鐘當然很惋惜，但也只能告訴小元：是你們的運氣不好！想必他和同班同學也因此學到天下沒有完全的「公平」之事。家長實在不必動不動要找老師理論或要別人來評公道。我母親說過一句話：「有些事情沒有對與不對！就算聽了覺得委屈，但兒子與媳婦吵架，就罵兒子；女兒與女婿吵架，就罵女兒就對了！」我覺得這個道理用在老師與學生之間也是一樣的：老師說你的孩子不對，自己就要先檢討，絕不能護短，因為你護得了一時，護不了一世。孩子在一個多數人共處的體制與體系裡成長與學習，讓他們越小接受越多磨練越好。尤其不要替孩子敲邊鼓，以免養成他有後台撐腰的懦弱心態。

此外，在家庭教育裡，我建議少讓孩子看電視，因為電視的負面效果太大。最好是把看電視的時間省下來，換成安靜看書的習慣。設法讓家裡有個不受外界干擾的空間，有紀律的持續培養孩子看書的習慣。孩子小的時候，從報紙或雜誌上隨手剪下來的訊息，都可以幫他們分類儲存。也可以設計一個放吊夾的架子，任何生活上的訊息都分類丟進去，並在各層袋註明類別。家人之間聊天聊到什麼議題，或是學校剛好教到，就可以取出來參考或討論，無形中建立了一套知識脈絡，讓學科與生活連結，孩子也能活用他們所學。大人與小孩看的書不同，家長也可以花些心力分類擺放，孩子們才知道要到哪裡找資料。持續的分門別類，是整理教具很有效的辦法，我將分類的類別介紹於後。

最後我也整理了台灣與美國加州的小學一年級到高中三年級學科的課程內容，不由得對台灣的學生們更加同情：他們過的是早出晚歸的生活；「家」只是一個洗澡、睡覺的地方罷了。我們的教育，怎麼會走向這樣的一條路？甚至有人拚命宣傳「不要輸在起跑點」；補習班的文宣則更誇張：「保證一個暑假內一口氣學完國中三年的英文」！——如果一口氣都學完了，那在學校正式上課的三年要學甚麼呢？大多數被嚇壞了的家長不會去深思這個問題，而是不假思索即讓可憐的孩子加入一個戰局，從小在緊張中應付考試和分數！

因此，我用了二十二頁的鉅大篇幅，詳細列出教育當局要讓學生們「出人頭地」的課程內容。我認為，這十二年的基礎教育，應該是在一個心平氣和的環境學習；應是點點滴滴的累積，而不是填鴨式填進去的。家長該怎樣參與孩子們學習的過程？怎樣協助他們？怎樣自力救濟？怎樣保持理性與紀律，耐心陪著孩子走完基本教育之餘，還能同時保有可貴的家庭教育？

希望這些課程內容的呈現與比較，有助於家長們把鏡頭拉遠一點，從一個比較客觀的角度，理性的分析與思考這個教育議題。

中文課程內容採用的資料為翰林出版事業公司、康軒文教事業公司、南一書局、遠東圖書公司、全華圖書公司、龍騰文化事業公司、康熹文化事業公司、三民書局等出版的教課書。此外還有www.edu.tw/eje/index.aspx與www.worldone.com.tw網站。

美國加州基礎課程，則採用http://www.cde.ca.gov/ci/所刊載的部分資料。

隨手資料整理分類：

中文：成語、中文部首、描紅聽寫、文字的由來、書法。**邏輯**：Mind Puzzles。

情緒、禮儀、生活起居、節慶、旅行。健康：食品、健康安全、人體。**數學**、貨幣，儀表板，度量衡。**物質與能量**。**化學與實驗**。**礦物**。**天氣**。**收藏**、郵票。

海洋。**太空**、Map of the sky。**植物**。**動物**、恐龍、會飛的動物。**機械**、汽車重機具、工具。**交通**。**地理**、汽車logo、世界娃娃、國旗。**歷史**、歐洲文明、中國文明、世界文明、美國文明。**電腦**。**音樂**。**美術**、Pattern、繪畫技巧、勞作、博物館。**體育**。**建築**。**生態**。**神話**。**宗教**。**遊戲**、賓果、大富翁、樂高。**棋類**。**海報收藏**。

基礎教育對照

美國加州基礎教育		
幼稚園	閱讀	認識字母、文字、發音。有能力閱讀簡單的句子。
	閱讀理解能力	從讀、看、聽當中，識別基本事實和想法。以知名人物、熟悉的主題、情節、環境所寫成的故事，展現出傾聽和回應的能力。
	寫作	有能力寫出清晰可讀的文字和簡短的句子。
	聽和說	有能力傾聽並能以清楚、連貫的句子做口頭回應。有能力做簡短的朗讀背誦，能以口語描述自己所熟悉的經驗或興趣，展現出語言的組織能力和表達技巧。
	數學	了解日常環境中所用的數字、數量、簡單的圖形。有能力計算、描述、分類物體，對物體的特性和樣式發展出感覺。簡單的加減和估算，牽涉個位數和十位數數字問題之解決，了解評量此類問題應使用什麼樣的時間和單位。知道如何設立問題，以合理的方法解決問題並為自己的推理做辯護。
	科學	了解自然科學、生命科學、地球科學的基本觀念。
	歷史．社會科學	知道當個好國民必須行為舉止符合某些規矩。認識一些國家和州的標誌和象徵，譬如國旗和州旗、禿鷹、自由女神像。能將學校工作、社區工作、歷史記載的工作之名稱和其簡單的描述連線配合起來。能比較和對比人們所處的地點、地方、環境，並描述它們的特徵。將事件發生的順序按時間先後排列。知道歷史所描述的過去的人、事、地。
一年級	閱讀	了解閱讀的基本特徵。可流利地朗讀和默讀。
	閱讀理解能力	有能力閱讀和了解適合本年級的教材。有能力閱讀文學作品並做出回應，包括主題、情節、佈景、人物…特徵之區分。
	寫作	能沿著某一中心思想，寫出清楚且連貫的句子和段落，包括考慮到聽眾的立場和自己的寫作目的。了解寫作程序的各階段（寫作前構思、打草稿、修訂、編輯）。能描述和解說自己所熟悉的物體、事件、經驗。
	聽和說	能分辨語意並以口語回應。有能力做簡短的朗讀背誦。能以環繞特定主題論點的方式，口頭報告自己所熟悉的經驗或興趣，而且思想連貫一致。
	數學	了解數值系統裡的個位數和十位數之觀念，並能使用之。能輕易地加減一些小數目。能以簡單的單位來評量物體，並能找出物體在空間裡的位置。能描述資料，分析和解決簡單問題。了解並能使用100以內的數字。能使用加/減來解決問題。在計算數值時和在解決涉及個位數、十位數、百位數問題時，會使用「估計」技巧。能以簡單的分類圖表來組織、描繪、比較資料。能分類物體，能以數字、外形、體積、節奏律動、顏色來設計和描述物體所呈現的樣式。能決定如何設立問題，以推理方式來解決問題，能注意到某一問題和另一問題之間的關係。
	科學	了解物質的特性、動植物和天氣的基本理論。以問問題和進行調查的方式來做實驗。學生會以圖畫、數字或書面報告等方式來紀錄資料和自己的觀察，而且會將觀察結果紀錄在長條圖上。
	歷史．社會科學	描述國民的權利和責任。能比較和對比出地方和人們所處的絕對和相對位置，能描述地方的自然特徵或人文特徵。認識也了解代表美國並延續社區感覺的那些跨時空的標誌、象徵、雕像和傳統。比較和對比出世界各地不同時區的日常生活情形，知道某些人、事、地會隨著時間改變，而其他保持不變。能描述自己所熟悉的地方之人文特徵和這些地方美國國民和居民之多樣化的背景。認識一些基本的經濟學觀念，知道在自由市場經濟下，個人選擇所扮演的角色。

台灣國民基礎教育			
幼稚園	閱讀		認識注音符號、簡單國字。
	閱讀理解能力		能閱讀彩繪本，藉由圖畫書了解簡單文字及故事涵義。
	寫作		可以寫自已名字。
	聽和說		可以傾聽故事，可以用簡單句子回答問題。
	數學		認識0~9數字，可以數數，了解生活中簡單的圖形。
	科學		多元化的教學及操作、觀察、實驗的機會，培養幼兒基本能力與思考創造力的發展。激發幼兒主動探究和實驗的精神及解決問題的能力。
	歷史·社會科學		養成幼兒良好習慣、充實幼兒生活經驗、增進幼兒倫理觀念、培養幼兒合群習性。
一年級	國文	閱讀	能熟習常用生字語詞的形音義。能分辨基本的文體。課文：大樹、鴿子、松鼠、乘涼、花園裡、小河邊、山坡上、過生日、送禮物、慶生會、課程架構圖木頭人、雲和花、大風吹、摺紙、回家、我的家、分水果、我愛爸爸媽媽、春雨、找春天、小草、小山羊、兩個名字、過橋、大樹喜歡交朋友、家、爺爺的搖椅、母親節、誰的本領大、小猴子種樹、小松樹和大松樹、怎麼一回事。
		閱讀理解能力	能欣賞並朗讀標註注音的優美文學作品。
		寫作	能學習觀察簡單的圖畫和事物，並練習寫成一段文字。
		聽和說	能熟習並認念注音符號。能筆順正確的書寫注音符號。能熟習拼音的方法。能注意聽。能清楚明白的口述一件事情。能自然安靜的聆聽。能正確的使用標準國語說話。
	數學		10以內的數、在哪裡、數的順序和大小、分與合、物件的長短、10以內的加法、認識形狀、10以內的減法、20以內的數和加法、幾點和幾點半、100以內的數、錢幣、20以內的加減、時間和日期、二位數的加法、長度、認識立體形體、二位數的減法、加減應用。
	生活		我和新朋友、我們的教室、我們的學校、一起去上學、上課和下課、放學了、親近植物、我的樹朋友、校園裡的小動物、泥土的祕密、奇妙的泥土、聆聽聲音、聲音的模仿和表演、好聽的節奏、我的寶貝、玩偶說故事、好玩的童玩、生活的禮儀、交通的禮儀、禮儀小天使、春天來了、彩繪春天、舞動春天、我的家、親愛的家人、母親節、方便好用的電話、傳聲遊戲、電話的聲音、太陽出來了、美麗的夜晚、我的圖畫小書、水和冰、水的遊戲、愛惜水資源。

美國加州基礎教育		
二年級	閱讀	了解閱讀的基本特性。能流利地朗讀和默讀。
	閱讀理解能力	能閱讀和了解適合本年級的教材。能混合應用各種理解技巧。能區別主題、情節、佈景、人物之間的差異。
	寫作	能沿著某一中心思想的發展，寫出清楚而且連貫的句子和段落，並且會考慮閱聽眾的需要和自己的寫作目的。在寫作程序的各階段（寫作前構思、打草稿、修訂、編緝）持續練習而且產生進步。能作文描述和解釋熟悉的物體、事件和經驗。能寫出標準信函（有日期、問候語、本文、結尾辭和簽名）。
	聽和說	能分辨語意並以口語回應。有能力做簡短的朗讀背誦。能以環繞特定主題論點的方式，口頭報告自己所熟悉的經驗或興趣，而且思想連貫一致。
	數學	了解數字所處位置和數目大小的關係。會使用乘法觀念。會使用合適單位來評估數量。會以幾何屬性來分類圖形並看出其中的關係。會使用也了解1000以下的數字。會兩位數和三位數計算題的加減。在有範例可循的情況下，能解決簡單的乘法和除法問題。在有範例可循的情況下，能描述和加減金額。了解處於平面和處於空間的物體。能下決定應如何解決問題並為自己的解決方法做辯護，能注意到問題與問題之間的關係。
	科學	學生觀察到物體的運動和運動的原因，了解動植物的生命週期，學習到自然界不同元素的物理特性。使用適當的評量方法來進行實驗，進而了解長度、重量、溫度和液體容量等觀念。學生以文字或圖畫來描繪所觀察事物發生的步驟，畫出長條圖或表格來紀錄資料，使用放大鏡或顯微鏡來觀察小物體。
	歷史．社會科學	能區分很久以前發生的事情和昨天剛發生的事情之間的差別。展現出使用地圖的技能，能描述人、地和環境所處的絕對位置和相對位置。能解說出美國和其他國家之政府機構和其功能。了解基本的經濟學觀念和這些觀念在經濟學裡的角色，並且展現出基本的經濟學推理技能。了解個人行為和品德的重要性，能解釋英雄（歷史久遠的和最近冒出頭的）如何影響其他人的生命【譬如，亞伯拉罕林肯（Abraham Lincoln）、路易斯巴斯德（Louis Pasteur）、西廷比爾（Sitting Bull）、喬治華盛頓卡弗（George Washington Carver）、居里夫人（Marie Curie）、愛因斯坦（Albert Einstein）、梅厄（Golda Meir）、傑基羅賓遜（Jackie Robinson）、薩莉賴德（Sally Ride）…等人的傳記】。
三年級	閱讀	能流利地朗讀和默讀。發展出字彙底子。
	閱讀理解能力	能閱讀和了解適合本年級水準的教材。能運用多項理解技巧。能使用標題、內容目錄、章節標題、詞彙表和索引來找到資訊。
	寫作	能沿著中心思想的發展來寫作，並能同時考慮閱聽眾的立場和自己的寫作目的。能寫出敍述文，描述情節的發展和具體的感覺，能寫出人、事、地或經驗…等之印象和其支持證據。能寫出私人信函和正式信函。
	數學	能做整數之加、減、乘、除。能估算、評量、描述空間中的物體。使用型態樣式來幫助自己解決問題。可運用10000 以內的數字。了解整數、簡單的分數和小數之間的關係。進行簡單的機率實驗，判斷結果可能出現的次數並能做簡單的預測。能進行問題之設定、解決（使用一些尋找解答的策略、技能、和觀念）、辯護、歸納。
	科學	了解陽光能源和其他形式的能源。了解物質的三種形式：固體、液體、氣體。對週期表裡的原子和不同元素有基本的了解。對光的特性有基本的了解。了解動植物之成長、生存、繁殖之間的不同；了解不同環境裡有許多不同的生命形式；了解生物所處的環境有一些不利改變的因素。對外太空有基本的觀念。學生透過重複實驗和觀察來提高理解的精確度；能區分證據與意見，能使用數據資料來描述和比較物體、事件和其評量值；能預測簡單調查的可能結果，並比較預測值與真實結果之間的差異。會收集和分析資料，並做出合乎邏輯的結論。
	歷史．社會科學	能了解地理學所描述的自然景觀和人文景觀，並能使用地圖、表格、曲線圖、圖片、圖表等，來組織處於同一空間範圍內的人、地和環境等資訊。能描述美國印第安民族居住地區的歷史演變情形。能運用歷史資料和社區資源來組織本地歷史事件發生的順序，並能描述各個時期的歷史如何在土地上留下其痕跡。了解法律規章在日常生活中和在美國政府的基本結構中所扮演的角色。展現對本地區的經濟有一些了解也有一些基本的經濟推理技能。

台灣國民基礎教育			
二年級	國文	閱讀	能讀懂課文內容，了解文章的大意。課文：種子找新家、小青蛙、我長大了、小星星、一陣秋風、動物過冬、大自然的語言、小老鼠救獅子、誰是勇士、知了學飛、獵人和槍、走走聽聽、快樂的耶誕節、猜謎語、如果可以、清清的河水、喜歡小動物的達爾文、大地是萬物的家、爬山、我會畫風了、看油桐花、誰說的話對、熊媽媽的菜園、小壁虎借尾巴、看不懂的字、鋸子的發明、給李奶奶的信、謝謝老師。
		閱讀理解能力	能和別人分享閱讀的心得。
		寫作	能運用學過的字詞，造出通順的句子。能仿寫簡單句型。
		聽和說	能利用注音符號，提昇說話及閱讀能力。能聽得正確。能簡單介紹自己。喜歡聆聽別人發表。能用完整的語句回答問題。
	數學		200以內的數、二位數的直式加法、二位數的直式減法、量量看、時間和日期、平面、直線和角、兩步驟的問題、乘法、1000以內的數、用錢、1000以內的加減、公尺和公分、認識立體形體、容量與重量、兩步驟問題、認識分數。
	生活		陽光與影子、影子的形狀、影子戲表演、泡泡真好玩、美麗的泡泡、鏡子真好玩、美麗的國旗、色彩變變變、面具嘉年華、我家在哪裡、社區環境、愛護我們的社區、我長大了、喜歡自己、感謝幫助我的人、拜訪冬天、冬天的保暖、迎春送冬、整理教室環境、布置教室選出為班上服務的人、美麗的花、發芽了、植物的妙用、常見的民俗活動 、熱鬧的慶典、祈福活動真精采、多變的雲、下雨了、雨後的景象、風來了、風的遊戲、風對生活的影響、過端午、涼快的方法、暑假計畫。
三年級	國文	閱讀	能培養閱讀的興趣，並培養良好的閱讀習慣及態度。課文：如果我當了爸爸, 給你一個驚喜、兩隻手套、動手做做看、小小發明真方便、曹沖秤大象、鴨間稻、樹林裡、賞鳥去、小露珠、年獸來了、三張賀年卡、快樂過新年、華人賀春節、桃花開了、公園裡的對話、大自然的雕刻家、鹿港風光、小寶寶的膽石、清明掃墓、有趣的謎語、給小主人的信、小強減重記、爸爸戒菸了、竹頭木屑、勇敢的肯尼、老榕樹、笨鵝阿皮。
		閱讀理解能力	能喜愛閱讀課外（注音）讀物，進而主動擴展閱讀視野。能了解圖書室的設施、使用途徑和功能，並能充分利用，以激發閱讀興趣。能流暢的朗讀出文章表達的情感。
		寫作	能指出作品中有明顯錯誤的句子。能認識並練習使用標點符號。能應用注音符號，輔助表達自己的經驗和想法(如：寫日記、便條等)
		聽和說	能發音正確，口齒清晰。能概略聽出朗讀時優美的節奏。能用自然的態度說話。能依照文意，概略讀出聲音的節奏。
	英文		能聽、說26個字母、書寫印刷體大小寫字母。聽辨、唸出、英語的語音。聽辨、說出、臨摹抄寫課堂中所習得的詞彙。書寫自己的姓名。
	數學		數線、10000以內的數、角和圓、10000以內的加減、毫米、乘法的直式計算、公升和毫升、除法、時間、分數、周長與面積、重量、分數、時間、小數、乘法、數的運算、統計圖表、除法
	自然		植物的根、莖和葉、植物的花、果實和種子、植物與生活、磁鐵的祕密、磁鐵的應用、好玩的磁鐵、多變的空氣、風來了、空氣的遊戲、種菜前的準備、開始種菜了、小園丁日記、水凝固了、水不見了、水的應用、動物的身體、動物的活動方式、觀測天氣、氣象報告、天氣對生活的影響 。
	社會		家庭與我、家庭活動、我和我的同學、和樂相處、班級自治活動、我會開班會、學校自治活動、善用學習資源、我會利用時間、參與學習活動、進行戶外學習、校園安全生活、我會保護自己、認識居住的地方、地方的公共資源、居住地方的特色、多元的生活方式、居民的互信與互助、解決地方的問題、商店與買賣、購物有學問、購物與環保、自治組織、參與自治活動、面對地方發展的問題 、打造新家園。

美國加州基礎教育		
四年級	閱讀	能流利的朗讀和默讀。
	閱讀理解能力	能使用一些技能(例如，比較和對比、因果關係、按先後順序或時間順序、主題和支持意見)來辨識資訊內容的結構型態並加強自己的理解能力。
	寫作	透過寫作過程的各階段來提升寫作能力。能夠使用各種參考材料(譬如字典、辭典、卡片目錄、百科全書、網路資訊)作為輔助寫作的手段。展示基本的鍵盤輸入技能和熟悉電腦術語。能寫作描述和解釋自己所熟悉的事物、事件和經驗。
	聽和説	能評價媒體的角色，譬如它在事件聚焦和對問題形成意見時的作用。
	數學	了解巨大數字，和整數的加、減、乘、除。能描述和比較簡單的分數和小數。了解平面幾何圖形的性能和圖形之間的彼此關係。能使用負數概念。簡單的分數和小數之加、減。會分解小整數，求出其因子。會使用和解釋變數、數學符號，並以它們來寫方程式，以簡化自己的表達方式。知道如何操作方程式。認識周長和面積，會使用兩維座標圖來表示圖形的點、線和簡單的數字。
	科學	理解並能使用電線、電池和燈泡來建立簡單的電路串聯和並聯；理解基本的電力和磁力概念。了解生物體需要藉由能源和物質來存活和成長（如食物鏈、腐化分解菌）。了解岩石和礦物的性質；了解海浪、風、水、冰如何塑造和改變地球的表殼。進行實驗、測量和估計物體的性能，根據因果關係來制定預測方程式和論證預測結果，進行多種試驗來檢驗預測並得出結論，從測量結果來建構和解釋各種圖型。
	社會科學・歷史	展現對地理特徵（自然形成和人文形成）的了解，能使用它們來定義加州（California）的城鎮和地區。能描述加州的歷史演進，包括從哥倫布之前的社會型態（pre-Columbian societies）到西班牙傳教士（Spanish mission）和墨西哥牧場時期（Mexican rancho periods）的社會、政治、文化、經濟活動和人與人之間的互動關係。能解釋加州從熊旗共和國（Bear Flag Republic）到美墨戰爭（Mexican-American War）、淘金熱潮（Gold Rush）、到成立州政府各時期的經濟、社會、政治情況。能解釋加州如何變成農業和工業強權（可追查1850年代以來加州所經歷的經濟、政治、文化演進情形來説明）。理解美國憲法所規定的地方政府、州政府、聯邦政府之結構、功能和權力。
五年級	閱讀	能運用字源和文字關係的知識、歷史、文學線索，來判斷專業詞彙的含義。了解同義詞、反義詞、同形詞；能理解和解釋形象文字和隱喻文詞在上下文中的使用。
	閱讀理解能力	朝八年級時能每年自行閱讀一百萬字的目標前進。透過文本的結構、組織、目的，能夠了解文章所要陳述的基本觀點、論據和觀點。能分析文章是以事件發生順序或時間順序來陳述。能從文章內容做出推論、結論、歸納，並以文章裡的證據和自己已擁有的知識來支持自己的立論。
	寫作	能寫出清晰、連貫、有重點的論文，其內容包含前言介紹、支持證據和結論。能以標準的美式英語寫作至少500-700字的敘事、説明、説服和描述性文章（每一類文體均應涉及），而且寫作技能可達到研究、組織、起草策略等標準。
	聽和説	能發表觀念清楚、思想集中、內容連貫的報告，並且考慮到閱聽眾的背景和興趣。能識別、分析、批判各項説服技術，能用它們來鑑識口頭簡報和媒體信息之邏輯謬誤。能分析出媒體是重要消息來源，可提供資訊、娛樂、説服、事件解釋和文化傳播等功能。

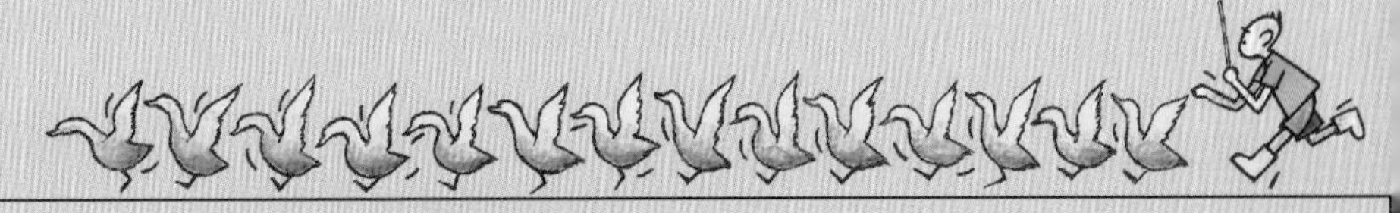

台灣國民基礎教育			
四年級	國文	閱讀	熟習活用生字語詞的形音義，並能分辨語體文及文言文中詞語的差別。課文：瀑布、遊福山植物園、阿里山上看日出、山和海的書信、發現微生物的人、讀書報告一小恩的祕密花園、老榕樹下讀報紙、慰問卡、珍重再見、誰買了米勒的畫、泰雅族的紋面文化、不可思議的金字塔、日本古川社區、歲末迎新話春聯、黑面琵鷺之歌、勇敢的小巨人、永遠的譚爸爸，誰的功勞最大、「舊愛變新歡」義賣活動、談合作、一起做專題報告、風雨交加的夜晚、烏桕巷的故事、山中傳奇——達娜伊谷、如何安排休閒活動、參觀宜蘭傳統藝術中心、收藏秋天、踩著月光上山。
		閱讀理解能力	能了解文章的主旨及取材結構。能利用不同的閱讀策略，增進閱讀能力。能討論閱讀的內容，分享閱讀心得。
		寫作	能養成觀察周圍事物，並寫下重點的習慣。能流暢寫出美觀的基本筆畫。能理解簡單的修辭技巧，並練習應用在實際寫作。能收集自己喜好 的作品，並加以分類。能掌握記敍文、説明文和議論文的特性，練習寫作。能寫作慰問書信、簡單的道歉啟事，表達對他人的關懷和誠意。
		聽和說	討論問題或交換意見時，能清楚説出自己的意思。能養成喜歡聆聽不同媒材的習慣。能運用合適的語言，與人理性溝通。
	英文		能聽辨問句和直述句的語調、聽辨基本的單字、片語及句子的重音、聽辨句子的節奏。能以正確的語調説出問句和直述句、能以正確的重音及適當的語調説出簡單的句子。能使用簡單的教室用語。能看懂簡易的英文標示。能辨識故事、韻文、歌謠中的常用字詞。能看懂簡單的句子。 能臨摹抄寫課堂中習得的句子。
	數學		單元：億以內的數、公里、角度、整數四則運算、乘法、除法、分數、體積、小數、認識大數、乘法、面積、除法、平面圖形、分數、時間、小數、統計圖表、未知數 。
	自然		大家來賞月、月亮位置的移動、月形的變化、認識水域、水生植物的祕密、水生動物的奧妙、認識能源 、運輸工具、珍惜能源、讓燈泡亮起來、會動的玩具、電池的妙用，力的作用、力的大小與方向、浮力、認識昆蟲、昆蟲的生活史、昆蟲與環境、毛細現象、連通管、虹吸現象、黑暗中怎樣才能看到物體、光的行進方向、光的美麗世界。
	社會		家鄉的名字、地圖上的家鄉、地形與生活、氣候與生活、水資源與生活、家鄉開發的故事、居民生活的轉變、傳統節慶、民俗活動、名勝古蹟、家鄉特產、家鄉的交通、家鄉一日遊、家鄉人口分布、家鄉人口組成、家鄉人口變化、行業與生活、行行出狀元、生活大不同、外來文化與生活女、為民服務的機構、善用家鄉的機構、家鄉新建設、家鄉建設與問題、鄉民的覺醒、家鄉的永續發展。
五年級	國文	閱讀	養成主動閱讀課外讀物的習慣。課文：上湖邊散步、帶箭的花鳧、放生的故事、邁向低碳生活、阿嬤與歌仔戲、中國結、請到我的家鄉來——丹麥、日本、讀書報告——伊索寓言、黑白間的光彩、詩兩首、聆聽天籟、創世基金會訪問記、愛心傘、愛的分享、玉山之美、臺灣地名尋根、爸爸的寶貝、臺灣的驕傲——臺北101大樓、紐西蘭的毛利文化、與櫻花有約、美麗的温哥華、給女兒的一封信(劉墉)、我們可以説得更好、良言一句三冬暖(國立編譯館)、聽！流星的故事(劉丁財)、詩人的心情(李白、趙師秀)、走過了就知道(魏金財)、生活處處美(國立編譯館)
		閱讀理解能力	能概略理解文法及修辭的技巧。認識基本文體的特色。能利用圖書館檢索資料，增進自學的能力。能理解作品中對週遭人、事、物的尊重關懷。
		寫作	能掌握詞語的相關知識，寫出語意完整的句子。能應用各種句型，安排段落、組織成篇。能應用筆畫、偏旁變化、和間架結構原理寫字。能在寫作中，發揮豐富的想像力。能應用改寫、續寫、擴寫、縮寫等方式寫作。能配合學校活動，練習寫作應用文(如：通知、公告、讀書心得、參觀報告、會議記錄、生活公約、短篇演講稿等)。
		聽和說	能和他人交換意見，口述見聞，或當眾做簡要演説。能針對問題，提出自己的意見或看法。説話時能保持適當的速度與音量。能説出一段話或一篇短文的要點。

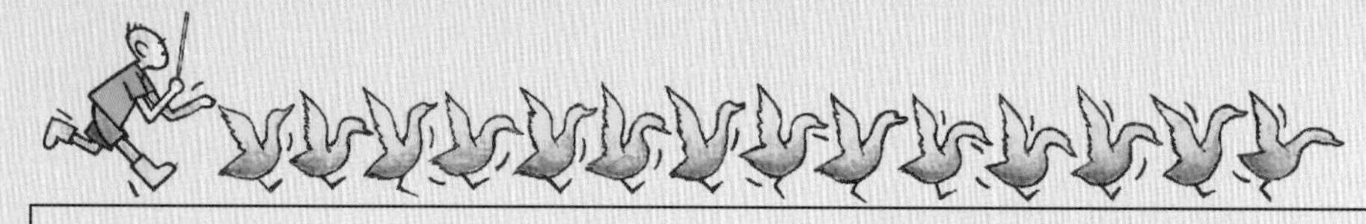

美國加州基礎教育		
五年級	數學	提升數學能力到可以使用基本的算術運算四則於分數、小數、正數和負數。了解並能使用共同的計量單位來測量長度和面積，也了解並能使用公式來判定簡單幾何圖形的數量值。知道角度測量的概念，能使用量角器和指南針來解決問題。使用網格、表格、曲線圖、圖表，來記錄和分析數據。
	科學	了解元素的基本概念和元素之組合可形成多種類別的物質。了解植物和動物如何呼吸、消化、處理廢物和運送礦物的基本結構。了解水如何透過蒸發和冷凝過程在海洋和陸地之間移動。了解太陽能如何使地球加温、造成空氣運動、導致不同的天氣型態之出現。了解太陽系的基本觀念。能分類物體，能建立可供測試的問題，能計劃和進行簡單的調查，能使用適當的工具來進行定量觀測，能使用適當的圖形來記錄數據，並根據數據作出推論，從科學證據中得出結論。
	社會科學・歷史	能描述哥倫布之前人類的主要定居點，包括懸崖居民和西南沙漠區的普韋布洛人（pueblo people）、太平洋西北區（Pacific Northwest）的美國印第安人、大平原區（Great Plains）的游牧國家、密西西比河（Mississippi River）東岸的森林地居民。跟踪早期探險家的路線，描述早期的美洲探索經過。描述美洲印第安人、印第安國家之間和新移民之間的合作與衝突。了解殖民地時代之政治、宗教、社會、經濟發展歷程。解釋美國革命的原因。認識美國革命的過程和後果。能描述與美國憲法之發展有關的人物與事件，並能分析憲法做為美國立國基礎的意義。能跟踪美國人從1789年到19世紀中葉的殖民、移民、墾殖定居之型態，尤其側重於經濟誘因、自然地理和政治地理學的作用和對運輸系統的影響。了解目前50州的位置和其首府的名稱。
六年級	閱讀	能透過字源、字詞的關係、歷史和文學的線索，來判斷專業詞彙的含義。理解和解釋相似詞彙(例如「輕輕地」和「安靜地」)之間所呈現的「細微意義差異」(shades of meaning)。
	閱讀理解能力	能使用文體結構、組織、目的等知識來描述和連接文章內容所要呈現的基本思想、論證和觀點。努力朝八年級時能每年自行閱讀一百萬字的目標邁進。能鑑定識別大眾媒體的結構特徵，並利用它們來獲取資訊。能透過準確引述文章內的支持論點來合理證明自己對該文章的理解。能注意文章內容是否有不支持推理、推理謬誤、説服和宣傳的實例。
	寫作	學能寫出清楚、連貫、抓住重點的文章，也注意到閱聽眾的存在和自己的寫作目的。文章內容包含前言介紹、支持證據和結論。學生沿著寫作過程必要的各階段在進步中。能選擇最符合預期目的之寫作形式（信函、評論、詩歌、報告、敍述）。能寫出多段落的解説文章。使用各種有效的和協調一致的組織形式。使用電子文本的組織功能來找出資訊以供研究。運用文字處理能力和設計原則，使撰寫的文件具適當的格式。修改寫作內容，來提高各段落間的組織力和想法的一致性。能寫至少500-700字的敍述、説明、描述、説服等文體，每一種文體均要練習。
	聽和説	能在注意到閱聽眾背景和興趣的情況下，發表抓得住重點、思想連貫的簡報，選擇的內容重點、組織結構和角度要能配合目的、信息、場合，並能調整語調，適合閱聽眾聆聽。分析修辭的使用，使配合目的和效果。識別電視所使用的説服和宣傳技術，鑑別其中虛假的信息和會產生誤導的資訊。
	數學	精通整數、正分數、正小數、正整數、負整數的四則運算。能準確地計算和解決問題。能應用統計學和概率知識。理解平均數、中位數、數據集模式等概念，並知道如何計算全距。分析數據和抽樣過程，以發現可能的偏差和可能產生誤導的結論。使用分數之加法和乘法，來計算複合事件的機率。從概念上理解和使用比率與比例，計算百分比，知道圓周率以及圓周和圓面積的計算公式。使用英文字母植入公式中，代表幾何圖形和比例中的未知數。能解決一次元線性方程式。

<table>
<tr><th colspan="4">台灣國民基礎教育</th></tr>
<tr><td rowspan="4">五年級</td><td colspan="2">英文</td><td>能聽懂常用的教室用語及日常生活用語、聽懂簡單的句子、聽懂簡易的日常生活對話。能以簡易英語介紹自己。以簡易英語介紹家人和朋友。能使用基本的社交禮儀用語。能作簡單的提問、回答和敍述。能了解英文書寫格式，如字間空格、句首大寫、由左到右、上而下及句尾適當標點符號。能跟著老師或錄音帶正確地朗讀課本中的對話和故事。 能拼寫一些基本常用字詞(至少一百八十個)。</td></tr>
<tr><td colspan="2">數學</td><td>整數與計算規則、簡記式、倍數與因數、分數、立體形體、體積、容積與容量、小數、多步驟問題、線對稱圖形、三角形、時間、分數、面積、小數、未知數、單位換算、比率與百分率、統計圖表。</td></tr>
<tr><td colspan="2">自然</td><td>太陽的光和熱、太陽在天空中的位置、太陽與生活的關係，植物的構造和功能、植物的繁殖、植物的特徵和分類，熱對物質的影響、 熱的傳播，物質的溶解性、水溶液的酸鹼性、水溶液的導電性，看星星、觀測星星、尋找北極星、氧和二氧化碳、燃燒與滅火、防鏽、食品保存、多變的地貌、岩石、土壤與礦物、地震與防災。</td></tr>
<tr><td colspan="2">社會</td><td>臺灣在這裡、臺灣島的形成、山海之歌、氣候變奏曲、生活的泉源、土地開發與生態保育、豐富的物產、人口知多少、聚落類型與生活差異、區域的形成、北中南東看臺灣、寶島行透透、臺灣的環境災害、行動愛臺灣、認識臺灣的過去、臺灣的史前文化、豐富多元的原住民文化、荷西時期的統治、鄭氏時期的開發、唐山過臺灣、移民的社會、大船入港、清末的建設、英勇的抗日事蹟、日本的殖民統治、經濟、社會與文化發展、光復後的政治發展、我們的政府與人民 。</td></tr>
<tr><td rowspan="6">六年級</td><td rowspan="4">國文</td><td>閱讀</td><td>能調整讀書方法，提昇閱讀的速度和效能。課文：台灣的孩子、戲劇之王——莎士比亞、「奈米」的世界、父親的腳步聲、開公車玩臺北——公車司機採訪記、大愛精神不死、守望相助、古詩文選讀、草船借箭、最後一片葉子、棉花上的沉睡者、書信、幸福的味道、用心生活、雨，落在高雄的港上(余光中)、最後一片葉子(歐·亨利)、狐假虎威(戰國策)、讀書報告——愛的教育、三峽祖師廟(徐世豐)、文學與生活——從唐詩談起、與壓花邂逅、水牛群像(陳長華)、我的少年禮、禮物、許願瓶、畢業生致答詞(林良)。</td></tr>
<tr><td>閱讀理解能力</td><td>能掌握不同文體閱讀的方法。能讀出文章的抑揚頓挫與文章中感情。能熟練利用工具書，養成自我解決問題的能力。學習資料的剪輯、摘要和整理的能力。能在閱讀過程中，培養參與團體的精神，增進人際互動。</td></tr>
<tr><td>寫作</td><td>能從內容、詞句、標點等方面，修改自己的作品。能了解標點符號的功能，並能恰當的使用。能用正確、美觀的硬筆字寫各科作業。能嘗試創作(如童詩、童話等)，並欣賞自己的作品。能配合閱讀教學，練習撰寫摘要、札記及讀書卡片等。能寫作遊記，記錄旅遊的所見所聞，增進認識各地風土民情的情趣。</td></tr>
<tr><td>聽和說</td><td>能在聆聽過程中，系統歸納他人發表之內容。在看圖或觀察事物後，能以完整語句簡要說明其內容。能轉述問題的內容，並對不理解的問題，提出詢問。他人與自己意見不同時，仍樂意與之溝通。</td></tr>
<tr><td colspan="2">英文</td><td>聽懂簡易歌謠和韻文的主要內容、藉圖畫、布偶及肢體動作等視覺輔助，聽懂簡易兒童故事及兒童短劇的大致內容。能藉圖畫、圖示等視覺輔助，閱讀並了解簡易故事及兒童短劇中的大致內容。 能藉圖畫、書名或上下文做簡易的預測或推論。能吟唱和朗讀歌謠韻文。能以簡易英語看圖說話。能根據圖片或提示以角色扮演作簡單的對話。能參與簡易的兒童短劇表演。能依圖示填寫重要字詞。能掌握英文書寫格式寫出簡單的句子。</td></tr>
<tr><td colspan="2">數學</td><td>一億以上的數、平面圖形的性質、最大公因數與最小公倍數、圖形的面積公式、分數的乘法、小數的乘法、分數的除法、小數的除法、列式與解題、比、比值與正比例、圓周率與圓周長、百分率、統計量與圓形百分圖、圓面積、立體圖形、速率、比例尺、平面坐標、幾何公式與代數律。</td></tr>
</table>

美國加州基礎教育		
六年級	科學	聚焦於板塊構造和地球結構。了解岩石和土壤的風化和沉積泥沙之運輸如何塑造地球的地形。了解熱和熱能。理解生物體如何在生態系統中彼此交換能量及營養素以及如何與環境互動。問有意義的問題，並進行後續調查。
	歷史．社會科學	能描述早期人類的物質和文化發展（已得到考古研究證明確實存在於舊石器時代到農業革命之間的古文明）。分析美索布達米亞（Mesopotamia）、埃及、庫什（Kush）等早期文明的地理、政治、經濟、宗教、社會結構。分析古代希伯來人（Ancient Hebrews）的地理、政治、經濟、宗教和社會結構。分析古希臘（Ancient Greece）早期文明的地理、政治、經濟、宗教、社會結構。分析印度早期文明的地理、政治、經濟、宗教和社會結構。分析中國早期文明的地理、政治、經濟、宗教和社會結構。分析羅馬在早期發展過程中的地理、政治、經濟、宗教和社會結構。
七年級	閱讀	能鑑定成語、類比、散文和詩歌中的隱喻和明喻。透過定義、範例、重述或對比等之使用，來澄清文詞的含義。
	閱讀理解能力	聚焦於資訊材料。了解和分析不同寫作體裁所使用的不同結構和用途。
	寫作	能寫出清楚、連貫、有重點的文章，並且注意到閱聽眾的需要和自己的寫作目的。文章內容包含前言介紹、支持證據和結論。學生隨著需要在寫作過程的各階段磨練強化自己的作文功力。能創建一種文章結構，讓句子做有效的移轉過渡並統合重要的思想。提出有關的故事、描述、事實、統計數據、和實例來支持自己的報告和主張。能使用筆記、概述、總結等策略打草稿。
	聽和說	做簡報和提問題來徵求資訊，判斷説話人對某一主題的態度，以問題、挑戰或肯定來回復有説服力的資訊。使用傳統的修辭策略來做簡報。進行敍事性簡報、做文章和書籍的口頭總結、做研究報告、和進行有説服力的簡報。
	數學	操作數字和公式，了解正在運用中的一般數學原則。能理解和使用分子和分母的分解和指數的特性。知道勾股定理（Pythagorean theorem），用它來解決問題和計算未知邊的長度。知道如何計算基本的立體形之面積和體積，了解比例改變如何影響面積和體積的變化。能進行不同測量單位之間的換算，了解並能使用分數的不同表達方式，而且精通如何從一種方式改變到另一種方式。對比率和比例有更多認識，能計算百分比的增加和減少，能計算單利和複利。了解圖形的線性函數，了解斜坡的觀念和它與比例的關係。
	科學	關注生命科學、細胞生物學和遺傳學的基本概念。了解演化、地球和生命歷史。對生物系統的結構和功能有一般概念，包括植物和動物的解剖學和生理學。了解光和波長的物理原理。利用適當的技術來進行測試、收集數據、顯示數據。使用平面媒體和網路資源來蒐集研究項目的資料和證據。建構比例模型、地圖和圖表來傳達科學知識。

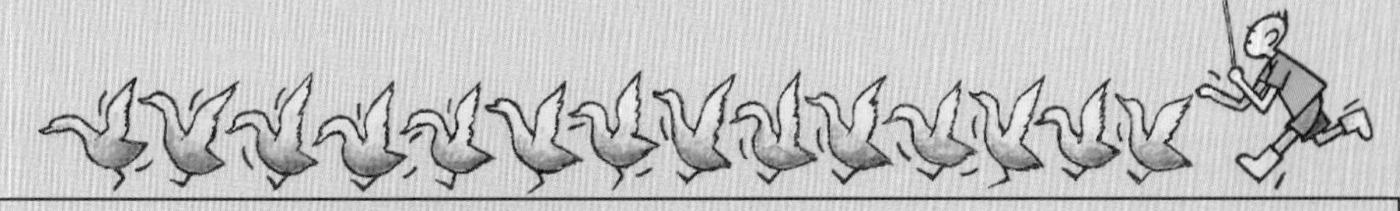

台灣國民基礎教育			
六年級	自然		大氣中的水、認識天氣圖、認識颱風、植物的繁殖、動物的繁殖和行為、代代相傳、指北針與地磁、電磁鐵、電磁鐵的應用、聲音的產生與傳播、製作簡易樂器、樂音與噪音、力對物體的作用、力的測量、摩擦力 、認識槓桿、輪軸的應用、滑輪的應用、簡單機械的組合、生物與棲息環境、環境改變與生物生活、自然資源。
六年級	社會		消費與生活、產業的分工合作、投資與理財、經濟活動面面觀、人口問題面面觀 、家庭兩性新關係、舞出城鄉新活力、從道德到法律、只要我喜歡？法律就在你身邊、多元的文化、互動與調適、臺灣的傳統文化、承先啟後的年代、宗教與人類生活、穿越時空看文化、今日世界文化面面觀、文化交流看世界、國際社會變化多、漫遊國際組織、世界e起來、永續節能「綠建築」、科技危機與立法、世界地球村、全球問題大追擊、讓地球生生不息。
國一	國文	閱讀	能了解並詮釋作者所欲傳達的訊息，進行對話。能活用不同閱讀策略，提昇學習效果。課文：律詩選─過故人莊(孟浩然)、律詩選─聞官軍收河南河北(杜甫)、小說選─眉(商禽)、小說選─風箏(白靈)、賣油翁(歐陽脩)、藉口(亮軒)、背影(朱自清)、謝天(陳之藩)、愛蓮說(周敦頤)、螞蟻雄兵(曾志朗)、五柳先生傳(陶淵明)、王冕的少年時代(吳敬梓)、假如給我三天光明(海倫．凱勒)、心囚(杏林子)、雅量(宋晶宜)、做硯與做人(劉墉)、夏夜(楊喚)、絕句選─登鸛雀樓(王之渙)、絕句選─黃鶴樓送孟浩然之廣陵(李白)、絕句選─楓橋夜泊(張繼)、母親的教誨(胡適)、憨孫吔，好去睏啊！(蕭蕭)、論語選(論語)、音樂家與職籃巨星(王溢嘉)、兒時記趣(沈復)、紙船印象(洪醒夫)、地瓜的聯想(蔡昭明)、撲滿人生(艾雯)
國一	國文	語文常識	工具書使用與資料檢索、標點符號使用法、漢字的結構、漢字形體的演變。
國一	國文	寫作	能應用觀察的方法，並精確表達自己的見聞。能配合各項學習活動，撰寫演說稿、辯論稿或劇本。能培養寫日記的習慣。從生活中取材，夾敘夾議、藉事例以說理、先敘事後議論、以擬人手法抒寫夏夜的富麗、以絕句形式寫景抒情、藉由生活瑣事刻劃母愛、以映襯法抒寫童年時祖母伴讀的溫馨、以追憶方式敘寫童年趣事、以抒情的筆調敘寫童年往事、以映襯法寫出兩極化的聯想、以生活中的事物及引用名言來說理。
國一	國文	聽和說	能聽出不同語氣所表達的意思。能口齒清楚，聲音響亮，當眾發表意見，並注語言禮貌。能將所聽到的內容，用完整而優美的語言說出來。能主動聆聽各項發表活動。能依理解的內容，選擇不同的溝通方式，適當的表達。
國一	英文		能辨識簡易詩歌的節奏與音韻、辨識不同句子語調所表達的情緒和態度。能使用主要的教室用語。以簡易英語參與課堂上老師引導的討論。以簡易的英語表達個人的需求、意願和感受。能辨識英文字母的連續書寫體（cursive writing）。能用字典查閱字詞的讀音及意義。能看懂常用的英文標示和圖表。能填寫簡單的表格及資料等。打招呼、介紹自己和他人姓名、be動詞Yes/No問句與答句、Where…form?問句與答句、a、an;this、that、these、those、形容詞、祈使句、現在進行式、Where is/are...?;場所介系詞、There is/are...的問句與答句、助動詞can的直述句與疑問句、連接詞but、第一、第二人稱現在式之直述句與疑問句、第三人稱現在式之直述句與疑問句、不可數名詞、用how much詢問價錢、cost的用法、用how much詢問不可數名詞的數量、用how many搭配單位量詞詢問不可數名詞的數量、頻率副詞、how often... 的問句與表示次數的副詞片語、序數;日期、不定詞當受詞的用法、代名詞受格、動名詞當受詞的用法、like/love/hate的受詞形式、be動詞過去式的直述句與疑問句。
國一	數學		因數和倍數－以符號代表數、因數、倍數與質數、公因數與公倍數、分數，負數－認識負數、加法和減法、乘法和除法、數線、科學記號，一元一次方程式－以符號列式、一次式的運算、一元一次方程式的解法、一元一次方程式的應用，二元一次聯立方程式－二元一次方程式的列式、代入消去法、加減消去法、二元一次聯立方程式的應用，比一比與比值、比例式與連比、正比與反比，函數與直角坐標─函數、直角坐標、函數與圖形、二元一次方程式的圖形、不等式－認識不等式、不等式的性質、不等式和數線、一元一次不等式。
國一	自然與生活科技		形形色色的生物：生物的分類、原核、原生生物及菌物界、植物界、動物界，生殖：有性生殖、無性生殖、細胞分裂，遺傳：遺傳與基因、人類的遺傳、突變與遺傳諮詢、生物技術，演化：化石、演化的學說、生物的演化，生物與環境：生物與環境的關係、能量流動與物質循環、族群與群集、生態系，環境保護與生態平衡：人類與環境、生物多樣性、保育與生態平衡，傳播科技概說：傳播科技的定義與演進、傳播科技的重要基礎、傳播科技相關的職業，傳播科技的內涵：圖文傳播、電子視聽傳播、資訊傳播與網際網路。

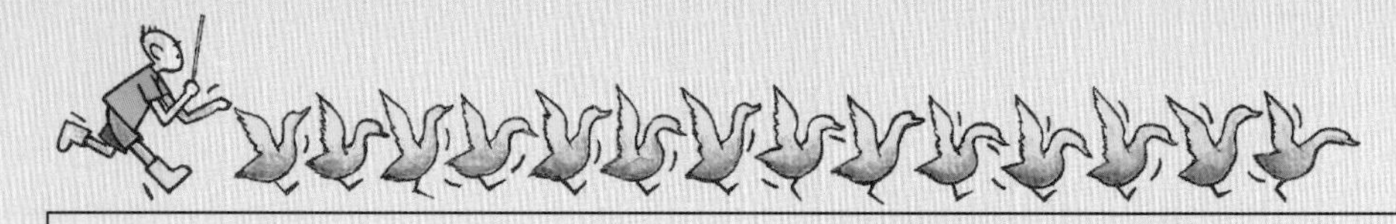

美國加州基礎教育		
七年級	社會科學・歷史	分析羅馬帝國巨幅擴張和最終解體的原因和影響。分析中世紀時伊斯蘭文明的地理、政治、經濟、宗教、社會結構。分析中世紀時中國文明的地理、政治、經濟、宗教、社會結構。分析中世紀非洲之撒哈拉以南（sub-Saharan）的加納（Ghana）和馬利（Mali）文明之地理、政治、經濟、宗教、社會結構。分析中世紀日本文明的地理、政治、經濟、宗教、社會結構。分析中世紀歐洲文明的地理、政治、經濟、宗教、社會結構。比較和對比中美洲（Meso-American）和安第斯（Andean）文明的地理、政治、經濟、宗教、社會結構。分析文藝復興（Renaissance）的起源、成就和地理擴散。分析宗教改革（Reformation）的歷史發展。分析科學革命（Scientific Revolution）的歷史發展和它對宗教、政治、文化的持久影響。分析十六、十七、十八世紀的政治和經濟變革【探索的時代（Age of Exploration）、啟蒙運動（Enlightenment）、理性的時代（Age of Reason）】。
八年級	閱讀	分析成語、類比、隱喻、明喻，以推斷片語的字面和形象意義。了解英語文發展史上的重要里程碑，使用共同的字源來判斷歷史對英文字詞含義的影響。能根據上下文的意思，填用適當的字詞。藉由定義、重述、舉例、比較或對比，展現驗證語義的能力。
	閱讀理解能力	比較/對比消費者材料(consumer materials)之功能和組成元素，以明瞭文件的意義。能在處理文章所呈現的觀念範圍或組織時，找出文章內容的相似性和差異性。對一些能強化歷史和社會科學研究、具有歷史或文化意義的文學作品，不但能閱讀之並能做出回應。對不同形式的詩文，能判斷和闡釋其寫作宗旨和特點。分析文學作品，說明它如何反映出作者的傳統、態度和信念，以及它如何影響後代子孫。
	寫作	能寫至少500-700字具有敘述力、說明力、說服力、描述力的短文，包括傳記、短篇故事、敘述文、文獻回應、研究報告、論說文、與職業發展相關的文稿(簡單的商業信函、求職函)、技術文件。
	聽和說	能以準確的語言、動作動詞、感官細節、修飾語和生動的語調，發表有系統有組織的演講。能使用傳統的修辭策略於各類演講中，包括敘述性簡報、對文學作品的口頭答覆、論說簡報、詩歌朗誦、部份的演講詞或戲劇獨白。口語和媒體溝通的分析。
	數學	達到代數I、幾何學、代數II、概率學、和統計學等標準。

台灣國民基礎教育

年級	科目	項目	內容
國一	社會		地理 ：臺灣的環境：地理位置與範圍、地形、海岸與島嶼、天氣與氣候、水文、自然生態與環境保護、人口、第一級產業、第二、三級產業、聚落與交通、臺灣的區域特色、臺灣區域發展的差異。 歷史：臺灣的歷史：史前臺灣與原住民文化、國際競爭下的臺灣、鄭氏時期的經營、清領前期的政治與經濟、清領前期的社會與文化、清領後期的積極建設、日治時期的殖民統治、日治時期經濟與教育的推展、日治時期的社會變遷、戰後臺灣的政治變遷、戰後臺灣的外交與兩岸關係、戰後臺灣的經濟與社會。 公民：個人與社會生活：自我的成長、人際的互動、家庭生活、家庭協奏曲、學習新天地、社區發展、社會互動、社會中的團體、社會規範、社會中的文化、變遷中的社會、社會福利。
國二	國文	閱讀	能廣泛閱讀課外讀物及報刊雜誌，並養成比較閱讀的習慣。以排比、摹寫、回文及對偶修辭等方式、提升文學作品的鑑賞程度，加強文化素質的培養，以開闊學生的胸襟。課文：田園之秋選（陳冠學）、欣賞就是快樂（羅蘭）、張釋之執法(司馬遷)、運動家的風度(羅家倫)、母難日(余光中)、古詩選—迢迢牽牛星(佚名)、古詩選—歸園田居(陶淵明)、鳥(梁實秋)、蜜蜂的讚美(秦牧)、記承天夜遊(蘇軾)、大明湖(劉鶚)、世說新語選一鍾家兄弟巧應答(劉義慶)、世說新語選—王藍田食雞子(劉義慶)、虎克—愛上跳蚤的男人(張文亮)、黔之驢(柳宗元)、青蛙(芥川龍之介)、陋室銘(劉禹錫)、走進春天的懷裡(司馬中原)、木蘭詩(佚名)、新詩選—傘(蓉子)、新詩選—一棵開花的樹(席慕蓉)、空城計(羅貫中)、生命中的碎珠(陳幸蕙)、為學一首示子姪(彭端淑)、幽夢影選(張潮)、聲音鐘(陳黎)、下雨天，真好(琦君)、春(朱自清)。
		語文常識	詞類及句子語法、了解譬喻、轉化、誇飾、感嘆、設問、引用、借代、映襯、雙關、類疊等修辭法的定義及功能，並加以活用。書信、便條及電子郵件之繕寫方式。
		寫作	精確的遣詞用字，恰當的表情達意。能靈活應用各種句型，充分表達自己的見解。能養成反覆推敲的習慣，使自己的作品更加完美，更具特色。能配合各學習領域，練習寫作格式完整的讀書報告。能透過電子網路，與他人分享寫作的樂趣。以譬喻、摹寫、類比方式描繪西北雨、以銘文形式抒發懷抱並自我戒勉、以夾敘夾議說明「樂享」的精神，以詠物說理的方式寫出藝術家創作的艱辛、引用事例與名言以說理、以簡潔的文字、整齊的句子，論述對讀書的體悟、以對比、譬喻方式抒懷、以寫景抒懷的方式表達隨遇而安的心態。
		聽和說	能針對他人之演說內容發表自己的意見。能將聆聽所得充分應用。能明確表達意見，清楚表達情意。能明白說出一篇作品的優缺點。
	英文		能聽懂日常生活對話和簡易故事、辨識對話或訊息的主旨或目的。能以簡單的英語描述日常生活中相關的人、事、物。依人、事、時、地、物作提問和回答。依情境及場合，適切地表達自我並與他人溝通。能用適切的語調、節奏朗讀短文、故事等。能了解課文的主旨大意。能了解對話、短文、書信、故事及短劇等的重要內容與情節。能依提示合併、改寫及造句。過去簡單式（不規則動詞）、肯定說法、過去簡單式（規則動詞）、助動詞did的問句與答句、複習過去式；用連接詞before、after、when比較事情發生的時間、過去進行式；用連接詞when連接兩件同時發生的動作或活動、以不定詞當受詞或主詞；it當虛主詞以代替不定詞、動名詞當受詞或主詞、頻率副詞，How often...?的用法、未來式（will, be going to）、What's the weather like?的用法；rain與snow當動詞的用法、形容詞比較級、不定代名詞one/ones、形容詞最高級、所有格代名詞、情狀副詞、have to、連綴動詞、連綴動詞＋like、使役動詞、可分的雙字動詞、數量代名詞、must和should、感官動詞、副詞比較級、從屬連接詞：when, before, after、副詞最高級、if子句、although的用法。
	數學		能理解二次方根的意義。求二次方根的近似值。二次方根最簡式的意義，並做化簡。二次方根的加、減、乘、除規則。在日常生活中，觀察有次序的數列，並理解其規則性。觀察出等差數列的規則性。利用首項、單元：乘法公式與多項式－乘法公式、多項式與其加減、多項式的乘除，畢氏定理與平方根－畢氏定理、平方根與近似值、根式的運算、畢氏定理的應用，多項式的因式分解－乘法公式與提公因式法、十字交乘法，一元二次方程式－用因式分解法求解、配方法與公式解、一元二次方程式的應用，數列與級數－等差數列、等差級數，幾何圖形的角－三角形的角、多邊形的內角與外角、平行與垂直，三角形的基本性質－全等的概念、.SSS全等與尺規作圖、三角形的邊角關係，幾何圖形－平行四邊形、線對稱與幾何圖形、周長與面積、表面積與體積。

美國加州基礎教育		
八年級	科學	透過運動和力量的研究，了解基本物理學。透過原子結構和週期表裡不同的元素，來了解物質結構。透過星星和銀河系以及其演變的研究，來認識宇宙的結構和組成。透過原子重新排列成不同化合物的化學反應之學習，來了解各類反應。了解以生物學為基礎的化學基本原則。研究週期表，了解金屬、非金屬和惰性氣體的歸類，每個元素之原子核裡都有特定數量的質子，而每個同位素之原子核裡則有不同但特定數量的中子。了解元素如何按其特性來分類。計劃和進行科學調查，以測試一項假設，評估其數據的準確性和可重複性，區分測試裡的變數和控制參數，建構圖形；運用數學關係來解方程式（包括速度=距離/時間；密度=質量/體積；力=壓力×領域；體積=面積×高），找出未知數的答案。在數據圖上，區分線性和非線性關係。
	歷史．社會科學	了解美國立國之前所發生的重大事件，和它們對美國走向民主憲政的意義。分析建構美國憲法基本政治原則，比較聯邦政府擁有哪些明文列舉和隱含在內的權力。理解美國政治制度的基礎和公民參與政治的途徑。分析剛立國時美國人民的願望和理想。分析美國建國初期的外交政策。分析從1800年到19世紀中葉，美國人民所經歷的不同途徑和他們所面臨的挑戰，將重點著眼於東北地區。分析從1800年到19世紀中葉，美國南方人民所經歷的不同途徑和他們所面臨的挑戰。分析從1800年到19世紀中葉，美國西部人民所經歷的不同途徑和他們所面臨的挑戰。分析早期人民如何持續努力於廢除奴隸制度，以求實現獨立宣言(Declaration of Independence)的理想。分析造成內戰(Civil War)的原因、關鍵事件、複雜的後果。分析重建(Reconstruction)的性質和其持久的影響。分析美國為因應工業革命(Industrial Revolution)，而引發的經濟轉型和社會政治條件的變化。
九年級	閱讀	應用字源知識來判斷新字的含義，並能準確使用它們。閱讀並理解適合本年級水準的教材，能分析文章的組織模式、論點和立場。學生朝「12年級時，能每年自行研讀兩百萬字」的目標前進，包括古典文學、現代文學、雜誌、報紙和網上信息。閱讀具有歷史或文化意義的文學作品(回應和增強歷史和社會科學研究之類的作品)，並做出適當回應；對其中經常出現的文章模式和主題做深入分析。能使用複雜的文學技巧(例如埋下伏筆、形象化的文字、意象、寓意、象徵)來分析文學作品。
	寫作	能寫連貫、突出重點的文章來表達明確的觀點，並且論據嚴密合理，也顧及觀眾的立場和自己的寫作目的。能使用清楚的研究問題和研究方法。能綜合多種來源的信息，並從中鑑識信息的複雜性和矛盾處，並發現不同媒體採取不同的報導角度。能綜合運用各種修辭策略，寫出至少1500字的敘事、論述、說服、描述等文章（傳記或自傳/短篇小說、文學回應、說明文、分析文、研究報告、遊說文、商業信函、技術文件。）
	聽和說	能靈巧地進行口語溝通；能發表有重點、思想連貫的報告來傳達自己明確獨特的觀點和堅實的推理。針對特定觀眾和目的，使用「客製化」的手勢、語調和詞彙。能結合傳統的修辭策略（敘述、論述、說服、說明）來發表正式而得體的即興演講。能做敘事性的簡報、解說介紹，能運用適當的面試技巧，能口頭答覆文學、具說服力的論據和描述。
	數學	達到代數I、幾何學、代數II，概率學、和統計學的標準。

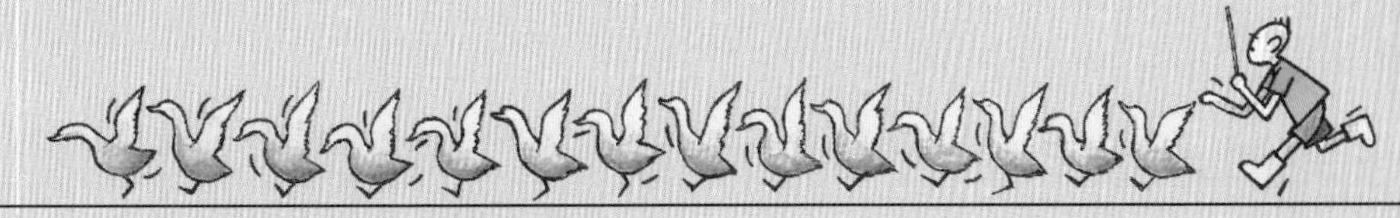

台灣國民基礎教育			
國二	自然與生活科技		實驗與測量、長度、體積的測量、質量測量、密度與科學概念、水的性質與三態變化、水溶液、空氣的成分與性質、氧氣和二氧化碳、波的傳播與性質、聲音的形成、音量、音調與音色、回聲、超聲波及噪音、光的傳播與性質、光的反射與面鏡、光的折射、透鏡的成像、冷熱程度—溫度、熱是什麼、物體受熱後溫度變化的難易、熱量的傳送、熱對物質的影響、純物質與混合物、元素與化合物、物質結構與原子、週期表與規律性、分子與化學式、製造科技的定義與發展、常用的材料、材料加工與工作安全、產品的設計、製作、行銷。原子與化學反應：化學變化與質量守恆、原子量、分子量與莫耳、化學反應式，氧化與還原：元素的活性、氧化與還原、金屬的提煉，電解質與酸鹼鹽：電解質、酸和鹼、酸和鹼的濃度、酸鹼反應與鹽類，反應的快慢與平衡：接觸面積、濃度與反應速率的影響、溫度與反應的快慢、催化劑、化學平衡，生活中的有機物：有機物與無機物、有機物的來源、常見的有機物：醇、酸、酯、聚合物、食物、衣料與清潔劑，力、壓力與浮力：力與力的形式、力的測量與合成、摩擦力、壓力：水壓與大氣壓力、浮力，營建科技概說：營建科技的定義與發展、力與結構、建築的構造，居家環境及設備：室內配置規劃、維生系統與居家設備、永續與美化的居家環境。
	社會		地理：中國大地：疆域與區域畫分、地形、氣候與水文、人口分布與人口問題、產業與經濟、資源問題與環境保育、南部地區、北部地區、西部地區，世界風情：世界概說、東北亞、東南亞和南亞。 歷史：中國的歷史：從史前到春秋戰國、秦漢大一統帝國的建立、魏晉南北朝的分與合、胡漢融合的隋唐帝國、多民族並立的宋元時期、明清帝國的盛世、晚清的變局、清末的改革、清朝的覆亡、民初政局與社會變遷、國民政府的統治、中華人民共和國的建立與發展。 公民：現代國家與民主政治、中央政府、地方政府、政府的經濟功能、政黨與利益團體、選舉與政治參與，法律與生活：法律的基本概念、人民的權利與義務、民法與生活、刑法與行政法規、權利救濟、少年的法律常識。
國三	國文	閱讀	能依不同的語言情境，把閱讀獲得的資訊，轉化為溝通分享的材料，正確的表情達意。能使用各類工具書，廣泛的閱讀各種書籍。課文：勤訓(李文炤)、習慣說(劉蓉)、山中避雨(豐子愷)、第一幅畫(張曉風)、生於憂患死於安樂(孟子)、磨(黃永武)、四時讀書樂(翁森)、與荒野相遇(凌拂)、詞選—虞美人(李煜)、詞選—南鄉子(辛棄疾)、土(吳晟)、定伯賣鬼(曹丕)、壓不扁的玫瑰(楊逵)、與宋元思書(吳均)、我所知道的康橋(徐志摩)、座右銘(崔瑗)、大鼠(蒲松齡)、元曲選—天淨沙(馬致遠)、元曲選—沉醉東風(白樸)、麥當勞午餐時間(羅門)、鄒忌諷齊王納諫(戰國策)、生活的藝術(夏丏尊)、青島就在身邊(陳火泉)。
		語文常識	傳統書信用語、對聯、題辭、柬帖的意義、種類及作法。文評摘要與讀後感的意義與作法。
		寫作	能配合寫作需要，恰當選用標點符號和標點方式，達到寫作效果。能靈活的運用修辭技巧，讓作品更加精緻優美。能主動創作，並發表自己的作品。採取「正、反、合」的講說方式，並大量應用排比句法、藉生活中的實例的說理、先舉例後說理，列舉典故，確立論典、舉用典故事例、俗諺成語來加強文章論點、以質樸真摯的筆調描寫農人耕耘的辛勤，與對土地的摯愛、採用順敘手法，細膩地描摹康橋明媚的的風光、以層遞的方式抒懷、以層遞的手法說明事理，達委婉勸諫的功效。
		聽和說	能了解聽的內容。能因應不同說話的目的與情境，適度表現自己。能用不同溝通方式，表達自己的意見。能選擇良好的溝通方式，建立正面的人際關係。
	英文		能透過視覺上的輔助，聽懂簡易影片和短劇的大致內容。能參與簡易的短劇表演。能以簡單的英語介紹國內外風土民情。能辨識故事的要素，如背景、人物、事件和結局。能從上下文或圖示，猜字意或推論文意。能閱讀不同體裁、不同主題的簡易文章。能了解並欣賞簡易的詩歌及短劇。能寫簡單的賀卡、書信(含電子郵件)等。能依提示書寫簡短的段落。形容詞比較級與最高級、感官動詞與連綴動詞、使役名詞與受詞後接不定詞、不定詞與動名詞、被動語態、現在分詞當形容詞、過去分詞當形容詞、現在完成式、附加問句、介詞片語something＋adj、關係子句、附和句、it當虛主詞以代替子句或不定詞、間接引述句(依疑問詞當主詞、副詞、受詞而分)、whether/if所引導的間接引述句。
	數學		相似三角形：縮放、相似三角形、相似形的應用，圓：圓、圓與角、圓與多邊形、數學證明，二次函數：二次函數與圖形、配方法與拋物線，機率與統計：資料的統計與分析、資料的分佈、機率，回顧與前瞻：數與量、代數、幾何。

美國加州基礎教育		
九年級	科學	物理 － 運動和力量、能量守恆和動量、熱量和熱力學、波、電、磁。 化學 － 原子和分子結構、化學鍵、質量守恆和化學計量、氣體及其性質、酸和鹼、溶劑、化學熱力學、反應速率、化學平衡、有機化學和生物化學、核進程。 生物學 － 細胞生物學、遺傳學、生態學、進化、生理學。 地球科學 － 地球在宇宙中的位置、地球的演變過程、地球系統裡的能量、生物地球化學循環、結構和大氣組成、加州地質學。 調查和實驗 － 科學的進步源由於提出有意義的問題和進行認真的調查。
	歷史・社會科學	9-12年級的學生應表現出以下的智力、推理、思考、和研究技能：按時間順序和空間思維、歷史研究、證據、和觀點、歷史解釋。
	閱讀	應用字源知識來判斷新字的含義，並能準確使用它們。閱讀並理解適合本年級水準的教材，能分析文章的組織模式、論點和立場。學生朝「12年級時，能每年自行研讀兩百萬字」的目標前進，包括古典文學、現代文學、雜誌、報紙和網上信息。閱讀具有歷史或文化意義的文學作品(回應和增強歷史和社會科學研究之類的作品)，並做出適當回應；對其中經常出現的文章模式和主題做深入分析。能使用複雜的文學技巧(例如埋下伏筆、形象化的文字、意象、寓意、象徵)來分析文學作品。
十年級	寫作	能寫連貫、突出重點的文章來表達明確的觀點，並且論據嚴密合理，也顧及閱聽眾的立場和自己的寫作目的。能使用清楚的研究問題和研究方法。能綜合多種來源的信息，並從中鑑識出信息的複雜性和矛盾處，並發現不同媒體採取不同的報導角度。能綜合運用各種修辭策略，寫出至少1500字的敍事、論述、説服、描述等文章(傳記或自傳/短篇小説、文學回應、説明文、分析文、研究報告、遊説文、商業信函、技術文件。)
	聽和説	能靈巧地進行口語溝通；能發表有重點、思想連貫的報告來傳達自己明確獨特的觀點和堅實的推理。針對特定觀眾和目的，使用「客製化」的手勢、語調和詞彙。能結合傳統的修辭策略(敍述、論述、説服、説明)來發表正式而得體的即興演講。能做敍事性的簡報、解説介紹，能運用適當的面試技巧，能口頭答覆文學、具説服力的論據和描述。
	數學	達到代數I、幾何學、代數II，概率學、和統計學的標準。可選修三角學、線性代數、和數學分析。
	物理	運動和力量、能量守恆和動量、熱量和熱力學、波、電、磁。
	化學	原子和分子結構、化學鍵、質量守恆和化學計量、氣體及其性質、酸和鹼、溶劑、化學熱力學、反應速率、化學平衡、有機化學和生物化學、核進程。

台灣國民基礎教育		
國三	自然與生活科技	路徑長、位移與時間、速率與速度、速度的變化與加速度、等加速度運動—斜面與落體運動、運動狀態與慣性定律、運動定律、反作用力、圓周運動與萬有引力、力的轉動效應—力矩、功、動能與功、位能與力學能守恆定律、能量守恆定律、簡單機械、靜電、電流、電壓、歐姆定律與電阻、基本電路－電阻的串聯與並聯、浩瀚的宇宙、太陽系、晝夜與四季、月相與潮汐、火山與地震、板塊構造運動、板塊邊界的地質作用、臺灣附近的板塊構造、地表作用與沉積岩、臺灣的地形、自然資源、運輸科技的演進與內涵、運輸系統的形式、運輸載具的介紹、運輸科技的原理、運輸科技的應用、運輸科技的商業應用－物流系統。電流的熱效應與化學效應：電功率——電流的熱效應、發電方式與電力輸送、用電安全、電池、電解——電流的化學效應、電與磁：磁鐵、磁力線與磁場、電生磁——電流的磁效應、帶有電流的導線所受的磁力、磁生電——電磁感應、變化多端的天氣：大氣與水、雲與風、氣團與鋒面、臺灣的特殊天氣現象、天氣的預報，人與自然界的互動：天然災害、溫室效應、臭氧層與臭氧洞、洋流與聖嬰現象，能源與動力科技概說：能源的演進與種類、日常生活的發電方式、動力與機械，科技的衝擊與未來：科技對生活的影響、未來科技的發展。
	社會	地理：世界風情：西亞與中亞、歐洲概説與南歐、西歐與北歐、東歐與俄羅斯、北美洲、中南美洲　、非洲、大洋洲與兩極地區、全球經濟議題、全球環境議題。 歷史：世界的歷史：古文明的誕生、希臘與羅馬文化、中古時期、近代歐洲的興起、思想與物質的革命、近代民主政治的發展、十九世紀的民族主義與文化發展、新帝國主義與第一次世界大戰、戰間期與第二次世界大戰、第二次世界大戰後的局勢。 公民：全球關連：選擇與消費、生產與投資、市場與貨幣、分工與貿易、個人與家庭經濟、經濟發展與現代社會、多元文化、科技發展、國際社會中的互動、建立和諧的世界。
高一	國文	田園之秋(劉冠學)、論語選、師說(韓愈)、再別康橋(徐志摩)、廉恥(顧炎武)、愛之淚珠(李黎)、樂府詩選—陌上桑(佚名)、樂府詩選—長干行(李白)、髻(琦君)、明湖居聽書(劉鶚)、岳陽樓記(范仲淹)、談友誼(梁實秋)、桃花源記(陶淵明)、孔乙己(魯迅)、訓儉示康(司馬光)、傷仲永(王安石)、左忠毅公逸事(方苞)、鬼頭刀(廖鴻基)、醉翁亭記(歐陽脩)、鄭愁予詩選—錯誤、天窗(鄭愁予)、古詩選—行行重行行(佚名)、古詩選—詠史(左思)、怎能出賣天空—印第安酋長的心靈宣言(泰德·佩瑞)、孟子選—五十步笑百步(孟子)、深夜的嘉南平原(陳芳明)、劉姥姥(曹雪芹)、上樞密韓太尉書(蘇轍)、一桿「稱仔」(賴和)、出師表(諸葛亮)、夏之絕句(簡媜)、世說新語選—詠絮之才、坦腹東床、絕妙好辭、雪夜訪戴(劉義慶)、項脊軒志(歸有光)。
	英文	as adj./adv.as、It is time（for sb.）to V、V-ing...＋V、one/ones、S＋V...,V-ing...、If＋S＋V...,S＋will/can/may＋V...、with＋N,S＋V、let/make＋N＋V、N（P）,who.....、If＋S＋p.t./were...、S＋would＋V、Indirect question、while、It is/was...that....、Have you（ever）＋p.p.、what it is/feels like＋to V, how＋adj.＋it is/was＋to V、watch/see/hear/feel＋O＋V/V-ing、so as（not）to＋V、adv./adj.＋enough＋to V、enough＋N＋to V、one...the other、with＋O＋OC、S＋V...,where....、S＋find＋O＋OC、whichever/whatever/whoever clauses、...as if...、....as if＋S＋p.t./were had＋p.p.、...so that＋S＋can/could/would...、although vs. but、have＋O＋p.p.、so adj./adv. that...、the reason（why/that）S＋V...is that...、wh-（NP）＋to V、may have＋p.p.、someone who（m）...、V-ing...,S＋V...、Since/For...、NP＋be＋to V、To＋V...,S＋V...、...not...Instead, S＋V...、Instead of ＋NP...,S＋V...、Despite＋N...,S＋V、S1＋suggest/recommend/order that S2＋（should）＋V...、not...until...、Some...Others...、some...,and others...、S＋V...by the time S＋V...、By the time S＋V...,S＋V...、...NP＋p.p./V-ing、too adj./adv. to V、S＋V...unless S＋V...、Unless S＋V..., S＋V...、V..., and/or you...、The more..., the more...、The -er..., the-er...
	數學	指數、指數函數、對數、對數函數及其圖形、查表與內插法　、銳角的三角函數、三角函數的基本關係、簡易測量三角函數值表、廣義角的三角函數、正弦定律與餘弦定律、基本三角測量、三角函數的圖形、和角公式、倍角與半角公式　、正餘弦函數的疊合、複數的極式、整數　、有理數與實數、平面坐標系、複數與複數平面、等差級數與等比級數、無窮等比級數與循環小數、數學歸納法、多項式的四則運算、餘式定理與因式定理、最高公因式與最低公倍式、多項式函數、多項式方程式、多項式不等式。
	物理	緒論與基本測量：物理學的重要性概述、物理量的測量與單位，運動與力：生活中常見的運動、日常生活中的力、力與運動，熱：溫度與熱量、熱與物態變化、熱與家庭生活，聲音：聲音的發生與傳播、聲音的反射及其應用、樂音三要素：音調、響度和音品，樂音與樂器、噪音的影響及防治。光：人類對光的認識、光的傳播、球面鏡、折射、光與生活，電與磁：電的認識、直流電與交流電、電流的效應熱、磁鐵與地磁、電流磁效應、生活中的電與磁、家庭用電，能量與生活：能量的形式與轉換、核能與核能發電，能量的有效利用與節約，現代科技：雷射、半導體、超導體簡介及其應用、液晶與電漿簡介、奈米科技簡介，近代物理觀簡介：從古希臘時代到十七世紀的物理學、從十七世紀到十九世紀末的物理學、近代物理學的發展。
	化學	緒論：化學探究的範疇、化學發展史，自然界中的物質：大氣、水、土壤，物質的形成及其變化：物質的組成、形成、質量、性質與變化，生活中的能源：能源簡介、常見的化石能源、反應熱、化學電池、發展中的能源，生活中的物質：食品與化學、衣料與化學、材料與化學、藥物與化學。

美國加州基礎教育		
十年級	生物學	細胞生物學、遺傳學、生態學、進化、生理學。
	地球科學	地球在宇宙中的位置、地球的演變過程、地球系統裡的能量、生物地球化學循環、結構和大氣組成、加州地質學。
	調查和實驗	科學的進步源由於提出有意義的問題和進行認真的調查。
	歷史·社會科學	9-12年級的學生應表現出以下的智力、推理、思考、和研究技能：按時間順序和空間思維、歷史研究、證據和觀點、歷史解釋。十年級的學生著重世界歷史、現代世界的文化和地理；研究希臘和羅馬哲學裡的道德和倫理原則，猶太教和基督教對西方政治思想發展的影響；比較和對比英國光榮革命(Glorious Revolution of England)、美國革命(American Revolution)、法國大革命(French Revolution)對全世界政治期望的持久影響，尤其在自治和個人自由方面；分析工業革命在英國、法國、德國、日本、美國所造成的影響；分析新帝國主義（New Imperialism）時代所發生的全球變化模式在底下各地區或國家的影響（至少選其中兩個來做分析）：非洲、東南亞、中國、印度、拉丁美洲、菲律賓；分析第一次世界大戰的發生原因、進行情況和影響；分析第一次世界大戰後極權政府的崛起；分析第二次世界大戰的起因和後果；分析第二次世界大戰後的國際發展情況；分析當今世界的立國實例，至少從以下地區或國家中選出兩個：中東、非洲、墨西哥、拉丁美洲其他地區、中國；分析世界各國融入世界經濟的情形，以及接受信息、科技、通訊革命（如電視、衛星、電腦）的情況。
十一年級	閱讀	應用字源知識來判斷新字的含義，並能準確使用它們。閱讀並理解適合本年級水準的教材，能分析文章的組織模式、論點和立場。學生朝「12年級時，能每年自行研讀兩百萬字」的目標前進。分析各種媒體因素，包括公眾文件。閱讀具有歷史或文化意義的文學作品（回應和增強歷史和社會科學研究之類的作品），並做出適當回應；對其中經常出現的主題做深入分析。能使用複雜的文學技巧來分析文學作品。就所選擇的文學作品或文章，分析其政治假設的清晰度和一致性。分析文學作品中所呈現的哲學論據，以判斷作者的立場是否促進其作品的質量和人物的信譽。
	寫作	能寫連貫、突出重點的文章來表達明確的觀點，並且論據嚴密合理，也顧及觀眾的立場和自己的寫作目的。在寫作程序的各階段繼續進步。能使用修辭手段來強化寫作技巧。能使用明確的研究問題和有創意、批判性的研究策略。能整合資料庫、圖形、電子表格到文字處理的文件中。能使用敍事、論述、説服、説明等修辭策略，寫出每篇至少1500字的文章。寫小説、自傳、或傳記敍述、文學回應、反省類文章、歷史調查報告、求職函和履歷表，能做多媒體演示。
	聽和說	能靈巧地進行口語溝通；能發表有重點、思想連貫的報告來傳達自己明確獨特的觀點和堅實的推理。能針對特定觀眾和目的，使用「客製化」的手勢、語調和詞彙。能結合傳統的修辭策略（敍述、論述、説服、説明）來發表正式而得體的即興演講，包括反應式演示、口頭報告、歷史調查，對文學作品做口頭式答覆、多媒體演示、朗誦詩歌、演講選粹或戲劇獨白，且能注意表演細節，使得演説變得清晰、有力、有美感，也展現自己對文章含義的理解。
	數學	達到代數I、幾何學、代數II、概率統計學等的標準；可選修三角、線性代數、數學分析、進階概率統計學(AP)、和高級微積分(AP)。

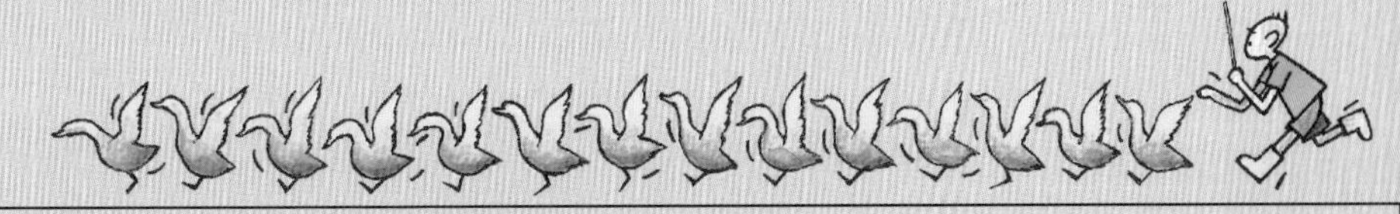

台灣國民基礎教育		
高一	基礎生物	生命的特性：生命現象、細胞的化學組成、細胞的構造、細胞分裂，生物多樣性：生物多樣性的意義、生物的歸類、病毒、原核生物、原生生物、菌物、植物、動物，生物與環境：個體與族群、群集、生態系、陸域生態系、水域生態系，人類與環境：人口問題、資源的開發與利用、人類對環境的影響、自然保育與永續經營。
	地球科學	人與地球環境：地球的起源、探索地球歷史、人與地球環境、人與環境 唇齒相依，太空中的地球：從太空看地球、從地球看星空、宇宙，地球的結構：大氣的結構、海洋的結構、固體地球的結構，大氣和海洋的變動：大氣的運動、海水的運動、大氣與海洋的交互作用，固體地球的變動：活動的大地、板塊構造活動、地震與火山、台灣的地貌與地穀變動，天然災害：氣象災害、地質災害、地球環境變遷：氣候變化、海岸變遷，地球資源與永續發展：地球資源、減少環境破壞、永續發展。
	社會科學歷史．	地理：地圖：認識地圖、地圖網格與投影、地形的展示與判讀，地理資訊：地理資訊蒐集與處理、地理資訊系統，地形：地形作用力、河流與海岸地形、石灰岩、冰河與風成地形、地形與人類活動，氣候與水文：天氣與氣候、地表風系與氣候分類、水文概述，自然景帶觀：土壤、生物的分布與組成、自然景觀帶，第一級產業：第一級產業概論、第一級產業的變遷及問題，第二級產業一第二級產業概論、第二級產業與國家經濟發展，第三四級產業：服務業的區位特性、遊憩活動與旅遊業、資訊化社會與知識經濟、第四級產業、跨國企業，人口與都市：人口成長與人口轉型、人口分布與人口問題、都市化歷程與都市規模、都市結構與都市問題，地理實察。 歷史：早期的台灣：台灣原住民族、荷西與鄭氏，清代的長期統治：政治經濟的發展、社會文化的變遷、外力衝擊與近代化，日本統治時期：殖民統治前期的特色、社會與文化的變遷、戰爭期的台灣社會，當代的台灣與世界：戰後台灣的政治變遷、戰後台灣的經濟發展、社會變遷與多元文化、世界體系中的台灣。華夏世界的形成：遠古、三代至秦漢，中古的變革一魏晉南北朝、隋唐，近世的發展：宋、元、明、清，近代的衝擊：晚清，中華民國的建立與發展，共產中國與兩岸關係。 公民：自我與社會。性別差異與性別平等。婚姻與家庭。親密關係到群己關係。公共性與社會生活。社會團體與結社。發現文化。多元文化。教育、公民素養與終身學習。倫理、道德與社會生活。律與社會規範。憲法與人權。行政法與生活。民法與生活。刑法與生活。糾紛處理與權利救濟。
高二	國文	燭之武退秦師(左丘明)、范進中舉(吳敬梓)、始得西山宴遊記(柳宗元)、玉山去來(陳列)、野獸派丈母娘(莊裕安)、虬髯客傳(杜光庭)、萬鴉飛過廢田(洪素麗)、赤壁賦(蘇軾)、現代詩選一雁(白萩)、現代詩選—狼之獨步(紀弦)、墨子選一公輸(墨子)、散戲(洪醒夫)、賣柑者言(劉基)、唐詩選—山行(杜牧)、唐詩選一黃鶴樓(崔顥)、唐詩選—石壕史(杜甫)、晚遊六橋待月記(袁宏道)、記水沙連(藍鼎元)、台灣通史序(連橫)、漸(豐子愷)、馮諼客孟嘗君(佚名)、都江堰(余秋雨)、現代詩選—坤伶(瘂弦)、現代詩選—因為風的緣故(洛夫)、勞山道士(蒲松齡)、國葬(白先勇)、指喻(方孝孺)、韓非子選—棘刺刻猴(韓非子)、韓非子選—猛狗社鼠(韓非子)、亭午之鷹(楊牧)、病梅館記(龔自珍)、垂釣睡眠(鍾怡雯)、宋詩選—寄黃幾復(黃庭堅)、宋詩選一觀書有感(朱熹)、宋詩選—書憤(陸游)、夢溪筆談選—正午牡丹(沈括)、夢溪筆談選—磁石指南(沈括)、夢溪筆談選—石油(沈括)、典論論文(曹丕)。
	英文	not...（,）but...、whose、Adverbial phrase＋V＋S、stop/remember/forget＋V-ing/to V、the way＋S＋V、…not so much...as...、for vs. so、...,which...、nothing/something/anything＋adj.、three/four times, etc.＋comparative adj.＋than...、Adverbs of frequency、How＋adj.＋（it is）＋to V…!、had＋p.p.、seem like/to/（to be）/（that）...、S1＋V...,S2＋V-ing...、Participial construction: A review、passive voice、不定詞片語、when/while/if＋p.p.、S＋be likely to V...、It is likely that S＋V...、Because＋S＋V..., S＋V...、Because of＋NP...,S＋V...、To one's N, S＋V...、How I wish...、either, neither, too, so。Noun clauses beginning with that、make/find/consider/feel/think/believe＋it＋adj./NP＋to V...、not only...but（also）...、Compound Adjectives、Fractions（one third, two fifths, etc.）、that's why/when/where/how、would rather＋V（＋than＋V）、If ＋S＋had＋p.p....、S＋would/should/could/might＋have＋p.p.、Negative adv.＋aux./be＋S...、the superlative＋（N）＋of/among/in...、the superlative＋（N）＋ever＋to V...、Transitional words、take＋sth.＋adv.、as soon as ＋S＋V、what＋（S）＋V、rather than、...not...until.../Not until...、define/regard/describe...as、as far as...be concerned、It's said/believed/reported/expected/rumored that...、If S1 were to V...,S2 would/could/should/might V...、Expressions of Quantity: Quantifiers、Subject-Verb agreement、should/shoulrn't have＋p.p.；could/couldn't have＋p.p.、look forward to＋N/V-ing、become adapted to＋N/V-ing、be/get used to＋N/V-ing、be devoted to＋N/V-ing、lead to＋N/V-ing、object to＋N/V-ing、when it comes to＋N/V-ing。
	數學	有向線段與向量、向量的基本應用、平面向量的坐標表示法、平面向量的內積、空間的概念、空間坐標系、空間向量的坐標表示法、平面方程式、空間中的直線方程式、一次方程組、圓的方程式、圓與直線的關係、球面方程式、球面與平面的關係、圓錐曲線名詞的由來、拋物線、橢圓、雙曲線、圓錐曲線的光學性質、集合元素的計數、加法原理與乘法原理、排列、組合、二項式定理、遞迴關係、事件與集合、機率的性質、數學期望值、統計資料的來源、分析一維數據、信賴區間與信心水準的解讀。

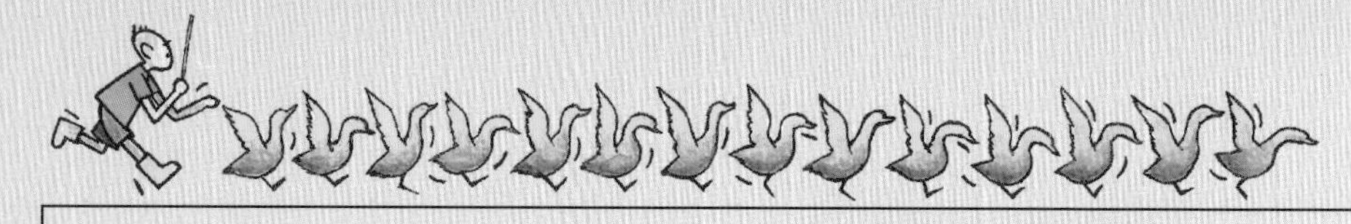

美國加州基礎教育		
十一年級	物理	運動和力量、能量守恆和動量、熱量和熱力學、波、電、磁。
	化學	原子和分子結構、化學鍵、質量守恆和化學計量、氣體及其性質、酸和鹼、溶劑、化學熱力學、反應速率、化學平衡、有機化學和生物化學、核進程。
	生物學	細胞生物學、遺傳學、生態學、進化、生理學。
	地球科學	地球在宇宙中的位置、地球的演變過程、地球系統裡的能量、生物地球化學循環、結構和大氣組成、加州地質學。
	調查和實驗	科學的進步源由於提出有意義的問題和進行認真的調查。
	歷史·社會科學	9-12年級的學生應表現出以下的智力、推理、思考和研究技能：按時間順序和空間思維、歷史研究、證據和觀點、歷史解釋。十一年級的學生著重於了解美國歷史和地理：20世紀的連續性和變化。學生分析美國創立國家時所發生的重大事件，和美國試圖實現獨立宣言所描述的政治理念；分析工業化興起、農村人口大規模遷居城市、南歐和東歐大規模移民之間的關係；分析在美國立國階段，宗教所發揮的作用，其在道德、社會、政治上所造成的持久影響，並分析宗教自由問題；追蹤美國在20世紀崛起成為世界強權的過程；分析20世紀20年代所發生的重大政治、社會、經濟、科技、文化發展；分析大蕭條（Great Depression）發生的各種不同的解釋，以及新政（New Deal）如何從根本上改變聯邦政府的角色；分析美國參與第二次世界大戰的前因後果；分析第二次世界大戰後美國的經濟繁榮和社會轉型；分析第二次世界大戰迄今的美國外交政策；分析聯邦公民權利和投票權的發展；分析當代美國社會所出現的主要社會問題和內政政策問題。
十二年級	閱讀	應用字源知識來判斷新字的含義，並能準確使用它們。閱讀並理解適合本年級水準的教材，能分析文章的組織模式、論點和立場。學生朝「12年級時，能每年自行研讀兩百萬字」的目標前進。分析各種媒體因素，包括公眾文件。閱讀具有歷史或文化意義的文學作品(回應和增強歷史和社會科學研究之類的作品)，並做出適當回應；對其中經常出現的主題做深入分析。能使用複雜的文學技巧來分析文學作品。就所選擇的文學作品或文章，分析其政治假設的清晰度和一致性。分析文學作品中所呈現的哲學論據，以判斷作者的立場是否促進其作品的質量和人物的信譽。

台灣國民基礎教育		
高二	物理	運動學直線運動：位置路徑長與位移、平均速度與平均速率、瞬時速度、加速度、等加速度運動、自由落體運動、相對運動，運動學平面運動：平面運動的描述、向量的意義、分解與合成、平面運動的速度、水平拋射、斜向拋射，靜力學：力與移動平衡、力矩與轉動平衡、靜力平衡、重心與質心、靜力學應用實例，牛頓運動定律：牛頓第一運動定律、牛頓第二運動定律、牛頓第三運動定律、摩擦力，動量與牛頓運動定律的應用：動量與衝量、質心的運動、動量守恆定律、等速率圓周運動、簡諧運動，萬有引力定律：克卜勒行星運動定律、萬有引力定律、重力場與重力加速度、人造衛星，功與動能：定力所作的功、變力所作的功、功能定理與動能、功率，位能與力學能守恆定律：位能、保守力、重力位能的普遍形式、彈性位能、力學能守恆定律，踫撞：彈性踫撞、非彈性踫撞、物理量的因次，轉動：角速度與角加速度、轉動慣量、角動量及角動量守恆，流體的性質：靜止液體的壓力與浮力、帕斯卡原理、大氣壓力、液體的表面張力與毛細現象、白努利方程式及其應用，熱學：熱容量與比熱、物質的三態變化與潛熱、熱功當量與內能、熱膨脹、理想氣體方程式、氣體動力論。
	化學	物質的狀態及其反應：物質的狀態、原子與分子、化學式、化學反應式、化學反應的定量關係、化學反應的能量變化，氣體的性質：氣體的性質、氣體體積和壓力的關係、氣體體積和溫度的關係、理想氣體、混合氣體的壓力、氣體的擴散，溶液：溶液的種類、溶液的濃度表示法、溶解度、影響溶解度的因素、水溶液的導電、水溶液中離子的反應，原子結構與元素週期表：原子的基本結構、原子的軌域與電子組態、原子組態與元素週期表、物質的形成，烴類：碳化合物的結構、芳香烴、烴類的基本反應。化學反應速率、酸與鹼、氧化還原反應、非金屬元素及其化合物、金屬元素及其化合物。
	生物	細胞和生物體：細胞、生物體的組織、器官和系統。植物的營養：植物營養器官的構造、水分和無機鹽的吸收與運輸、光合作用與呼吸作用、養分的運輸。植物的生殖、生長及發育：植物的生殖、種子的萌發與幼苗的生長、調節植物生長與發育的物質、植物對環境刺激的反應，動物的代謝和恆定性：消化作用與營養、循環作用與養分的運輸、呼吸作用與氣體交換、排泄作用、體溫的調節與恆定性，動物的協調作用：人類的免疫反應、神經與運動、激素與協調、動物的行為，動物的生殖和遺傳：動物的生殖方式、人類的生殖和胚胎的發生、基因與遺傳、人類的遺傳，生命科學和人生：基因的表現、生物技術及其應用、生物技術的衝擊。
	地球與環境	地球古今談：地球的起源、形狀與大小、時序的根源，測大地：壯麗的山河、固體地球的探測：探地層、空中遙測、地面上觀測，觀風雲：氣象與生活、多變的天氣、大氣觀測、天氣預報，探海洋：測海象、現代化的海洋觀測、廣濶的海洋，探索星空：觀測星空、星光的奧秘。地球資源：美麗的石頭、礦產資源、水資源，氣象與地質：趨吉避凶：出門看天氣、擇良地而居，遊憩體驗自然：山中傳奇、遠古重現、水岸樂趣、氣象萬千、宇宙浩瀚，生物與地球演化：生物與環境、人類與環境，面對環境變遷：自然環境的變遷、人類引發的衝擊、環境變遷的因應。
	社會科學．歷史	地理：世界的劃分、美國、中南美洲、南亞、歐洲、國協、非洲、日本、澳洲與紐西蘭、東南亞、西亞、台灣的位置與環境特色、台灣農業的發展與轉型、台灣的工業化、台灣服務業的發展、台灣的區域特色與區域問題、中國的地理區域、中國的人口與都市、中國的農業、中國的工業、中國的環境問題與保育、鄉土地理研究。 歷史：古代文明的遺產：大河與文明、哲學的突破、西方古典文化的形成，普世宗教與中古文明：東亞的宗教與社會、基督教會與中古歐洲、伊斯蘭文明的興起，世界文明的蛻變與互動：歐洲社會的蛻變、世界文明的交匯、亞洲大帝國的發展，歐洲勢力的崛起：近代歐洲的興起、近代早期經濟與社會變化、近代早期的思想與學術。遽變的時代－美國獨立戰爭及其民主政治的成長、從法國大革命到二月革命、工業革命及其初期的影響，資本主義國家的挑戰：西方國家的優勢、西潮衝擊下的滿清帝國、非西方世界的危機或轉機，歷史的轉折：西方世界的迷失、改革、激進和大戰、俄國大革命和共產黨的極權統治、亞洲的反殖民化運動，世界霸權的爭奪－第二次世界大戰、冷戰的形成及東亞世界、六〇年代的政治與社會，我們的生長時代：日常生活和大眾文化的變遷、海峽兩岸與世界的新秩序。 公民：國家的組成與目的。民主政治與公民德行。政府的組織、功能與權限。政府運作的基本原則。政黨政治與選舉制度。我國的民主憲政發展。兩岸關係。我國外交政策。經濟學基本概念。市場經濟制度。生產與經濟發展。經濟與環境的永續發展。總體經濟指標。總體經濟政策。國際貿易與國際金融。
高三	國文	大同與小康（佚名）、魯智深大鬧桃花村（施耐庵）、先秦韻文選－蒹葭（佚名）、先秦韻文選－漁父（屈原）、發現事理的樂趣（理查．費曼）、詞選－浪淘沙（李煜）、詞選－念奴嬌（蘇軾）、詞選－破陣子（辛棄疾）、在迷宮中仰望星斗（龍應台）、諫逐客書（李斯）、戰士，乾杯！（黃春明）、北投硫穴記（郁永河）、白玉苦瓜（余光中）、老子選－天下皆知美之為美（李耳）、老子選－江海所以能為百谷王（李耳）、老子選－信言不美美言不信（李耳）、出門訪古早（逯耀東）、原君（黃宗羲）、登樓賦（王粲）、孫子選－謀攻（孫武）、蘭亭集序（王羲之）、給我一個解釋（張曉風）、過秦論（賈誼）、竹藪中（芥川龍之介）、勸學（荀子）、現代詩選－蒙文課（席慕蓉）、現代詩選－山是一座學校（瓦歷斯．諾幹）、鴻門宴（司馬遷）、讀書的藝術（林語堂）、莊子選－庖丁解牛（莊子）、散曲選－【雙調】大德歌（關漢卿）、散曲選－【中呂】賣花聲（張可久）、劇曲選－牡丹亭．遊園（湯顯祖）、温州街到温州街（林文月）、春夜宴桃李園序（李白）、答夫秦嘉書（徐淑）、又報嘉書（徐淑）、東番記（陳第）。

美國加州基礎教育		
十二年級	寫　作	能寫連貫、突出重點的文章來表達明確的觀點，並且論據嚴密合理，也顧及閱聽者的立場和自己的寫作目的。在寫作程序的各階段繼續進步。能使用修辭的手段來強化寫作技巧。能使用明確的研究問題和有創意、批判性的研究策略。能整合資料庫、圖形、電子表格到文字處理的文件中。能使用敍事、論述、説服、説明等修辭策略，寫出每篇至少1500字的文章。寫小説、自傳、或傳記敍述、文學回應、反省類文章、歷史調查報告、求職函和履歷表，能做多媒體演示。
	聽和説	能靈巧地進行口語溝通；能發表有重點、思想連貫的報告來傳達自己明確獨特的觀點和堅實的推理。能針對特定觀眾和目的，使用「客製化」的手勢、語調、和詞彙。能結合傳統的修辭策略（敍述、論述、説服、和説明）來發表正式而得體的即興演講，包括反應式演示、口頭報告、歷史調查，對文學作品做口頭式答覆、多媒體演示、朗誦詩歌、演講選粹、或戲劇獨白，且能注意表演細節，使得演説變得清晰、有力、和有美感，也展現出自己對文章含義的理解。
	數　學	達到代數I、幾何學、代數II、概率統計學等的標準；可選修三角、線性代數、數學分析、進階概率統計學(AP)、和高級微積分(AP)。
	物　理	運動和力量、能量守恆和動量、熱量和熱力學、波、電、磁。
	化　學	原子和分子結構、化學鍵、質量守恆和化學計量、氣體及其性質、酸和鹼、溶劑、化學熱力學、反應速率、化學平衡、有機化學和生物化學、核進程。
	生物學	細胞生物學、遺傳學、生態學、進化、生理學。
	地球科學	地球在宇宙中的位置、地球的演變過程、地球系統裡的能量、生物地球化學循環、結構和大氣組成、加州地質學。
	調查和實驗	科學的進步源由於提出有意義的問題和進行認真的調查。
	歷史・社會科學	9-12年級的學生應表現以下的智力、推理、思考和研究技能：按時間順序和空間思維、歷史研究、證據和觀點、歷史解釋。十一年級的學生著重於了解美國歷史和地理：20世紀的連續性和變化。十二年級學生聚焦於研究美國民主和經濟學原則。學生能解釋美國憲法和其他重要文件所闡釋的民主道德之基本原則和價值；評估、採取立場、維護民主政體下公民享有的權利和應盡義務的範圍和限度、權利和義務之間的關係、如何確保之；評估、採取立場、維護民間社會（即不屬於政府的個人、社會、經濟之自治領域）的基本價值觀和原則、它們的相互依存關係、以及自由社會的價值觀和原則之意義和重要性；分析美國憲法所規範的三權獨立運作的獨特角色和責任；能提綱挈領描述美國最高法院歷次所做的憲法及其修正案之重大解釋和其所代表的意義；評量全國選舉、州選舉、地方選舉有關的問題；分析和比較國家、州、部落和地方政府的權力和程序；評估、採取立場和維護媒體對美國政治的影響；分析不同政治制度的起源、特點、發展，重點著重於民主政治的追求、進展和障礙；形成問題並分析和捍衛自己對民主憲政所引發的緊張局勢之見解，對以下概念維持平衡的重要性提出自己的見解：多數統治和個人權利；自由和平等；國家和州在聯邦制度裡的權力；公民抗命和法治；新聞自由和公平審判的權利；宗教和政府的關係。在經濟原則方面，學生了解經濟學的共同術語和概念，會做經濟推理；分析美國市場經濟在全球佈局裡的構成元素；分析聯邦政府對美國經濟的影響；分析美國勞動力市場在全球佈局裡的構成元素；分析美國的總體經濟行為；分析國際貿易問題和解釋美國經濟如何影響國外經濟體和如何受國外經濟體的影響。

		台灣國民基礎教育
高三	英文	either…or/neither…nor、can't（help）but＋V、can't help＋V-ing、have no choice but＋to V、must vs. can't、one…, another…, and still another...、some…, others…, and still others...、A is to B what C is to D、whether…or...、"it" as a dummy subject or object、SC＋V＋S、Inversion、pat/grab/...＋O＋prep.＋the＋head/arm/...、Without/But for/Were it not for...、...keep/stop/protect...from...、Restrictive clauses vs.、Non-restrictive clauses、Inverted Subjunctive Structure、..., all/both/neither/none/...＋of which/whom...、adj...,S＋V..、It is not until...that S＋V...、N＋to V、Passive voice: a review、cost, take, spend。prep.＋wh-clause、for example vs. such as、separable two-word verbs vs. inseparable two-word verbs、If ＋S＋should＋V、If＋S＋were to＋V、be capable of V-ing/ be able to V、the former...the latter...、"Now is the time to V"?It is time＋to V/that-clause、in spite of/despite/（al）though、wish vs. hope、wish vs. may、do＋one's＋V-ing vs. go＋V-ing、make sure（that）＋S＋V、vs. make sure of ＋N、Verb tenses、Relative clauses: a review、once、no sooner...than、S＋find/keep/catch/leave＋O＋adj./V-ing/p.p.、It will be...before...、It won't be long before...、study/research/statistics＋show/indicate＋that-clause/suggest
	數學	條件機率、數學期望值與二項分配、交叉分析、分析二維數據、矩陣的加法與係數積、矩陣的乘法及意義、矩陣的列運算及增廣矩陣的應用、行列式、克拉瑪公式、反方陣、絕對不等式、條件不等式、線性規劃、數及其圖形、極限的概念、割線與切線、導數與切線的斜率、函數的增減與函數圖形的凹向、極值的應用、定積分及其應用、函數的極值、三次函數的圖形、黎曼和與面積、多項式函數的定積分。
	物理	波動：波的傳播、振動與週期波、繩波的反射與透射、波的疊加原理、駐波、惠更斯原理、水波的反射與折射、水波的干涉與繞射，聲波：聲波的傳播、聲音的共鳴、基音與諧音、都卜勒效應、震波與音爆，幾何光學：拋物面鏡成像、球面鏡成像、折射現像、全反射、薄透鏡、光學儀器，物理光學：光波動說的發展、光的干涉現象、光的單狹縫繞射，靜電學：庫侖定律、電場與電力線、電位能、電位與電位差、電容器，電流電阻與電路：電流與電動勢、歐姆定律與電阻、電阻器的串聯與並聯、克希何夫定則、電流的熱效應與電功率、電流電壓與電阻的測量。電流的磁效應：電生磁、載流導線的磁場、載流導線所受的辱磁力、帶電質點在磁場中的運動，電磁感應：感應電動勢、冷次定律、法拉第電磁感應定律、發電機與交流電、渦電流與變壓器、電磁波，近代物理的重大發現：電子的發現、密立坎油滴實驗、X射線、黑體輻射、光電效應、康普頓散射、相對論的發現，原子結構與原子核：拉塞福原子模型與原子光譜、波耳的氫原子模型、法蘭克赫茲實驗、物質波、波粒二象性與波動力學、原子核的組成、原子核衰變與放射性，現代科技簡介：物理與醫療、人造光、半導體的發現、超導體的發現、奈米科技。
	化學	化學平衡：可逆化學與化學平衡、化學反應式與平衡狀態、平衡常數、影響化學平衡的因素，水溶液中的平衡：鹽類的溶解平衡、弱酸與弱鹼的解難、鹽、緩衝溶液、弱酸與弱鹼的滴定，溶液的狀態與性質：液體的蒸氣壓、溶液的沸點與凝固點、溶液的滲透壓、電解質溶液的依數性、膠體溶液，原子與分子：原子性質的週期性、分子內鍵結及分子形狀、分子的極性，物質的形成及結構：分子間作用力、氫鍵、共價網狀晶體的結構與特性、金屬晶體的結構與特性、離子晶體的結構與特性、分子晶體的結構與特性。電池電解電鍍：電化電池、標準電位與電池的電動勢、常用的電化電池、電解與電鍍，有機化合物：有機化合物的組成與結構、有機鹵化物、含羥基的有機化合物、含羰基的有機化合物、含羧基的有機化合物、含氮的有機化合物，聚合物：聚合物的一般性質與分類、天然聚合物、聚合反憑、合成聚合物的材料。
	選修生物	緒論：生命的起源、有機演化、早期生物的演化、生物學的研究方法，生物的基本構造與功能：生物體的基本化學組成、細胞的構造與功能、細胞的特化與分工，維持生命現象的能量：能量的來源、能量的流轉、能量的利用，養分的攝取：細胞吸收養分的機制、植物體養分的吸收、動物體養分的消化與吸收，物質的運輸一植物體內物質的運輸、動物體內物質的運輸、淋巴系統的構造與功能，氣體的恆定一植物體的氣體交換、動物體的氣體交換、人體的呼吸運動、人體血液的氣體運輸與交換，生物體內體液的恆定一動物的排泄、尿液的形成、體液的恆定，激素與協調作用：植物激素、動物內分泌系統、人體的內分泌系統、神經內分泌，神經系統與行為：神經元、神經衝動、中樞神經系統的構造與功能、周圍神經系統的構造與功能、自律神經系的構造與功能、學習與行為的生物學基礎，生物對外界刺激的反應：植物對外界刺激的反應、視覺、聽覺和平衡覺、味覺與嗅覺、其他感覺，人類的防禦系統：病原體、非專一性防禦系統、專一性防禦系統、專一性免疫反應、防禦系統失常，遺傳：染色體、聯鎖與互換、性聯遺傳、多基因遺傳、族群遺傳。
	歷史・社會科學	地理：地理議題探索、社區、都市發展與都市問題、都市計劃與未來都市、國土、產業國際分工、資金與人力的流動、區域結盟與地方發展，資源一世界糧食問題的形成與解決策略、水資源的開發與利用、水資源的問題與對策，地景保育，環境與疾病，災害防治一洪患、土石流，環境變遷一全球暖化、海岸變遷。 歷史：儒家思想與中國社會一儒學的興起與傳承、儒學的再興、儒學教育，道教與民間信仰一道教的興起與演變、道教的儀式與方術、台灣的民間信仰，醫療與社會文化一針灸與本草、宗教醫療：巫、當中醫遇到西醫，日常生活與大眾文化一茶與市民社會、戲劇、通俗文學與大眾生活，從華僑到海外華人一華僑及海外華人的歷史沿革、在異域中的僑居者、從華僑到華裔公民認同的轉變，生態環境、物質文明與近代人文生活一近代工業革命與物質文明、現代文明與生態環境、自然與文明，資訊傳播及媒體的普及一印刷術與書籍報刊的普及、影像視覺媒體的進步、通訊的現代化及數位革命，歷史是什麼？個人的反思一歷史是什麼、歷史意識、歷史事實與歷史解釋。 公民：現代社會與社會安全制度、社會階層化與社會流動、全球化、資訊社會與本土化、社會運動與立法、釋憲制度與人權保障、應用民法、應用刑法、應用行政法、民意表達與媒體政治、政府決策與政策評估、國際關係、組織與全球社會、世界主要意識型態、資訊不完全、政府管制、政府財政收支、資產市場。

二年之後

姚仁喜・姚姚・JJ・小元

姚仁喜：二〇一〇年《傳家》繁體版出版之後，所造成的影響超出了所有人的預料。這部書不僅在兩年內，為法鼓大學募集了新台幣七千二百萬元的款項，簡體版則在不到一年的時間，在內地銷售了十萬套。它廣受台灣、大陸以及海外華人的驚豔與喜好，回響熱烈。《傳家》繁體版未曾在任何書店上架，僅以網站與事務所同仁們的協助，就這麼一冊一冊地發送到一個個讀者的手中。再度地，任祥顛覆了出版既定的思惟：書出版前，專家們認為做不到的事，她全憑一股宏大的願力，一一達成，跌破很多人的眼鏡。書出版之後，除了電視節目訪談、報章雜誌報導之外，她成了擁有眾多粉絲的名人，還有從世界各地慕名而來的人們，希望前來一窺我們的家庭農場與地下工廠……由於這套書，任祥與許許多多的華人結下了一個大緣。

書出版後不久，任祥開始動手收拾這個五年以來由簡入繁、堆滿了各種物件——包括植物、動物、無生物——的家。她把雞隻送回了宜蘭鄉下的農場，把種植青菜的紅酒箱大量地減少了，也將許多參考書籍裝箱，許多圖表、文稿、繪本也都一一收拾乾淨，我們家漸漸地又恢復了「建築師之家」那種「家徒四壁」的清淨，我心中暗自高興，終於我又可以回復到往昔「純粹」的空間了。

但事實並非如此。

大概《傳家》出版後的第三天起，任祥其實已經開始規劃她的修訂版了！所有這些清理，是為了下一場盛宴！更多的內容要加入修訂版，因此有更多的研究工作要做，她要把中國歷史以一張仿若「時光機器」的圖樣完全表現出來，其中還要紀錄所有重要的歷史事件！她還要加入我們的音樂與樂器，中國繪畫的一覽表，更企圖把古文物與中式傢俱重新一個一個畫出來，因此家中迅速地又堆滿、掛滿了各種資料、圖表與書籍。加上我不小心說了一句話：「現在都吃不慣外頭的青菜了，只喜歡家裡種的……」導致任祥決心所有的青菜都要自行生產；如今，我們家裡所有的戶外空間，只要是平面的場所，除了足夠一人寬的消防逃生通道之外，都被種植的青菜所占滿。

諸位可以讀到，所謂「修訂版」所增加的內容，事實上是一本新書的份量！這二年之間，除了修訂版所需要的研究資料充滿整個屋子，還有一堆新的書稿也貼滿了家中的牆壁。至於這本新書是什麼內容，容我在此賣個關子，暫不透露，因為，老實說，要我說我也說不清楚，感覺又是一個無邊無界的創作，天曉得她會玩到甚麼地步。

早些年，任祥這套書的初始構思，是要導正外國人誤以為中國人的生活文化就是「唐人街」的俚俗文化而來的。後來，她轉變了。她以一位承載中國文化的母親，以「傳家」的精神來寫這一套書，希望能把我們的文化寶藏傳遞給下一代。繁體版與簡體版《傳家》接續出版後，好似喚起了許多人共有的壓箱寶一般，任祥得到很多讀者的回饋，其中許多都令人動容。例如：有個爸爸每天唸一篇幅《傳家》給他的孩子聽；讀者傳來他們做的手藝；原本不想生孩子的父親來信說想生孩子來傳家；有幾位在上海的母親們，以《傳家》做為教材，帶領著一群孩子們Home Schooling……我也曾在出差時，在一個武漢的書店裡，看到一本已經被翻閱到都已散開的《傳家》。從這些回響中，我們看到在這消費主義、物質主義、個人主義愈趨極端的時代洪流中，有那麼多父母與任祥抱著相同的心情，急切地想要把整大包的文化資產存入下一代孩子們的生命帳戶之中。

任祥跟我都好客，所以常請好友們吃飯，但是每次客人來，任祥都還送一些禮物給客人。剛結婚不久時，我常納悶，為何請人吃飯還要送人禮物？後來我才理解，其實任祥就是喜歡送人禮物，你可以說，她的「嗜好」就是送人禮物——各種大大小小的創意或年節手工藝品。《傳家》的出版，她將所有繁體版的收入完全捐出，個人分文不取；簡體版則為了請出版社降低售價，她也完全不收版稅。任祥把她努力的成果、她的喜好，做成一份《傳家》大禮，送給了所有喜好中國文化的人。

姚姚：距離為第一版的《傳家》寫信給您，已過了兩年的時間。做為您的寶貝女兒，我真不知道該怎麼樣才能讓您明白，我是多麼的為您感到驕傲。您為《傳家》所付出的努力與堅持，單打獨鬥地將原本珍視的智慧缺口填補，不只感動了我們一家人，更讓居於海外的許多華人心裡得以有所共振。您的書連結起了許多人，讓他們想要回「家」！許多華人在維繫自己的認同感以及中華文化的知識時，經常遭遇到很多的困難，您的書，正巧讓他們能以圖文並茂的方式親近自己的文化，重新思考其中的意義與珍貴——我猜想兩年前的您絕對沒有想像到《傳家》可能引起如此熱烈的共鳴吧！

去年農曆新年，我翻閱著《傳家》中的「火鍋」篇，照樣的做，與外國朋友們一起分享慶祝，讓他們知道我們的圍爐多麼有趣。我現在也可以做得出奶奶家的炸醬麵、或是小阿姨的清蒸魚呢！而我自己談食物的部落格，更常常應用您書中的味覺羅盤，很好用呢！

在我們幾個小孩眼裡，您的種種成功也不是太難以置信，畢竟我們知道您是個超級能幹的女超人：只要您決心要做，世間少有您做不到的事！在我房間桌上有一個愛心形狀的氣球，裡面有著柔軟的紅羽毛，每次我看著它，就想到那是我七年級時，我倆一起去逛街，這氣球懸掛在一家店的櫥窗，我驚呼它好可愛好可愛，您走進去問老闆多少錢？老闆回覆那是非賣品，您毫不思考的下一句話是：「那你可不可以送我？」那老闆看到您那堅定決心的臉孔，也就送給我們了！這麼多年來，您為了我們三個孩子的教育，展現過的大小決心，當時我總覺得太誇張或太嚴格，現在自己在外獨當一面或與人接觸時，也才體會出當時您的用心。最明顯的是您教育我要有「隨手」的習慣，讓我比很多人顯得潔淨有效率，這真是被您罵過多少次，糾正多少年才長出來的好習慣。

這兩年來，您讓我敬佩的，則是在《傳家》得到那麼多的肯定後，您依然保持著一如往常謙卑的生活態度與價值觀念。除了變得更加忙碌之外，您絲毫沒有改變，依然是那個我們能夠隨時依賴指望的媽媽。

每當我們隔著太平洋通電話時，雖然我總會聽到《傳家》邀約的義務工作，或是相關新的工作方案，但我知道您仍是一貫的需要到公司打理大小事務，為了幫同事打營養果汁傷腦筋，修理家裡的漏水工程，跟我們家菜園裡的蟲蟲作戰，幫朋友辦演唱會設計規劃，或是安排家人的旅遊計畫……，當然，還少不了要協調家裡那群狗兒的情緒問題。

在得到了外界那麼多的注意與敬佩後，您並沒有改變，您依然是我們的好媽媽，是個讓人信任的朋友，也是個努力持家的妻子。

親愛的媽媽，謝謝您時時刻刻提醒著我們身為華人該有的精神，要飲水思源，要感恩謙卑，更讓我們理解到生活在事業成就以外，不能忽視人生中重要的環節，而且須要細心守護著它們。

JJ：從小生長於美國與後來在台灣唸國際學校的我，是個別人眼中典型的ABC（American Born Chinese）。很多人對於「ABC」這個名字有一種既定被「漂白」的刻板印象，認為所有的「ABC」是長期失去了中華文化薰陶的小孩，因久久生活於別的國家，進而失去了對原生文化的認識與尊重。很遺憾的，這個印象，確實存在於美國的華人社會之中。

我則有著不太一樣的際遇，尤其在上大學後，才自朋友們的身上看到自己是多麼的幸運，除了擁有一位孜孜不懈地教育我的母親外，我總以能在台灣成長為傲。不論是開口說中文，或是品嘗美味的中國料理，我通通都不落人後。二十幾年來在家庭的教育之下，有機會接觸中華文化的薰陶，所以對於《傳家》這套書裡寫的東西，才會並不陌生也有所心得。由於這樣特殊的成長背景，讓我發現我和美國的許多的ABC朋友們有些不同，對於文化上的牽絆較深，對於自己民族精神的定位也能夠感覺比較明確。

《傳家》這套書影響了我在大學認識的一位要好的朋友。她的家庭來自中國杭州，而她則自小生長於美國的佛羅里達州，鮮少有機會近距離的認識自己民族的歷史與文化。在朋友圈裡頭，她總是被嘲笑「已經被漂白」，因為就連我們非華人的朋友，都看得出來她與自有文化的隔閡，而且已經喪失對自身身分的認同感。

因此，當媽媽為了《傳家》到德州來演講的時候，我邀請這位朋友和我一起去聽。媽媽的演講，從平易近人的中國美食開始，講到節慶的由來，漸漸引申至文化傳統與精神，還有我們所擁有的藝術文化底蘊為何等等。我的朋友深深的被這麼龐大的資訊震撼到，她想要更進一步去了解，並深入探掘其中寶貴的訊息。《傳家》不僅讓她認識了這樣的精神，也鼓勵了她去更深度地理解作為一個中國人所代表的種種意義。

《傳家》所叮嚀的，是身為華裔後代所該知道的自身血統所具有的資產價值，而這正好是美國普遍的ABC鮮少有機會理解的智慧。

兩年間，關於這套書的成功，我可以滔滔不絕地繼續說下去，包括這套書為法鼓大學所累積的捐款，甚至光是這套書在過去一個月所創下的銷售成績。但是我想，這套書最珍貴的成就，其實是對於我那位ABC朋友的影響與鼓勵。

《傳家》不只傳給了我們家三位幸運的孩子，我的好朋友，還有成千上萬我不認識的海外的ABC，或是住在深圳、上海、成都……的學生們，讓他們都能夠認識自己文化背後所醞釀的傳統與精神，更完整地認清自身的養分與優勢。

小元：很高興《傳家》要再版了！更開心聽到《傳家》將要有英文、日文和德文的版本。它是一份很棒的禮物，可以想像它將燃起更多人對於中華文化的認知，或是好奇，亦或是驕傲。媽媽對於這套書的堅持與憧憬早已超過了任何人的想像，也讓這套書超越了我們這個小家庭的框架，影響了所有新生代的莘莘學子，更讓這世界得以用一個嶄新的角度去檢視與尊重我們的文化。

當初媽媽製作整套書的單純動機，只是出自於一位母親對兒女們生活教育不足、對自身認識不足的擔心。媽媽最激勵我的地方是，她的認真投入和無私奉獻。我總覺得這套書跟一般的書不同，因為它不只是一個作者醞釀多年的傑作，更是天下做為母親永遠放不下心的那份叮嚀。母親的叮嚀，沒有止境，是兒女們無法體會的，所以這套書，永遠似乎還有更多的話要説，好像是不會有完結的一天。

當首版《傳家》終於完稿，順利出版後，我以為媽媽會停下腳步讓自己稍微歇息，誰知道她竟變得更加忙碌，把握了每分每秒去完成各種不同嶄新的叮嚀企畫案。在美國念大學的我，總會在讀書累了的時候，跟媽媽打電話，也常常接到媽媽的電話。在關懷我的種種生活之餘，媽媽會跟我講述她新的企畫作品，有些還在構思，有些則快要完工。她會抱著電腦，走到作品前，對準了電腦上的小鏡頭講述給我聽，偶爾會加上一句「你要用點想像力來看！」每每我還來不及消化，她又會展出下一個作品， 我跟不上媽媽的思維，只能讚嘆於她停不下來的腳步。

雖然這麼説可能會讓人感覺有點自誇，但在我眼裡，媽媽真是一位慈母的典範。她給予的愛與耐心超乎你我可知的範圍，因此，我想她為眾人扮演母親這個角色，竭盡所能做的這些努力，一定能感動你。在你閱讀這套精心編輯的《傳家》的同時，請記得：這不過是我母親對中華兒女諄諄善誘的冰山一角，這位母親，將還有更多持續的叮嚀，等著和你分享。

西元二〇一三年一月

姚仁喜．姚姚．JJ．小元

感謝

能夠出版這套書，是上天的恩寵。我要感謝的人，是我的師長、家人、同事、以及朋友們；感謝生活中有你們的扶持。

中國文化浩瀚無邊，我才疏學淺，卻不自量力的出版了這套分類龐雜的大書。製作這套書的五年裡，我常常越做越驚慌，多次想要中途放棄。但每次孩子們問我跟中國有關的問題，每走一趟國外的中國城，又立刻發願一定要出版一套現代中國人的精緻生活書。五六回合的放棄又發願，我都以「一切所發之願，祈依佛法而圓滿」來鼓勵自己：別想太多，做就對了！

感謝南懷瑾教授知道我的計畫後，給我十足的鼓勵，並為本套書命名與題字；感謝宗薩蔣揚欽哲仁波切對我無所不在的護佑與教導。感謝我的父母，他倆精彩的人生，讓我得以傳承特殊的人生經驗。感激我的師長，讓我看到成長的典範。感謝我的朋友，總是給我最多的鼓勵。感謝我的兒女們，他們是我一切原動力的出發點。

感激我先生姚仁喜，除了百分之百的支持我，還要忍受我把極簡主義的家，當成佈景或倉庫一樣的實驗。講究減法哲學的他，對我的奇想與行動從沒有微詞與皺眉。是他的支持與縱容，我才能玩得這樣理直氣壯。仁喜最了解我，看我無厘頭的忙了那麼久，卻收不了自己佈下的網；於是幫我進行邏輯性的分析，過濾，整合，最後才確定全書的結構與工作流程。

最近看了「美味關係」那部電影，的確，以市場為導向的出版體系，埋沒了很有心分享寶貴經驗人士的機會。這部電影有一個結論：一個家庭主婦想在忙碌瑣碎的人生歲月中留得下一點東西來，其後一定有一位寬厚寵愛她的伴侶！而我比那兩位女主角更幸運的是，仁喜從來沒有讓我需要與出版體系協商，所以沒被出版社澆過冷水，也不必委屈求全。

本書的攝影者劉振祥，我欣賞他的安靜性格與安靜的作品，我跟阿祥認識多年，並沒有很多合作的機會，但一談到本案，他二話不說的跟著我上山下海，捕捉他眼中的四季裡的文化點滴，以幾萬張的照片呈現我們美好的生活層面。

感謝法律顧問林秋琴律師，是我幾十年的好友，謝謝她義務的奉獻，幫這套書與衍生出來的事務處理法律的專業問題。感謝美術顧問霍榮齡，也是我幾十年的好友，她義務的為美術編輯提供意見，並且幫忙校閱全套書的色彩印刷事宜。

負責全書文字整理的季季，以她精湛的追根究柢的專業態度，釐清太多我說不清楚的故事。感謝編輯群們多年來，忍受著我即興與求完整完美的個性，主編劉玉貞，細心且有耐心，從不遺漏我散在各地的資料。美術編輯段世瑜，展現出來高難度的整合全套書與生動別緻的創意設計。插畫家葉子明，與我合作二十幾年，默契十足，完全熟知我想要表達的手法與風格。感激曾經幫助過這一套書的每一位好朋友，從資料的收集、租借場地、道具到校對文案，所有的朋友都不是出版專業，我笑說這是「一群臭皮匠，模仿諸葛亮」。由於篇幅的關係，恕我無法一一列名致謝。

我尤其要感謝我的工作夥伴，大元建築及設計事務所行政組的所有同事與美術編輯們，設計是創意的實踐，有趣又有成就感，但落實執行卻是一件苦差事。我二十幾年來所設計的作品，能夠逐一呈現並在本書發表，近年來又因私忘公，原本的工作都由同事代勞，才可無後顧之憂的製作這一套書，不論是否參與本案的工作夥伴都是我得力的助手，由衷感謝妳們的辛勞。

我決定把本書在台灣的發行所得全數捐給法鼓大學，是為了感念我們的生活導師聖嚴法師，也實踐我對法師的承諾。法師生前曾到我的工作室，說將來籌建法鼓大學需要募款，問我可不可以幫忙？我當時告訴法師：那是我的榮幸。我非常懷念遠行的法師，常想著他所教導的話，並時刻提醒自己要實踐對他的承諾。

最後要感謝的是，就在本書即將完稿的前夕，永豐餘集團董事長何壽川夫婦向我慨然的表示，他們希望捐獻本書的第一刷兩千套的紙張與印刷費用。壽川兄與我家是兩代世交，其中的緣分說起來很奇妙。家父任顯群當年在台灣經濟前途憂患之際，於台灣省財政廳長任內毅然推展前所未有的統一發票制度，但在議會審查時，遭到壽川兄的先翁——彼時擔任台灣省議會第一屆議員——何傳先生堅決投票反對。但後來統一發票於一九五一年一月一日起發行成功，家父也因政治因素於一九五三年四月辭卸財政廳長等一切公職，何伯伯反而與家父成了莫逆之交，常到偏遠的金山農場來與家父小聚。這可以說明當年全然無私為公的從政楷模。有了這份淵源，再加上壽川兄與杏如執行長與法鼓山的緣分，我也感念於聖嚴法師冥冥中的安排，於是歡喜的接受了他們的美意。祈望我們的心意，能融入善念的大海，永不枯竭，代代相傳。

西元二〇〇九年十二月　姚任祥

參考書目與資料收集

101種常用食材健康圖

2步驟燉補超簡單

二〇〇八中華插花藝術展作品集

二南堂印譜

二南堂法帖

川味火鍋配方揭秘

上海褒、滾、炖家庭湯品

大火快炒人氣海鮮

大廚最推薦的魚片料理

火鍋評比台灣55家火鍋名店

火鍋輕輕鬆鬆做

五更腸旺快速上桌

中國太極推手

中國吉祥圖像大觀

中國的印章與篆刻

中國造型

中國會

中國書法簡明史

中國書法之旅

戶牖之美

手打中國結

牛轉乾坤

分類詳註新式尺牘大全

太極推手

太極推手技擊傳真

太極拳道詮真

太極導引

五花肉怎麼做最好吃

台灣古早味走賣

台灣編織植物纖維研究

玉・瓔珞之美

四十二式太極拳

四庫全書養身術

白話黃曆

羊肉爐薑母鴨

全家人都愛的鍋物料理

吉祥如意

吉祥對聯

字裡乾坤

字在自在

老年學書法講座

肉丸子可以變出這麼多菜

李老十當代篆刻名家精選集

沒廚房也能做菜40招

金風玉露憶相逢

金門高粱酒

金聖嘆陳眉公才子尺牘

招牌醉雞秘方公開

炒菜鍋這樣用才對

旺旺曆書

培梅食譜

紅燜廚娘

拜拜真靈拜拜入門

故宮勝概 新編

書・設計

華之采-陳曹倩花藝筆記

華夏文化與世界文化之關係圖錄

酒器

海鮮怎麼料理簡單又下飯

菜市場魚圖鑑

現代生活實用農民曆

國寶中醫養生智慧

魚湯怎麼作最鮮美
排骨酥醃炸秘方
魚的40種調味絕招
筋長一寸壽延十年
黃曆101問
揭開黃曆的秘密
湯頭好喝秘方大破解
湖湘酒文化
進補最愛麻油雞
奢華美味壽喜燒
經絡與穴道
漢字的故事
蒸魚必備醬料完全收錄
路邊攤人氣最旺雞料理
認得幾個字
漢字的故事
對聯之研究與學習
對聯精華集錦
實用簡易相術口訣・達摩一掌金
篆刻字林
醃肉秘方完全公開
鄭琛太極拳道詮真
篆刻-全面透視中國篆刻藝術的發展演變與古樸韻味
學藝邇言
餐廳雞肉料理獨特配方
餐廳必點人氣雞肉料理大集合
龍吉祥納福看瑞獸
雞排豬排醃料炸粉
簡易手工丸子
藥燉排骨
爆紅火鍋湯底配方大公開
讓肉更嫩的30個絕招
讚不絕口臭臭鍋

Lost Fish
The List – Know Your Chinese Food
The art of classical Chinese flower arrangement

ニツポンの名前
文字の美・文字の力

一、本書第23～33、43～46、50～53、116～117頁
文案撰寫：楊昇儒
二、本書第55～58頁
文案撰寫：李應平
三、本書第111～114頁之雕欄玉砌圖騰彙整：
姚任祥　陳怡茜　游木蘭　李心秀　陳芊樺　葉柏辰
四、本書第110、115頁之樂器資料收集：姚任祥　葉子明
五、本書第119～122頁之傢俱彙整：姚任祥　方雅鈴
六、本書第127～130頁之書法長軸表彙整：
姚任祥　高明一　賴怡姍　陳怡茜　方雅鈴
七、本書第179～182頁之民族人物表彙整：
姚任祥　季季　汪招菁　林宜熹　陳怡茜　許貞瑋
方雅鈴
八、本書第194～199頁之禮節用語表彙整：
姚任祥　韓介光　季季　蘇靖惠　陳怡茜
九、本書第244～265頁之中西教材對照表彙整：
姚任祥　姚文泓　季季　許貞瑋　陳怡茜　李心秀

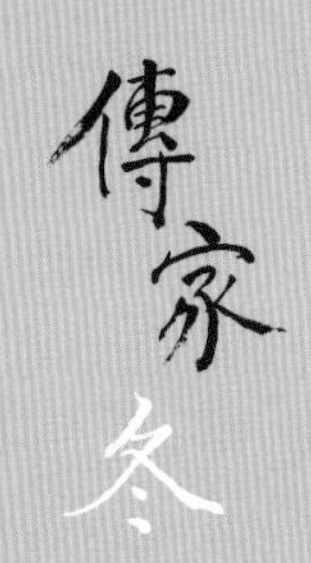

國家圖書館出版品預行編目(CIP)資料

傳家. 冬 / 姚任祥編著. -- 二版. --臺北市 : 信誼基金, 2013.05
面 ; 公分
ISBN 978-986-161-462-5(精裝)

1.風俗 2.中國

538.82 102003359

傳家網址 www.artofchineseliving.com
編　　著 姚任祥
作　　者 姚任祥
文字整校 季　季
攝　　影 劉振祥　姚任祥
執行主編 劉玉貞
插圖繪畫 葉子明
美術設計 段世瑜　陳怡茜　方雅鈴
美術顧問 霍榮齡
場景佈置 姚任祥
傳家團隊 方雅鈴　田瑾文　林宜熹　許貞瑋　葉翠茹
陳怡茜　陳碧蘭　蔡孝君　賴怡姍
法律顧問 常在國際法律事務所 林秋琴律師

出版發行 信誼基金會
總 代 理 上誼文化實業股份有限公司
地　　址 台北市重慶南路二段七十五號
電　　話 (02) 2391-3384 (代表號)
網　　址 www.hsin-yi.org.tw
客戶服務 service@hsin-yi.org.tw
郵撥帳號 10424361
戶　　名 上誼文化實業股份有限公司
出版日期 2013年5月
版(刷)次 二版一刷
I S B N 978-986-161-462-5
印　　刷 沈氏藝術印刷股份有限公司

讀者服務/信誼・奇蜜親子網 www.kimy.com.tw